血火中的文化脊梁

章绍嗣　章倩砺　著

长江出版传媒
湖北人民出版社

图书在版编目(CIP)数据

血火中的文化脊梁/ 章绍嗣，章倩砺著.
武汉：湖北人民出版社,2014.4
ISBN 978－7－216－08151－1
Ⅰ. 血… Ⅱ ①章… ②章… Ⅲ. 抗战文艺研究
Ⅳ. I209.6
中国版本图书馆CIP数据核字(2014)第040717号

出 品 人：袁定坤
责任部门：鄂西分社
责任编辑：施先稳
封面设计：李和森
责任校对：万山红
责任印制：杜义平
法律顾问：王在刚

出版发行:湖北人民出版社	**地址**:武汉市雄楚大道268号
印刷:武汉市福成启铭彩色印刷包装有限公司	**邮编**:430070
开本:787毫米×1092毫米1/16	**印张**:20.5
字数:321千字	**插页**:3
版次:2014年4月第1版	**印次**:2014年4月第1次印刷
书号:ISBN 978－7－216－08151－1	**定价**:48.00元

本社网址：http://www.hbpp.com.cn
本社旗舰店：http://hbrmcbs.tmall.com.
读者服务部电话：027-87679656
投诉举报电话：027-87679757
(图书如出现印装质量问题，由本社负责调换)

保卫大武汉

郑律成　作曲
沙旅·尔东　作词

保衛大武漢
軍民合作抗戰

目　录

“后福”是“厚福”　“感言”代“序言”

俗话说：“大难不死，必有后福。”我在经历了数年与癌症拼死的搏击后，庆有余生，不能不说是“厚福”一桩。本书的出版，完全是我生命中的一个意外。因此，我在书前写出的不是“序言”，而是生死簿中的一篇“感言”。

2006年，65岁时我正式退休，心想：从此以后可以读读爱看的书籍；整理资料，写写文章编编书，过几天舒适、闲散的日子。可是，依旧躁动的心却挡不住外界的种种诱惑，先是在学校当教学督导员，继而到教育厅任教学巡视员；后来奉令调到校庆办公室舞文弄墨、东奔西走。其间又受武汉市文史馆之托主持编写《民国时期的武汉》一书，赶辛亥百年之庆。像一颗急骤旋转的陀螺难以停止下来，工作虽没日没夜，心中却兴高采烈，整天忙得不亦乐乎。到69岁时，突然发觉到了学驾的最后期限，又死乞白赖到一家汽校学驾车，一得空就赶到场子上去“搬库倒桩”，终日累得昏天黑地。几年前的一天，刚从湘西出差回来，身感不适，到医院一查，诊断患了恶性淋巴瘤。年轻力壮的央视著名播音员罗京即因罹患此疾数月而殁。癌症呀！我如五雷轰顶，顿觉天崩地裂，第一次如此切近地感到了“死亡临头”的恐惧和绝望。

正是在我痛不欲生的时刻，中南民族大学和武汉市文史研究馆给予我极大的关心和帮助，来慰问的同事和朋友络绎不绝。两单位的十数名领导几乎都到家里看望过我，鼓励我与疾病斗争。我的罹难也牵动了全国校友和我教过的学生们的心，在我绝症缠身、惶惑不安而又情绪消沉的时候，远在广东84级的张昱和上海83级的路燕当即乘机飞来武汉看望；深圳81级的郭雁寄来首次治疗的规范建议书，又两次莅汉慰问。刚从国外培训返豫的钱忠宝闻讯后，发来信一纸，词一阕，有云："……依依惜别，楚天外，轻风摇竹。闻恶疾，瑶琴声断，登楼人独。满目不堪七月暮，举头已觉太阳毒。……愁和绪，盈尺幅，汴梁聚，何时有？叹世事八九，不一而足。几许渔人飞短艇，尽载灯火入南湖。……"我捧读再三，情动衷肠，泪雨纷披。正在广西瑶山大峒密林中做调研的邵志忠得讯较迟，也借出差之机多次探望，给我送来那里的天然灵芝。已任校党委副书记的81级白江源，工作繁忙，闻悉我的病情后，先跑到医院未遇，掉头又奔到我家，其心急之状可知。王华敏、黄鲁琼、蓝取真、蓝七妹、莫祖深、陈斌、郭雄清、盘剑波……我无法一一罗列出长串姓名，各地同学通过各种方式表达了他们对老师的关心和爱护。此情此景，令我泪如雨下，感动至极，心中深感慰藉，充满温暖。我的罹病更使亲人们痛心疾首，三位年近九旬、哺育我成人的姑妈和叔父哭泣不止；远在英国九年的儿子慨然辞去《太阳报》（华文版）主编之职，拖儿带女回国觅职，以尽人子之责；怀孕待产的女儿和焦虑不已的老伴终日侍候在侧，须臾不离。他们都在为我祈祷，期待着我战胜恶疾，重返校园。

面对如此山高水长的同志之谊、师生之情和亲情之爱，我思绪遄飞，感慨万端。最终知道：唯一可报答大家的是正视现实，调整心态，积极治疗，投入到一场与癌魔的战斗中去。

癌症的治疗是一个生不如死、脱胎换骨、极其痛苦的过程。我常常对自己说：为了爱我的亲人，为了我热爱也爱我的一群学生，为了多位情深意厚的朋友，我一定要力挺到康复的那一天。在省肿瘤医院经历了住院九个半月、漫长而规范的八次化疗和二十六次放疗后，癌细胞初步得到控制后出院。难忘啊，每天深恶痛绝而又无可奈何地去进行一轮又一轮化疗与放疗，平心静气地接受命运挑战，是烙印在我心上不堪回首的惨痛记忆。朋友、学生和亲人们精神上的支撑，是我年逾古稀能挺过炼狱般折磨的最强大力量。

时值秋末，出院不几日，84级的韦忠南同学陪北京的张志及、黄勤敏夫妇来家看我，志及是北京校友会负责人，30年前我的得意门生之一。他以校友的名义诚恳邀请我冬天到他创建的养生园休养度假，海南一月，让我度过了一个身心俱暖的寒冬，体力逐渐恢复。算是初步熬过了病患中最艰难、最灰暗、最阴霾的一段日子。

2000年，我就开始了《武汉抗战文化风云录》一书的写作，已有十数篇在《长江商报》连载，连序言也请某领导写就，后终因精力有限，连载终止，出版流产。但为武汉抗战写书的心愿却一直未了。身体稍好后，便故态复萌，但重续旧篇已兴味索然，又泛起了为来汉作家写本小书的念头。一开始就遭到妻子儿女的强烈反对，但终日无所事事的百无聊赖也为他们理解，“我思故我在”，看到我在悠然写作中的快意，他们不再如“城管”强制取缔，而是强制“家管”，拟定出劳逸结合的适度方案严厉执行。妻子调理营养，做好后勤保障。怕我过于劳累，早年就与我合作过的女儿也参加进来。为增强厚重的历史感，书中尽可能采用“保卫大武汉”前后、特别是当年在武汉和省内拍摄的老照片（少量例外），搜觅甚难，工作量大，四处奔波查询、搜集及整理资料的工作几乎由她一手包揽，若干篇章的探讨和写作也跻身其中，大大减轻了我的工作。如果没有她的参与，一年内，这本有两百多幅图片、数十万字的著作是无法完成的。

我要郑重感谢武汉市政府文史研究馆和中南民族大学的大力支持与帮助，民大党委书记陈达云研墨题签，开篇添色；市文史馆馆长吴胜家挥毫赐跋，压卷增辉。这册拙著的出版，让我在大难不死的古稀之年，终于完成了心中一个久置未了的夙愿。还要感谢诸多朋友的鼎力相助。

我想：人生在世，无论事业的成败，生活的悲欢，人情的冷暖，都如日升月落，自然而然，这就是生活的真实。努力了奋斗过，也就足够了。不必过于执着，更不能只看“完美无缺”的结果。晚年尤其珍惜过去了的岁月、友谊和亲情。数十年来，我和一批教过的学生始终保持着亲密无间的友情，那是我教师生涯的闪光星辉，是我极其重要的人生经历，极为珍视的精神财富。我在一首《七律·有感》的诗中写道“感天动地千行泪，呕心沥血百页书”，权以此书赠给他们，也献给我热爱的所有朋友们作一份永久的纪念。

人到了我这个岁数，才算大致经历和懂得了人生，也初步认识了自己，开始了属于自己的生活，并逐渐学会了以一种较为淡定、恬然、宽容和舒缓的方式来支配自身。珍惜今天，善待明日，是过好晚年每一天的指南。

可以告慰大家的是，在资深肿瘤医学专家陈焕朝先生施行的中、西医结合调治下，我目前病情稳定，日渐康复，终于又活过来了。世界如此多彩，生活这般美好，友情那样淳厚，真想能在人世间有更长久的勾留。

说不定哪一天，我会偕妻携孙，到各地走走，尽可能多地去看看我的学生、朋友和亲人们。

章绍嗣

2014 年 2 月 30 日于武汉南湖畔

大武汉　让中国沸腾起来!

——武汉抗战文化浅论

(代前言)

郭沫若在《洪波曲》中回忆抗战初期武汉开展的活动时说:“整个武汉沸腾起来了,也带动全国沸腾起来了!”1938的武汉,写下过抗日战争时中华民族最团结、最悲壮、最艰苦卓绝、最扬眉吐气的一章。

武汉抗战文化,作为整个抗战文化运动兴起的第一个巨大潮头,汇入到全中国反抗日本法西斯斗争的洪流,写下了新文化史上重要的一页。本文旨在综述武汉抗战文化的概貌,并对其地位、特点和局限作简要的论述。

一、奔腾汹涌的文化热潮

抗战炮响,国魂震荡,民意沸腾。当武汉成为全国抗战的中心后,一个声势浩大的抗战文化运动,勃然兴起,如火如荼。

最先报告文坛复苏信息的,是一大批文艺刊物的创办。战事骤起,作家流散,文艺期刊纷纷停办,文艺界和出版业一度十分沉滞。不久,为数众多的刊物在武汉创刊和复办,多达200余种,呈现出繁荣的景象。其中如《七月》、《战地》、《抗战文艺》、《自由中国》、《抗战戏剧》、《抗战漫画》、《抗战歌曲》等都是影响很大、全国瞩目的期刊。这些刊物大都坚持了抗日立场,发表过数以千计的作品,组织过各种专题讨论,较系统地反映了文艺界统一战线的行动。出版事业也呈现着兴旺景象。天马书店、大路书局、长江出版社、海燕出版社、三户图书社等 50 余家出版机构先后在武汉开机，出版了数以万计的抗战书刊，拥有广大的读者群。邹韬奋领导的“生活书店”在武汉的一年里，其分支机构由 2 个增加到 55 个，遍布全国 14 省，仅抗战通俗读物就出版了 500 余万册，成为抗战初期文化战线上一个坚强的文化宣传阵地。

文化社团的繁盛，是武汉抗战文艺运动欣欣向荣的一个突出标志。团结起来，组织起来，是人心所向，大势所趋。一大批全国性文艺组织的建立，有力地推动着抗战文艺运动的发展，其影响遍及各地。1938 年 3 月 27 日，中华全国文艺界抗敌协会在汉口成立，成为文艺界团结抗日的一面旗帜。在其前后，拓荒剧社、汉口戏剧协会、中华全国电影界抗敌协会、中华全国美术界抗敌协会等文艺社团相继在汉建立，其数量不下百余，他们编印刊物，组织创作，举办展览，主持演出，各展所长，作出了各自的贡献。这一时期，由于作家云集，期刊荟萃，社团如林，武汉抗战文艺运动的全面展开，水到渠成。

诗歌朗诵活动首先拉开了帷幕。1937 年 10 月 19 日，诗人们首次在群众集会上，朗诵了柯仲平和高兰的诗，受到热烈欢迎。在穆木天、高兰、冯乃超等人的大力倡导下，诗歌朗诵活动广泛展开。汉口广播电台经常演播朗诵节目，不少大型集会前都有诗歌朗诵和歌曲演唱交叉进行。车站、码头、街口等群众聚集地，戏剧演出前，也经常举行朗诵会，一些被群众称为“听的诗”，不胫而走，广为流传。诗歌朗诵活动的开展，使诗歌长出了激情的翅膀，从书斋、沙龙中突奔而出，成了动员民众、鼓舞士气的武器。艾青的《反侵略》、高兰的《我的家在黑龙江》、田间的《儿童节》等诗被广泛传诵，诗歌朗诵活动一度风靡江城。

戏剧活跃在江汉大地的舞台上和街巷里。1937 年底，上海救亡演剧队第一队、第二队和中国旅行剧团、中华平教会抗敌剧团等数十个剧团抵达武汉。据洪深统计，其时“全国 18 个著名戏剧团体和 95% 以上的戏剧人才”齐集江城，各种演出，盛极一时。是年 12 月 20 日，全国戏剧界举办话剧、京剧、楚剧、评剧等剧种演出，40 多个剧团的阵容在全市几十个剧场同时摆开，引起社会的强烈反响。第三厅的 10 个抗敌演剧队和许多来汉的外地剧团，经常在大街小巷巡回演出，盛况空前。1938 年 4 月 11 日，“扩大宣传周”的戏剧日，12 家戏院，10多个剧种，数十个团队轮番公演抗战剧目，昼夜不息。5月3日至9日的“兵役扩大宣传周”中，100多支戏剧、歌咏队走上街头，深入郊县，万人空巷，老少争睹，充分显示了戏剧宣传的特殊效能。电影界也不甘落后，“以电影的语汇向暴敌宣战”，在汉拍摄了3部抗日故事片和50余部纪录片，在银幕上展现了抗战画卷。

武汉抗战文艺的创作，也出现了繁丰的景象。这一时期，投入创作的人数是十分可观的。就诗歌而言，大批鼓舞抗日的诗作应运而生。高兰的朗诵诗喊出了人民的心声，田间的战鼓擂响了时代的强音。《向太阳》、《给战斗者》、《朗诵诗选》、《为祖国而歌》等诗集，粗砺直露地宣泄着诗人狂热的激动，显示了抗战初期诗歌创作的特色。报告文学异军突起，一度覆盖了许多刊物的大块版面。特写、通讯等广义的报告文学作品数以千计，作者多达数百人。在台儿庄战役之后，短时期推出反映血战的报告文学作品就有数十篇。其中以群的《台儿庄战场散记》、范长江的《台儿庄血战经过》、王西彦的《被毁灭了的台儿庄》等及时而生动地报告了人们关心的战况，受到广泛的欢迎。丘东平、曹白、碧野、李辉英、谢冰莹的一些作品和大量出版的报告文学丛书，已作为优秀的报告文学作品载入新文学的史册。在“文章下乡，文章入伍”的口号下，通俗文学创作十分活跃，作品大量产生。数来宝、莲花落、小曲、鼓词、顺口溜、演义故事等民间形式都被改造利用，成为宣传抗战内容的重要工具。老舍的套曲、何容的故事、冯玉祥的“丘八体”、老向的“三字经”、穆木天的大鼓词等，都是当时老百姓喜闻乐见的作品。

还需提到的是：武汉抗战文化，作为世界反法西斯文化的一个部分，也洒落着世界进步作家、艺术家赤热的鲜血和辛勤的汗水。美国作家斯诺、斯特朗、史沫特莱，新西兰作家威尔金笙，英国作家阿特丽和何登、诗人奥登、剧作家伊修伍德，日本作家鹿地亘、池田幸子、绿川英子，荷兰电影艺术家伊文思，苏联电影艺术家罗果·贾尔曼等都曾冒着炮火硝烟踏上武汉这饱经战乱的土地，和中国人民并肩战斗，及时向世界报导中国人民艰苦抗战的实况，写下了不少具有文献意义的作品。其中鹿地亘的大量政论、诗歌和文学论文，池田幸子的小说，绿川英子的散文，史沫特莱的通讯，斯特朗的信札等，都铭刻着世界人民的深情厚谊，记录了那个严峻而神圣的时代，也是武汉抗战文艺中的宝贵篇章。

总之，武汉抗战文化热潮的兴起和发展，成为抗日烽火中文化界冲天而起的一枚号炮，有力地推动着全国抗战文化运动的开展。

二、不应低估的历史地位

伴随着伟大的民族解放战争而诞生，在艰难的斗争中形成和发展的武汉抗战文化，继承和发扬了五四以来新文化的革命传统，其历史作用不能低估。

在中国新文化史上，曾形成过几次巨大的文学浪潮。五四文学革命，披荆斩棘，涤荡旧文学的污泥浊水，冲出了新文学的最初河床；30 年代的左翼文学，摧枯拉朽，形成了无产阶级文学的汹涌潮流；而抗战文艺，是反帝反封建新文学，在新的历史条件下，进一步地扩大、深入和发展。所谓抗战文艺，究其实质，决定了它从诞生之日起，就是彻底反帝反封建的人民大众文学。反帝反封建，是中国新文学的两大基本主题。抗战初期的武汉文艺，反帝的主题十分自然地汇聚到反对日本帝国主义侵略的焦点上；反对封建主义，描写国内阶级斗争的主题，随着民族矛盾的上升和统一战线的形成，更多地演变到反对汉奸、反对卖国投降上去。这是社会现实结构发生变化所引起的文学形态上的变革。早在 1936 年，鲁迅就曾预言过这种必然到来的演变。他说过："民族革命战争的大众文学，是无产阶级文学的一大发展，是无产阶级文学在现在时候的真实的更广大的内容。这种文学，现在已经存在着，并且即将在这基础上，再受着实际战斗生活的培养，开起烂漫的花来罢，……所以，决非停止了历来的反法西斯主义，反对一切反动者的血的斗争，而是将这斗争更深入，更扩大，更实际，更细微曲折，将斗争具体化到抗日反汉奸斗争，将一切斗争汇合到抗日反汉奸这总流里去。"历史的发展正是如此。从思想上、组织上、创作实践上，武汉抗战文艺，是中国新文学全面地自觉地向抗战文学这一历史阶段转折的开始。抗战前的新文学，有着辉煌的业绩，但却存在着一个致命的弱点：文学和群众相脱离。抗战爆发后，战争缩短了作家与现实生活的距离，缩小了作家与人民大众的间隔，逼迫着作家开始改变自己的生活方式和创作面貌。且以话剧来说，这个五四前夕从欧洲几乎是原封不动搬来的"舶来品"，虽然经过20多年的发展，有了很大进步，但话剧所表现的内容仍然与中国最广大的民众的实际隔阂甚大，它的基本观众始终局限在少数知识分子、职员和市民之中，走不出大城市舞台的樊篱。对于交通阻塞、文化落后的边远城镇和广大农村，说话剧不知其为何物，也不能算是过分。抗战一开始，这种封闭的状况令人惊异地改变了，禁锢话剧发展的枷锁被炮声所震落。由于广大爱国戏剧工作者的努力，大批救亡演剧队带着他们匆匆编排的剧目撤离城市，走向战地和农村。表现抗战生活的题材几乎取代了一切原有内容，形式也在发生突变，大舞台的框架和种种戏剧程式被突破和改造，街头剧、报告剧、幕表剧等小型话剧蓬勃发展。洪深在演出的实践中，看到话剧艺术在抗战中所发挥的巨大作用，曾兴奋地说过："话剧在这里才获得它的真正知己！"在论述抗战时期的话剧时，夏衍说："战时的一年，真足以抵过十年二十年的功夫！有了二十几年历史的中国话剧运动，在这短时期中起了一个使人刮目的突变。中国年轻的话剧，已经在本质上不同于以前的所谓话剧了。从量变到质变的过程中，戏剧以抗战为契机，划了一个时代的阶段。"

获得长足进步的，当然不只是话剧一个门类。诗歌朗诵活动的开展，报告文学的繁兴，通俗文艺的大量涌现，文艺大众化问题的热烈讨论，显示了武汉抗战文艺逐渐与大众相靠拢的可喜趋向(可惜，其后不久由于政治的逆转而缓慢或中止)。老舍在谈到武汉的抗战文艺时说："这比五四的伤感与北伐的浪漫，更朴实确切，这是与军民手拉手的奔赶前方，这将奠定了比五四与北伐两时期更纯真的文艺。"这评价是有见地的。正是由于时代的推动，由于文艺与群众的逐渐接近，作家的思想和创作在抗战的怒涛中发生着显著的变化。以温和民主主义作家姿态步上文坛的老舍，1937年7月18日从日寇炮火封锁下的济南来到武汉，一踏上江城这块热气腾腾的土地，就被人民高昂的抗敌热情所鼓舞，国破家亡的感受，惊觉于战火的思索，激发了他胸中的爱国热情，他开始自觉地把自己的文艺活动同民族的命运紧密相连。他全面主持"全国文协"的领导工作，毅然扛起了文艺界抗敌斗争的大旗。他自觉地、主动地创作通俗文艺作品，奉献给浴血奋战的军民，把它当作一个"写家"的历史职责。他说："人家要什么，我就写什么……假若大鼓书有用，好，我就写大鼓书词，艺术么？自己的文名么？都在其次。抗战第一，我的力量都在一支笔上，这支笔须服从抗战的命令。”当时在群众中演唱的《王小赶驴》、《张忠定计》、《忠烈图》等作品就是出自这位巨擘笔下。诗人艾青、高兰也都拂去了早期诗中忧郁、伤感的调子，发出了激昂高亢的歌唱。这一时期的作品，普遍闪烁着爱国主义的光辉，浸润着一种激昂而诚挚的民族感情，这正是作家们思想升华的结晶。有的作家在这里写下了他们创作生涯中最辉煌的篇章，有的诗人从这里起步，开始他们创作的长途跋涉，因此抗战中的这段时期，成为一些作家创作生涯中的一个重要的历史阶段。武汉抗战文化，在现代文学的发展史上，特别是中国抗战文化史上，处于一个不可或缺的启承转折时期，它应该找到自己历史的位置。

三、不可忽视的特点

由于武汉抗战文化，是在特殊的政治历史条件下，以一个地区为中心而展开的文化运动，它既不同于战前两军对垒的 30 年代文艺，也和武汉沦陷后，国共合作破裂，国民党反共的其他大后方文艺不完全一样。它虽是整个抗战文化的一个组成部分，但也形成了自己的一些特点。

第一，文化组织的统一性和文化队伍的聚散性。武汉抗战文化组织统一，阵线宽广，阵容壮观，实力雄厚。是全国文化界主要力量，在抗日民族统一战线旗帜下，在华中重镇的一次大集中、大会师、大团结。从 1937 年 7 月到 1938 年 10 月，郭沫若、老舍、茅盾、田汉、洪深、阳翰笙、欧阳予倩、王平陵、何容、陈纪滢、张道藩、胡秋原、孙陵、熊佛西、胡风、范长江、穆木天、周立波、刘白羽、萧军、萧红、艾青、田间、丰子恺、张善子、冼星海、张曙、陈波儿、谢冰莹等数百名作家艺术家云集武汉，组成了“作家团结的豪华版”，这在历史上也是绝无仅有的。就地域而言，其主要来源有东北作家群，这批作家在东北沦陷后，饱受国破家亡之苦，辗转流浪，历尽艰辛来到武汉。他们多在 30 年代初期就已走上文学道路，抗战的烽火，更燃起他们创作的激情。在武汉，他们倡导、组织、推动了诗歌朗诵运动，同时以独特的艺术展示出东北作家悲怆、雄浑、沉健的风格，繁荣了江城的创作，是一支活跃在江汉文坛上英姿勃勃的文艺劲旅。北京天津作家群，他们目睹日寇残暴的进攻，遭受到亡国失土的痛楚，到武汉后，他们大多投身于群众组织中，参加实地的救亡宣传工作。上海大批文艺界人士，他们大部分是有组织的戏剧、电影工作者。“八·一三”战争爆发后，13个救亡演剧队在上海成立，8月下旬，他们从上海出发，1937年底，第一、二、三、四、八、十一队先后抵达武汉，和先后到达武汉的近200个救亡团体及本地的10多个剧团一起，掀起了抗战初期轰轰烈烈的戏剧运动高潮。与其同时，一批文艺的领袖人物、知名人士也纷纷来到武汉，成为文艺活动的组织者。另外还有由沦陷前的南京，随着国民党政府机关的内迁西来武汉的文化人士和陆续从山东、陕西、河南等地来的作家，以及湖北和武汉地区的作家和文艺工作者。全国各地汇集而来的文艺工作者由于没有一个严密统一的组织，缺乏思想上的领导，尽管文艺活动的开展十分活跃，却出现着盲目和混乱，当“全国文协”和“第三厅”等组建之后，文艺界才有了较为统一的领导，抗战文艺才轰轰烈烈开展起来。“全国文协”在武汉的成立，是五四文学革命和左联之后文艺界第一次空前广泛大团结、大联合的成功。在这个抗日民族统一战线的组织里，包括了除汉奸之外，不同的政治信仰、不同的阶级阶层、不同的思想倾向、不同风格流派的文艺界人士，真正实现了鲁迅所期望的在抗日问题上无条件的联合。尽管在统一战线的内部，还存在着许多问题，但这一阵线的结成，有利于抗战文艺运动的发展，有利于整个抗战的推进，则是无庸置疑的。这样庞大的统一的全国性文艺团体，脱离了抗战初期“一时出现了生气蓬勃的新气象”这个历史背景，则是不可能产生的。抗战初期全国文艺队伍在武汉的这次大会聚，使得被突起的战乱惊扰的作家们，有过一段短暂的休整与思索，他们从战前几个中心城市的亭子间里走出，度过了一段颠沛流离的生活之后，逐渐懂得了团结的重要，逐步明确了作家的职责和文艺的作用。武汉的会聚，使他们有可能在一起交换意见，共商文艺界抗敌救亡大计，形成了文艺界的统一战线。组织的建立，使文艺界得以整编队伍，统一号令，划齐步伐，复办刊物，建立了阵地，从而大大地推动了全国的抗战文艺运动。武汉沦陷前夕会聚在江城的文艺队伍，分成四川、桂林、延安、香港等几股走向，有的深入前线，有的转移后方，有的奔赴根据地，有的潜入敌占区，将抗战文化的火种撒向四方，促进了全国抗战文化活动的开展。

第二，作品主题的传承性和文学风格的纪实性。抗战爆发带来了国内阶级关系的新变动，在一个时期内，民族矛盾成为主要矛盾。这个政治形势的变化，给文艺以深刻影响。反映到文学创作上，是抗日斗争成为武汉文坛上压倒一切的主题。这是战前左翼文学与进步文学中，反对帝国主义、反对封建主义主题在新形势下的集中和深化。无论诗歌、戏剧，还是小说都以讴歌人民的抗战热情，颂扬忠勇的抗日将士，痛斥卖国的民族丑类为主旨。反帝集中到反对日本帝国主义侵略，反封建则集中到反汉奸的主题上，这是时代交付给文学的任务。战前就以善于描写中下层社会市民生活著称的小说家老舍，将他的笔触直接伸向抗日战争。1938 年 3 月至 7 月，他在武汉相继发表了 3 个短篇和 1 部中篇小说。《人同此心》描写沦陷的城市，人民觉醒，团结一心，消灭入侵者。《敌与友》叙述两个有着世仇的村庄，在血的教训下，化敌为友，并肩抗日。《浴奴》刻画了一个受蹂躏的妇女，奋起反抗，手刃暴敌。中篇《蜕》是描绘五个爱国青年从事救亡宣传的故事。这些作品中的人物走出了昔日的杂院和店铺，奔向了与敌人拼搏厮杀的疆场，喷射出民族复仇的火焰，充满着抗战必胜的信念。臧克家反映战地生活的诗，姚雪垠描绘农民觉醒的小说，洪深揭露汉奸资敌卖国的话剧等，都广泛地勾画了抗战中的现实生活。显示在这一时期作品中的一个突出特点是纪实性，它是文学服务于抗战需要的一个鲜明的历史印记，也是左翼文学现实主义创作原则的重要发展。人们对于战局变动的密切关注，希冀从生动形象的文学作品中获悉事态进展的心理，促成了纪实性作品的繁荣。报告文学以真实为生命自不待言，就是小说、诗歌和戏剧作品也常常是以一个大众关心的事件，或一个真实的人物为基础创作而成。丘东平的许多作品使后来的研究者分不清究竟是虚构的小说还是真实的报告，就是一个例证。武汉“四·二九”空战前后，反映空军胜利的诗歌、小说和戏剧大量涌现。艾青的《这是我们的》、臧克家的《伟大的空军》、穆木天的《四月二十九日下午》是诗的纪实；姚雪垠的《白龙港》、陶雄的《0404 号机》是小说的纪实；洪深的《飞将军》是戏剧的纪实。

第三，艺术形式的多样化和作品规模的小型化。战争所引起的社会生活的变化，导致了作家思想感情和作品思想内容的变化，也导致了与之相适应的形式的变革与创新。由于紧急动员民众的需要，这一时期作品的另一个突出特点是形式上的多样化和规模小型化。这是由作家和读者双方情绪上默契所造成的。从作家的一方来说，战争的强烈冲击，使作家感情激荡，急于宣泄，而环境动乱，又使他们无法从容思索，冷静观察，因而大多采取了直观的、抒情的、短小的鼓动形式来表达自已的感受；从读者的一方来说，他们有着不同的层次，他们中的大多数文化水平较低，要求能有适应自己审美习惯与爱好的，能迅速而直接反映现实的作品。这两者的契合就催生了多样和小型作品的产生。在武汉文坛上就出现了多种多样的文字形式，呈现着色彩纷呈的景观。就诗歌而言，就有朗诵诗、街头诗、报告诗、传单诗、配画诗等多种；就戏剧而言，则有独幕剧、报告剧、象征剧、群众剧、默剧、幕表剧、茶馆剧、街头剧等等；报告文学和通俗文学更成为五四以来，新文学中尚未出现的两股文艺新潮，标新立异。自五四和左联以来还是第一次出现如此集中，如此盛大多样文学的形式，我们不应该低估它的作用和影响。

四、不必讳言的缺陷

产生于抗战初期的武汉抗战文化，虽产生过巨大影响，取得了不小的成就，但我们不能忽略它存在着诸多的不足，举其要点有二：

第一，这一时期的作品，对现实的反映不够深刻，缺乏历史的深沉感。由于反击的枪声，使作家沉浸在激动和狂喜的感情之中，不能用冷静的观察、细致的剖析来分析发生在自己面前的事变，对于抗日战争的本质和它的发展缺乏深刻而清醒的认识，常常为一些蓬勃的表象所鼓舞，眼光模糊而短浅；加之，不少作家对于自己表现的人物——广大的士兵和一般民众，还缺乏真正的熟悉，而宣传的急需，催促作家仓促成篇，这样就使初期有相当数量的作品产生了公式化、概念化的毛病，显露着思想上的肤浅和艺术上的粗糙。不少作品往往只是描绘了一些现实生活的表面现象，显得浮泛和零碎。例如报告文学侧重于“报告”消息和事实，常常只是一些事件完整过程的复写，满足于粗略轮廓的勾勒；小说创作中普遍流行着先有主题然后构造故事、编排人物的创作程式，许多作品重事件不重人物，用完整的情节叙述代替典型性格的塑造；表现在诗歌中的则是廉价感情的宣泄和口号式叫喊，由于就事论事，也就难于启发读者作深入的思考，缺乏震撼人心的艺术力量。姚雪垠在分析产生这些问题的根源时指出：这是由于作家“把自己关在房子里，凭传闻、想象、热情，把它当作单纯煽动情绪的工具”。不能不说是找到了造成“通病”的原因。

第二，文艺批评的展开，文艺理论的研究落后于文学运动和文学创作。武汉抗战文艺的发生和发展，带来了文艺上的许多新问题。从总的方面讲，文艺界抗日民族统一战线已经建立，怎样推动和发展全民族团结、进步的文艺运动？怎样有力地遏制和瓦解落后、不健康的文艺逆流？这些至关重要的问题，当时尚未引起足够的重视，也未明确地提出加以研讨。文艺理论建设较为贫乏，诸如“文艺在抗战中无作用论”、“抗战高潮中为什么没有伟大作品产生”、“文艺大众化与通俗化的关系”、“旧剧改革”、“如何在抗战中造就大群作家”等问题，有的尚未提及，有的提出后有过一般性的讨论，有的提出后没及时展开充分研究，因而，影响了抗战文学更大的发展。

武汉抗战文化运动的旗帜

——郭沫若

1937年7月，卢沟桥自卫反击的枪声响起，举国响遍了争生存、求自强的呼声。随着国共两党实现第二次历史性合作，抗日民族统一战线建成，军民同仇敌忾，全国矢志抗日。是年底，随着国民政府机关、军事委员会和中共代表团、八路军办事处迁移江城，武汉成为了全国政治、经济、军事和文化的中心，是抗战的“临时首都”。烽烟滚滚的抗战时期，流亡海外10年的郭沫若满怀着对民族解放斗争胜利的渴望，从日本秘密归国，历经艰难，辗转上海、香港和广州来到武汉，在饱经忧患的三楚大地，和江城人民休戚与共，并肩战斗，度过了他一生中极具光彩的难忘岁月。这是毫不夸张的历史结论：在武汉抗战文化的编年史上，郭沫若是一位力撑大旗，开创局面，领袖群伦，屡建功勋的人物。扬子江边刻印着他永不磨灭的历史足迹……

秘密回国　辗转赴汉

暂别武汉

提到郭沫若的秘密回国、辗转赴汉参加抗战的戏剧性曲折经历，还得从第二次国内革命战争的后期说起。

1926 年 9 月，大革命汹涌澎湃。担任国民革命军总政治部宣传科长兼行营秘书的郭沫若，随北伐大军直逼武昌城下。在围城攻坚的激烈战斗中，他不仅组织宣传鼓动，帮助绑扎云梯，还冒着枪林弹雨参加作战。他挥笔写下的“宾阳门外长春观，留待千秋史管彤”等诗句，成为那一个翻天覆地年代的历史写照。

汉口攻克后，郭沫若任政治部汉口办事处主任。由于时局未稳，民心浮动，他立即率人查封了两家反动报馆，组织成立了新闻检查委员会和一些民众团体，开展声势浩大的革命宣传，不久舆论改观，秩序肃然。接着他顺应工人意愿，公开逮捕了罪大恶极的工头郭聘伯并主张就地正法，受到群众拥护，三镇震荡，民意沸腾。可是郭沫若的革命举措，却受到总司令部“不懂策略”的责难。他愤慨地说：“为爱全一位著名的工贼，而失掉几万工人群众的信赖，这样的‘策略’，我真是不了解。”愤然提出辞呈，和那些投机家们开展斗争。

1927 年 4 月，北伐风云突变，郭沫若获悉“九江事件”和“安庆惨案”发生后，奋笔疾书，在武汉《中央日报》上发表了讨伐檄文《请看今日之蒋介石》。一颗重磅炸弹爆响了，舆论哗然。不久又发表《我脱离蒋介石之后》，对武汉国民党中央的妥协深表不满，表明了自己坚定的革命立场。这两篇在武汉连续发表的文章义正辞严，产生了巨大的影响，成为郭沫若政治上走向成熟的一个标志。是年 5 月，轰轰烈烈的大革命淹没在血泊之中后，郭沫若满腔悲愤，决定离开武汉。告别江城前，他在一首诗中写道：

风哟，你能摇动
我的船。

不能摇动我的心！
纵使是樯摧舵折，
我也要向前迈进。

武汉是我的爱人，
我为她甘愿牺牲，
赤化的黄鹤楼，
要永远屹立江滨。

诗歌表达了他对革命胜利的坚定信念，也倾诉了他对武汉的热爱之情。

两篇文章的发表，中外震惊，蒋介石大为恼怒。郭沫若随即被当局以“趋赴共产，甘心背叛”“无可宽假”的罪名被严令通缉，郭沫若被迫流亡日本。

流亡东瀛

从 1927 年到 1937 年，郭沫若在日本度过了整整 10 年。他以妻子佐藤富子的名义（即安娜）居住在千叶县须和田，沉潜在甲骨、金文和古代史的研究中。身处异乡，他没有一天不怀念自己的祖国和亲人。1931 年“九·一八事变”发生后，郭沫若看到山河破碎，生民涂炭，深感痛心疾首，他在一首遣怀的诗中写道：

相对一樽酒，难浇万斛愁。
乍惊清貌损，顿感泪痕幽。
举世谁青眼，吾生憾白头。
人归江上路，冰雪满汀洲。

慨叹时世，借酒浇愁，诗中抒发了他盼望归国却又冰雪满路的痛苦感情。1936 年，他从留日学生林林那里看到中共中央在长征途中发表的《为抗日救国告全国同胞书》，精神为之一振。不久，赴日演出的封禾子（凤子）给他送来“左联”负责人阿英的信，当他得知国共两党将合作抗日的消息后，他看到了战乱中民族再生的希望。封禾子是广西容县人，其父封鹤君为广西省志馆总撰，年高望重。郭沫若当即修书一封，请封老转交他北伐时的故知白崇禧将军，希望白能在国难当头之机，为民族大义贡献力量。这年郁达夫赴日讲学，曾几次访问郭沫若，故旧重逢，言谈甚欢。一次，在改造社举办的欢迎郁达夫的会上，酩酊大醉的郭沫若应增田涉之请，写了一首汉语诗：

银河倒泻自天来，入木秋声叶半摧。
独对寒山转苍翠，渊深默默走惊雷。

“惊雷”将“走”，向朋友们透露了他决计回国的愿望。郁达夫决心促成此事，其时他正在福建省政府委员的任上，因此他回国后，请求福建省主席陈仪从中斡旋。陈仪曾在蒋介石面前提及此事，但蒋旧事难忘，不置可否。在郁达夫的建议下，陈仪又请国民党中宣部部长邵力子、行政院次长何廉和侍从室第一处主任钱大钧等伺机向蒋进言，其后连陈诚也为之说项，但都遭到蒋介石的拒绝。由于时局的发展，国共合作抗日的形势日趋形成，郁达夫又到杭州面见陈布雷请他向蒋介石疏通，陈布雷在蒋面前说道：“郭沫若是日本通，抗日应借重他。”作为委员长的蒋介石考虑到郭沫若在国内外的巨大影响，最后从抗战大局出发，决定应允。1937 年 5 月中旬，蒋介石手谕何

■ 郭沫若与妻子安娜及儿女在日本

廉，对郭沫若归国予以允可。郁达夫得知消息后，立即给郭沫若写了两封信，其中一信写道：

沫若：

今晨因接南京来电，嘱我致书，谓委员长有所借重，乞速归。我以奔走见效喜不自胜，随即发出航空信一，平信一，一面电京请先取消通缉，然后多汇旅费去日，俾得早日动身也。目今强邻压迫不已，国命危在旦夕，大团结以御外患，当系目今之天经地义，想兄不致嫌我多事也，此信到日，想南京必已直接对兄有所表示，万望即整装，先行回国一走。临行之前，并乞电示，我当去沪候你，一同往南京去走一趟。这事的经过，一言难尽，俟面谈。前月底，我曾去杭州，即与当局诸公会谈此事，令妹媳胡灼三亦积极以此事为嘱，殊不知不待彼言，我在去年底返回时，已在进行也。此事之有力者，为陈公怡主席、何廉处长、钱大钧主任，他们均系进言者。我在前两月的函中，已略告一二，因事未成熟，所以不敢直告，大约此函到后，南京之电汇，总也可到，即请马上动身，先来上海。中国情形，与前几年不大相同，我之甘为俗吏者，原因也在此。将来若得再与同事，为国家谋一生计，并设法招仿吾亦来聚首，则三十年前旧梦，或可重温。临函神驰，并祈速复。

达夫上

五月十八日

收到信后，郭沫若非常高兴，他暗中积极进行归国的各种准备。但后来政府当局一直没有公开取消对郭的通缉令，路费一时也未汇到，原来的计划被延宕下来，郭沫若焦急地等待着。

由于日本军国主义者加快了战争的步伐，也加紧了对郭沫若的严密监视，他们深知精通日语、熟谙日情、在中日青年中威望极高的郭沫若的归国，对日本将是一个多么沉重的打击。他们常常派宪兵到郭家盘查，又在住地周围布置了时时出没的警察和刑士，使郭沫若的归国增加了极大的障碍。在舆论界也有了种种传言和诬蔑，日本文学界的“右翼之雄”佐藤春夫以郭沫若归国为题材写了一篇题作《亚细亚的儿子》的小说，作品的主人公汪和郑是一对好朋友，汪在北伐被通缉后亡命日本，娶了个日本妻子，落籍异域。10年后，郑由中国赴日，游说汪归国。汪一腔热情回国后却遭到冷遇，只是被当作宣传的工具。尤为难忍的是，汪10年前的恋人被郑霸占为妾，汪深感受到欺骗，“痛感自己归国完全是失败之举”，愤怒至极，于是倾其所有，在日军统治下的通州开办日式免费医院，修建日语学校，“着手开发日本思想体系的北支那”。这篇小说显然是以郁达夫访日一事捏造炮制的，小说把郁达夫写成一个国际间谍，郭沫若则成了一个效力于“大东亚和平运动”的大汉奸。不久，小说又被改编为电影在各地放映。面对眼前的现实，郭沫若愤怒而又焦急，他知道贸然出走必然遭到危险，甚至有遭监禁和杀害的可能。但矢志回国抗日的决心是无法改变的，他和朋友设计了新的方案，又事前写下一篇“遗言”：

> 临到国家需要子民效力的时候了，不幸我已被帝国主义者所拘留起来了，不过我决不怕死辱及国家，日本帝国主义的侵略，我们唯有以铁血来对付他。我们的物质上的牺牲当然很大，不过我们有的是人，我们可以重新建设起来的。精神的胜利可说是绝对有把握的，努力吧，祖国的同胞！

这篇“遗言”表达了郭沫若以身许国的决心，充满着强烈的爱国主义精神。

为了不走露风声，郭沫若避开家人，和接应他的朋友钱瘦铁、金祖同设计了一套秘密出走的方案，进行了积极的筹措。7月上旬，他收到横滨方面同志的来信：

> 石沱先生：
>
> 青年会已经去看过，现有十六、十八、二十、二十二、二十四等间空房，中西式，设备甚周全。叔崖君愿为君在室中布置一切。合意哪间请来信告之，俾预先收拾收拾。

这是一封用隐语写成的密信。“石沱”是郭沫若的别名，按照所约，“青年会”指神户县，“西式房间”为外国客轮，“十六、十八、二十、二十二、二十四”是开船日期。请郭沫若选择，以便安排。接到信后，郭沫若灵机一动，在明信片上提笔写了一首五律寄给在横滨的金祖同：

廿四传花信，有鸟志南迁。
缓急劳斟酌，安危费斡旋。
托身期泰岱，翘首望苍天。
此事经鹰鹞，群雏剧可怜。

“廿四传花信”暗喻请他们订购24日的票乘船归国，诗中寄寓了他对朋友的叮嘱和自己的心情。同志们收到诗作后，确定路线，派人保护，暗中作好了一切安排。7月下旬的一个凌晨，残月在天，郭沫若悄然起床，为了不惊动四邻，他身着和服，足登木屐，用了个“杨伯勉”的假名踏上归国之路。环顾居住了10年的老屋，吻别了尚被蒙在鼓中的妻子和5个熟睡的儿女，他肝肠寸断，心如刀绞。但是血泪中的祖国在召唤，他说：“自事变发生以来，宪兵、刑士、正服警察，时时走来监视，说些无聊的话语。这些都已司空见惯，倒也没有什么。但国族临到了垂危的时候了，谁还能安闲地专顾自己一身一家的安全。处死地而后生，置之亡地而后存。我自己现在所走的路，我相信正是唯一的出路。”他只得痛洒热泪，只身出行。郭沫若按照预定的路线，在约好的接头地点，见到了负责护送他的金祖同和钱瘦铁同志，这才脱去睡衣，换上一身灰哔叽西服，装好化名杨伯勉的名片，前往神户。战时的横滨车站气氛森肃，暗探密布。在人流的拥挤中，三人不慎走失，离心急切的郭沫若匆忙中错上了相反方向的一辆列车，急得两个护送的人四处找寻，幸好在车开之前将他从车上拽了下来。5时许，他们赶到东京，又乘“燕”号特别快车赶往神户，旋即改乘汽车，直奔港口，当晚终于登上了加拿大公司的“日本皇后号”邮轮。为了遮人耳目，郭沫若住进豪华的头等船舱。这时，他紧张而激动的心情才逐渐平复下来。晚9时许，海船拔锚启航，前来送行的人按照传统，向船上抛撒五彩纸带。船渐渐远离码头，向大海深处驶去。

在船上，郭沫若写了两封信给市川市的宪兵队长和警察署长，感谢他们的“保护”之情，他意味深长地说：10年有期徒刑终于结束了。

郭沫若站在船舷旁，海风阵阵，水鸟翻飞，想起抛别异域的弱妻幼子，他感到无限惆怅，便轻轻地哼起早上醒来时在枕上写的一首诗来：

此来拼得全家哭，今往还将遍地哀。
四十六年余一死，鸿毛泰岱早安排。

诗中他对妻儿的严酷处境和自己面临的现实作了充分估计，豪气纵横地表达为民族解放视死如归的慷慨选择。他在心中发出誓言“立定大戒：从此不吃酒，不吸烟，不接近一切的逸乐纷华，但要锻炼自己的身体，要有一个拳斗者的体魄，受戒僧的清规。我在心中高呼千万遍古今中外的志士仁人之名以为鉴证：金石可勒，此志难渝”。

想到即将踏上离别了10年的故土，将要投身于江潮奔涌的抗战洪流，他又记起了那首步鲁迅《惯于长夜过春时》原韵写的诗，那是他决定动身回国的前一天写成的。诗中既写出了他往昔参加北伐和南昌起义的壮举，也抒发了此次抛妻别子归国参战的雄心：

又当投笔请缨时，别妇抛雏断藕丝。
去国十年余泪血，登舟三宿见旌旗。
欣将残骨埋诸夏，哭吐精诚赋此诗。
四万万人齐蹈厉，同心同德一戎衣。

1937年7月27日下午3时，郭沫若就是带着这样的决心与信心，豪情与诗情，怀着对故国桑梓的赤子之情，从日本秘密回国。在辗转上海、香港、广州之后，1938年1月9日来到武汉。

力撑大旗　领袖群伦

投身抗战洪流

抗战初期，随着京津失陷，沪宁沦落，地处长江中游的武汉，一度成为全国政治、经济、文化的中心。由于国共第二次合作成功，抗日民族统一战线初步形成，作家云集，期刊荟萃，一个声势浩大的群众抗日救亡运动正在酝酿和兴起之中。全国各地会集而来的文化工作者虽然“都有一个共同的意念，要把文化的触角尽量往民间伸去”，可是由于“并没有什么严密的组织”，因此，文化宣传、创作出版都带着不同程度的盲目和混乱。组织起来，团结抗日，成为当时社会舆论和文艺界的急迫呼声。时代和人民都翘首企盼继鲁迅之后出现一位力撑大旗的人物。这年初夏，根据周恩来的建议，中国共产党在党内作出如下的决定并在党支部内下达：确认郭沫若继承鲁迅之后为中国文化界领袖。历史以雄辩的事实证明了这一决定的适时和正确。在八年抗日战争中，郭沫若是率领文化界人士披荆斩棘，奋勇前进，始终挥舞在斗争最前列的一面光辉旗帜。

一踏上武汉这块沸腾灼热的土地，郭沫若就投身到抗日工作的洪流。出席会议，发表演讲，接受采访，应约题辞，他四处奔波，应接无暇。当时中国共产党在国统区的第一份报纸即将出版，风尘仆仆的郭沫若就在到汉的当天为《新华日报》创刊题辞。三天后的报上，“发动全民的力量，从铁血之中建立新的中国”酣畅遒劲的两行大字赫然醒目。郭沫若的到来，受到各界人士的注目和人民大众的欢迎。1月 13 日，他高兴地接受《新华日报》记者慧琳的采访，谈他到武汉的感受，对于如何“保卫大武汉”，他指出：“上海的失败已经

■ 郭沫若率队赴前线慰问

■ 郭沫若在武汉街头宣传

■ 郭沫若与三厅同仁合影

■ 郭沫若在车站欢迎彭德怀

给我们一个教训，单只军事防守还不够，必定要广大民众来配合；单只提口号，还不行，必定要切实地兑现。目前的问题，还是在于怎样组织民众，保卫大武汉运动必需有这样切实的工作基础。”语中肯綮，一开始就把目光集聚到民众的宣传、发动、组织上，并以此为基点，展开了他在武汉 10 个月的战斗。他又应邀为保卫武汉题词：“恢复十年前的精神，保卫大武汉。”1927 年大革命时期武汉斗争的热浪又一次回荡在他的心头。战时的武汉救亡歌声飞扬，戏剧演出盛行，洋溢着国共合作后全民抗战的新气象。郭沫若深受感染，备觉鼓舞，他在报上兴奋地谈论抗战前途：“只要全国一致，决心抗战到底，则民族的光荣前途，自然不成问题。”党的统一战线政策，使他看到了战乱中民族复兴的希望，对于胜利充满着必胜的信念。在武昌的“广西学生军营”他发表《日寇之史的清算》的演讲，以严峻的历史，痛斥日寇的侵略；在汉口的“女青年会”上，他再次发表讲演《女子是人类美好的一半》，用热情的召唤，鼓励妇女奋

■ 郭沫若珞珈山故居

■ 武昌昙华林三厅旧址

起；在报纸上，他奋笔疾书，写出了《日寇残酷心理的解剖》、《把精神武装起来》、《战时宣传工作》、《抗战以来日寇的损失》、《纪念台儿庄》、《鲁南胜利之外因》等一系列政治论文，纵谈形势，广察民意，剖析敌情，鼓舞士气。就我们所见的材料，郭沫若在武汉的10个月中，公开大型演说二十次，为各报刊、团体活动题辞十七幅。

汉上风云

尽管会议、讲演、编制计划、审视工作、草拟文件等公务羁身，作为“文化领袖”的郭沫若，仍然把自己最大的注意力放在文艺事业的建设上，和文艺界保持着广泛而经常的联系。当全国文艺界抗日民族统一战线组织——“中华全国文艺界抗敌协会”成立前夕，他发表“统一文艺战线，巩固精神国防”的祝词，为“文协”的成立欢呼鼓掌。在“文协”酝酿筹备的日子里，他写作《文艺与宣传——为庆祝“文协”的成立》，论述文艺界大团结的意义，指出文艺的伟大力量，为文协的成立大声疾呼。3 月 27 日，出席“文协”成立大会，一杆文艺界团结的大旗在轰炸中树起。在会上，他作了充满激情的发言：“我们要牺牲一己自由求民族之自由，牺牲一己生命求民族之生命，不单鞠躬尽瘁，死而后已！还要鞠躬尽瘁，死而不已！”他的讲话如疾风暴雨，震撼全场，赢得了经久不息的掌声，被当选为大会主席团成员，又被大家推举为“文协”理事。对于“文协”，他感情厚笃，把它团结作家的广泛性称作“作家团结的豪华版”。此后几乎每届周年都撰文祝贺。他十分关心各种抗战文艺团体的建立和发展，竭力尽自己的影响给予支持和帮助。在一阵短时的沉寂之后，许多文艺刊物相继在武汉创刊，郭沫若怀着欣喜之情，先后为臧云远主编的《自由中国》、叶圣陶和宋云

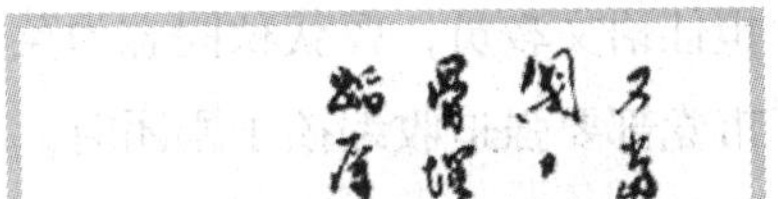

■ 郭沫若归国诗手迹

彬主编的《少年先锋》、蒋弼主编的《战地半月》、田汉和马彦祥主编的《抗战戏剧》题签题词；为许多报刊撰写文章，有力地支持这些文艺刊物在艰难困苦中崛起。2 月初，当孩子剧团历经风寒，辗转 3000 里来到武汉后，在“八办”举行的欢迎会上，看到小难民团结友爱、勇敢坚毅的精神，郭沫若深受感动，泪花满眼，他无法抑止自己的激动，深情地说：“我希望你们在困苦和磨难中长成起来，中国要跟着你们一道长成起来！”语重心长，表达了对孩子们的深切关怀和无限期望。其后又几次去孩子剧团的驻地看望，关心着这些少年文艺战士的成长，他派去老党员陈乃冒同志担任指导员，派去常任侠同志担任语文教员，曹荻秋同志为英文教员，到“孩团”讲课。当国民党汉口特别市党部要强迫收编孩子剧团时，郭沫若力挽狂澜，坚决抵制，最后终于由三厅收编。郭老又派辛汉文同志将孩子剧团接到武昌昙华林的三厅驻地，从此孩子剧团就一直跟随三厅战斗。郭老对这件事是十分高兴的，在许多年之后，他写道：“孩子剧团的隶属于第三厅，是在筹备中完成的，我自己认为是最满意的事。”他还直接参预了三厅 10 个抗敌演剧队的组建工作。这支宣传队伍，历尽艰辛在全国巡回演出，是抗战时期文艺宣传的一支劲旅。他多次参加关于文艺问题的座谈会和笔谈，发表过许多建设性的意见，刊登在 1938 年 5 月 10 日《自由中国》第 2 期上，《抗战以来文艺的展望》的笔谈，就抗战文艺的特征、文艺工作者的任务，提出了切实适时的意见，有力地指导了抗战文艺工作的开展。1 月 28 日写作的《抗战与文化》一文，分析了文艺肩负的历史责任，针砭了文化工作中的种种弊端，陈述了“在抗战期中，一切文化活动都应该集中于抗战有益的这一个焦点”的看法，曾有过较广泛的影响。9 月 1 日，郭沫若刚从部队慰问归来，又风尘仆仆出席范长江主持召开的“中国记者节纪念会”。会上他说：“以前用刀刻木为书，所以硬；后来用毛笔写了，所以显得软弱；现在

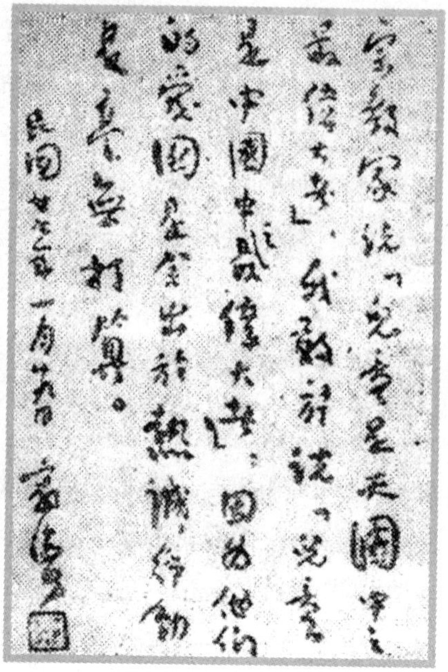

■ 为孩子剧团题词

已经用钢笔了，新闻记者应该发挥他的钢性，做政治工作的人，容易腐化，你们应该用钢笔来刺一刺这些人的背，以便使其前进！”幽默风趣，发人深思；30日在“中国青年记者学会”举行的“抗战中的文化工作问题”座谈会上，郭沫若谈道：“以后文化的路子，不是单单将技巧提高，相反为了创造大众的文化，将更加通俗，非将文化水准通俗化不可。”寄托着对青年记者的殷切希望；10月，武汉已处于日寇炮火的封锁之中，行人稀少，街市萧条。19日傍晚，郭沫若参加炮火中的祭礼，主持“鲁迅逝世两周年纪念会”，在充满怀念中深刻指出：“鲁迅精神，是无论如何不妥协，不屈服，对恶势力抗争到底，直到他生前最后一天，还不曾磨灭和减低斗志，这是鲁迅伟大的要素。”号召大家向鲁迅学习，抗战到底；他还题辞著文，深切悼念这位历史巨人。武汉战斗的10个月中，郭沫若虽政务繁忙，但未忘笔耕，创作发表了诗歌《高尔基万岁》、《双十节挽歌》、《唯最怯懦者为最残忍》、《弹八百壮士大鼓词》、《满江红》，文艺论文和杂文《纪念高尔基》、《持久战中纪念鲁迅》、《笔的三阶段》、《戎机零件》、《中国会成为法西斯蒂国家吗？》等，这些作品，对当时蓬勃展开的武汉抗战文艺，无论是理论建设，还是创作实践都起了推动作用。

三厅岁月

当历史的风云从眼底飘过去40多年后，阳翰笙同志回忆当年在武汉和郭老并肩战斗的生活，仍然思绪万端，感慨无限，他深情地写道：“抗日战争时期曾在国统区从事过文化斗争的人们，无不知道郭沫若任厅长的政治部第三厅。第三厅是抗战初期国共第二次合作这一特殊历史条件下的产物，它是国民政府军事委员会政治部所属的一个部门，但实际上由中共长江局和周恩来直接领导。第三厅坚持党的统一战线政策，集中了当时国统区文化界的许多代表人物，正因为是人心所系，人才荟萃，发挥了战斗作用，它在群众中享有很高的威望，团结了各民主党派，人民团体一致抗日，是国统区抗日民族统一战线的一个战斗堡垒。”郭老在三厅的活动无疑是他生命史上的一座突出的丰碑。他在经过一段曲折就任厅长后，就和阳翰笙、田汉等一起，投入到组建三厅的草拟计划，编制预算，设置机构，聘请人员的紧张工作。由于郭老出面主持工作，众望所归，一个团结了思想界、文艺界、学术界著名人士的三厅于4月1日正式成立，各种人才，济济一堂，集结在抗日救亡的大纛之下，时谓“名流内阁”，称极盛焉。在郭老的具体组织指导下，三厅在武汉展开了轰轰烈烈的宣传工作。在4月7日至13日的扩大宣传运动周中，他用热情洋溢的演说，拉开了这次声势浩大的宣传运动的大幕。4月7日他在开幕式上说：“我们有最大的诚意，与必死的决心，我们要和前线将士抱一样必死的决心，把我们精神武装起来！我们要一声的呼号摧毁敌人的心胆！”当晚在10万群众火炬游行的队伍中，他走在前列，振臂领呼“有钱出钱，有力出力”的口号；10日的歌咏日，他即兴演说《来它个“四面倭歌”》，点燃起声撼云天的万人大合唱。整个宣传周期间，郭老日夜驱驰，四处奔忙，有条不紊地全面指挥。这次“扩大宣传周”是在国统区展开的第一次空前规模的抗日宣传活动。它以冲决时代沉寂的呐喊，使得“在刀光血影下已经窒息了整整十年”的武汉复苏了。在抗战一周年纪念时，郭沫若又力挫某些人散布的武汉“民气低落”的滥调，决定举办“献金活动”，郭老亲自拟具计划，并主持献金活动的始终。7月7日，在这个饱含着中国人民屈辱和标志着抗争的日子，武汉三镇沸腾了，当8个献金台揭幕后，各种各样的人群：衣衫褴褛的人力车夫、码头工人、报童、佣人……带着各种各样的物质和金钱首饰、纸币铜钱，涌向献金台。万头攒动，川流不息，人与人之间在竞赛，台与台之间在竞赛，出现了一个“献金狂潮”，为了民族的生存，武汉人民捧献出一颗颗赤诚的心。原定3天的献金期在群众的要求下，不得不延长到5天。10年之后，当郭老寓居香港，回忆起他在武汉的这段经历，仍然十分感动地写道：“新闻界是尽了宣传的能事的。那些时日的武汉报纸保存着极丰富的、令人感激得流泪的纪录。可惜这些资料，我在目前不能得到，我不能写出些更具体的事实来，使未身当其境的朋友同样感泣一下。”而事过60多年后，我们从尘封的当年报刊中找到了这些弥足珍贵的记录，不妨简略地摘抄两段，它比我们的描绘更具有历史的实感。1938年7月8日的武汉《扫荡报》这样记载着当年献金的情况：

“络绎不绝的民众自动上台捐助了，这里有工人、有老太太、小孩与妇女，而最令人兴奋得几至泣下的，是一位六十多岁的北平流亡来的老者，他叫傅部周，是靠着贩卖长生堂的无极丹来度日的，接连来了三次，捐助了一角九分。一个叫黄泽盛的大汉，拖着三十八把大刀，流满了汗上台来嚷道：‘我没有别的东西，也没有钱，这儿送上几把刀给弟兄们杀鬼子去吧。’”“世界大戏院旁的一座献金台，主演《热血忠魂》的影星黎莉莉女士，兴奋地跑来，把刚与罗静予定情的纪念戒指，毫不吝惜地摘下来。无尽的人群，交出了他们无尽的金银。”“总理铜像前，一位每天在人行道旁哀求苦叫的乞丐，腿断了，凭着两截上腿蹒跚着走，腋下还夹着一卷残破的芦席，在右手上拿了五分钱，慢慢地爬上台来，把五分钱投到箱里，脸色非常的沉毅而坚决，他不愿讲自己的名字，他低着头说：‘我是残废乞丐，这一生是不能为国家到火线上打仗了，我是愿死也不做亡国奴的。’”

1938年7月10日的《扫荡报》上这样记载着武汉八路军办事处的献金情形：

“张贴着第八路军四个大字的一辆汽车，风驰电掣地开到了总理像前，这时候3个士兵排着行列，由一个十二岁的士兵领导着，跨上台来，呈献了节省的伙食费5元。……陈绍禹、秦邦宪、林祖涵、吴玉章、董必武、邓颖超6位参议员，到了江汉关前，除了代表中国共产党呈献1000元之外，又各自地献上了150元。接着周恩来、叶剑英两氏，又赶着前来，一个捐了240元、一个代表八路军献了1000元。……一直到晚上七点，献金的人还是江水似的涌来。”

最后总计献金数目高达100多万元，后来用这笔钱购买了大量的物资，有力地支援了抗日前线。这次献金是一次自发的极其盛大的民意测验，它显示了中国人民不可战胜的意志和力量。

郭老领导下的三厅，除主持了“扩大宣传周”和“七七周年纪念”两项声势浩大、影响深远的大型宣传活动外，还举办过“雪耻兵役扩大宣传周”、“九·一八”七周年扩大宣传周，积极参与武汉抗战文化工作，协助和协调中华全国文艺界抗敌协会、中华全国戏剧界抗敌协会等十几个全国性文艺抗敌协会的工作。三厅筹建的“全国慰劳总会”开展了广泛的抗日慰劳活动，根据《三厅第五处九月份工作概况》的报告，在一次发动各地征募活动中，就征集到棉背心400万件，旧寒衣500万件，有力地支援了前线。战地文化服务处和设在各战区的分站，将大批的抗日宣传品送到了与日军浴血奋战的前沿阵地，像第三厅第五处编印的《前敌》和《士兵》两份周报，在战火纷飞的艰苦环境中，坚持出刊，深受广大士兵的欢迎，鼓舞了抗敌将士的斗争。对日宣传和国际宣传方面也取得了相当成绩，第七处在9月份就曾开展外语播音16次，编发的《日寇暴行录》画册，曾寄往英、美、加拿大、埃及、巴基斯坦等世界各地，对日播音节目每周都有鹿地亘、绿川英子轮流一次的广播演说，七处编发的《敌军损失一览表》、《郭厅长告日本将士书》、《国际反日援华大事记》等反战传单，和中国士兵反击的子弹一起，倾泻在日军阵地上，引起了敌军的极大恐慌。尽管当时的困难重重，郭老领导的三厅在武汉进行了卓有成效的工作，三厅和郭老已经成了一个不可分离的整体，阳翰老这样说："三厅——国统区抗日民族统一战线的一个战斗堡垒。"这是公允恰当的历史评说！

战斗情谊

扬子江边的日日夜夜，斗争是激烈的，工作是繁忙的，然而郭沫若始终生活在战友和同志们温暖的友爱之中。他从广州到武汉，第二天就被叶挺同志拉到太和街26号新四军办事处下榻。当时叶挺肩负党的重托，从延安来到武汉，会集8省游击健儿，出任新四军军长，负责汉口新四军办事处的组建工作。两位老友阔别既久，如今朝夕相处，常常促膝深谈，彻夜不眠。山河破碎、生灵涂炭的现实使他们痛心疾首，满怀忧愤；群情激昂，日益高涨的抗战声浪又使他们满怀热望，激动不已。一天，他们又在一起畅谈，越谈越激动。郭沫若再也坐不住了，站起身来在屋子里踱来踱去，看看站在面前的这位戎马倥偬、壮怀激烈的将军，想着他少小从军、七载征战、十年流亡的非凡经历，不禁百感交集。他猛地走到桌前，哗啦展开一张大纸，饱饱地蘸上一笔浓墨，不假思索，飞龙走蛇地题了"三军可以夺

■ 1938年春和于立群在一起

■ 1938 年 9 月郭沫若在记者节会上讲话

■ 北伐时的“五条汉子”重聚武汉

帅，匹夫不可夺志”几个字，写成一轴条幅赠给叶挺。这是叶将军最喜爱的《论语》中的两句，叶挺大声读了一遍，四目相对，两人都爽朗地笑了。这张珍贵的条幅，叶挺一直把它挂在自己的住房。皖南三年，出生入死，须臾不离，高悬居室之中作为座右铭。茂林惨变，身陷囹圄，他刻画于狱壁之上，鞭策自励。这轴条幅不仅是他们友谊的信物，也寄托着郭沫若矢志抗敌的决心。

到汉的第二天晚上，八路军办事处的屋子里，欢声笑语，一片欢腾，郭沫若在这里见到了周恩来、邓颖超、叶剑英、博古、董必武、林伯渠等同志，畅叙别情，纵谈国事直到夜深才依依而别。郭沫若和周恩来同志更是亲密无间，情深谊长，他们曾同住于珞珈山上和汉口租界（鄱阳街 1 号），他们一起共商大计，运筹帷幄，一起出席会议，巡视工作。2 月，在他坚辞不就三厅厅长之职时，周恩来同志婉言相劝，晓以大义；5 月，在他工作受到碍难心情焦躁时，又受到周恩来的亲切开导。7 月 17 日，是郭老从日本返回祖国投身抗战一周年纪念日，这一天在珞珈山的郭老寓所，周恩来同志主持召开了三厅同人参加的纪念会，胡愈之、邓颖超、田汉、洪深等老朋友和

■ 郭沫若为叶挺将军的题词

孩子剧团的3位小代表都来了。客室挤得满满的，在由衷的赞许，美好的祝愿面前，一向善于辞令的郭老却感动得说不出话来。简单然而深情的小小纪念会，春风般温暖着郭沫若的心。周恩来的帮助和支持，对郭老有着不可估量的意义。1978年5月27日，郭沫若在他一生最后一篇文章《衷心的祝愿》中满怀深情地回顾说："五十多年，周总理在政治上、思想上、艺术上都是我的良师益友，曾经给予我许多难以忘怀的指示和帮助。"武汉时期的共同战斗，是他们友谊诗篇中重要的一页。

9月底的武汉，全市已沉浸在"保卫大武汉"的反侵略怒吼之中。22日那天，当时身任第十八集团军总司令的朱德将军，因军机要事突然乘机从华北前线来到武汉。郭沫若与朱德在1927年"八一"南昌起义后分手，11年后，却不期在这将要陷落的孤城邂逅，惊喜异常，当晚在鄱阳街1号抵足而眠，度过了难忘的一夜。第二天清晨，朱总司令匆匆北上，临走之前，互相赠诗勉励，"重逢又别，相见——必期在鸭绿江边"以抗战到底的决心握别。每当回忆起和朋友们这一段相处的时日，郭老无限怀念地说："浓厚的友情，闲适的休息，是永远也值得回忆的。"

1938年10月24日，武汉沦陷前夕，硝烟弥漫，火光冲天，城市已在敌人密集的炮火的包围中，各机关、人员均已先后撤往重庆。郭沫若和胡愈之

■ 武汉军民留下的抗日标语

■ 沦陷前的武汉街头的抗日标语

作为三厅的最后一批人员，仍然坚持在战斗的岗位上。这天清晨，他为《扫荡报》写了一篇最后的社论《武汉永远是我们的》，他说：“我们的武汉并不是对于弗朗哥的玛德里，而是对于拿破仑的莫斯科！”饱含着依依惜别的深情，表达了收复失地的决心。在参加了一个会议后，又驱车汉口市区查看了撤离武汉时的对敌宣传工作。当他看见前几天经他拟好的标语“兵士的血和生命，将军的金鸦勋章”、“武汉是日本侵略者的坟墓”，字大如斗，已高悬于水塔之上，横陈在马路中央，才满意地笑了。这天傍晚，他和周恩来在江边握别上船。

10月25日清晨轮船解缆离汉，结束了他在武汉10个月的战斗——这天，也正是武汉沦陷的日子。武汉人民永远铭记着在神圣的民族解放战争的艰苦岁月里，郭沫若是保卫武汉、战斗到最后行列中的一名英勇的卫兵。

■ 武汉抗战献金盛况

吹响文艺界集结的号角

——阳翰笙

1986年10月，阳翰笙同志度过了他的84华诞。历史风霜染白了鬓发，满脸皱纹刻画着艰辛。我们有幸请他为拙作《武汉抗战文艺史稿》（章绍嗣为第一作者，胡水清等人参与了撰写）题写了书名，并对他的文化生涯有了更多的了解。

自1920年投身革命以来，悠悠岁月，数十余载，他那颗忠诚革命文艺事业的心，像金子般闪亮，一仍其旧！作为我国早期现代文艺运动的先驱和著名戏剧家，阳翰笙的名字，已写进了中国新文学和中国话剧运动的辉煌史册。

在抗战烽火中的武汉所度过的战斗岁月，是阳翰笙生命历程中重要的一页。

临危受命

1935年2月，阳翰笙因从事左翼戏剧运动被国民党当局逮捕，软禁在南京监狱。铁窗之内，他仍然奋笔创作，先后写成了电影剧本《塞上风云》，话剧《生死同心》和《新娘子军》。1937年7月抗战爆发后获释，同年9月受党派遣来到武汉，从事抗日救亡的文化工作。

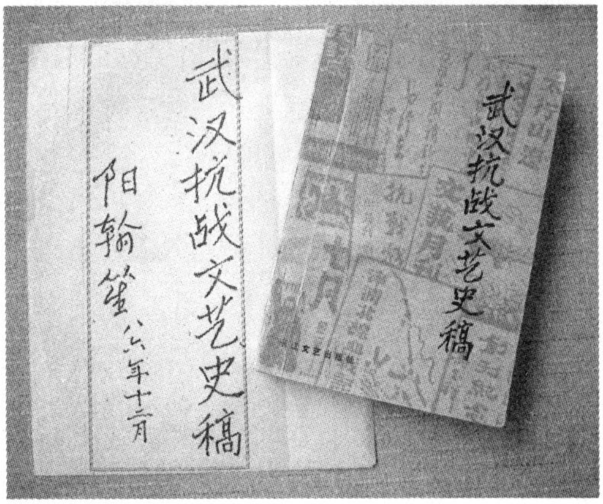

■ 阳翰笙为拙作题写的书名

抗战初期，国共合作，抗日民主统一战线的基础已经形成，武汉成为全国政治、经济、文化的中心。抗日救亡的文艺运动如长江怒潮，声震楚天。中共长江局交给阳翰笙两项任务：一是筹备组织全国文艺界的各类协会，一是协助郭沫若组建国民政府军委会政治部第三厅。他首先满怀激情地肩负起了筹组全国文艺界统一战线的重任。为此他起草函件，联络同仁，四处奔走，八方呼吁，很快打开了局面。其时全国近百个戏剧团队，95%的戏剧人才汇聚江城。阳翰笙抓住时机，在这年12月27日一次戏剧界集会上提议成立“全国剧协”，一句话点燃了与会者久蓄在心中的火焰，大家一致赞同。经过三天的准备，1937年12月31日中华全国戏剧界抗敌协会在汉口光明大戏院（即今“中南剧场”）宣告成立，阳翰笙被选为常务理事兼编译部主任。这是中国戏剧史上包括京、汉、川、粤等剧种和话剧、杂艺等各方面艺人的第一个全国性戏剧界组织，是象征着戏剧界大团结开放的一朵鲜花。1938年初，阳翰笙又发动和参与组织了中华全国电影界抗敌协会，“影协”成立后，编辑出版了电影刊物《抗战电影》，积极参与抗战影片摄制，建立了一个“新的电影的战场”，他高兴地撰文写道：“这是多年来中国电影文化运动，趟过无数艰难的道路，所获得的最可珍贵的成果。”紧接着，阳翰笙又遵照周恩来指示，和文

■ 阳翰笙和抗日宣传队员在一起

艺界知名人士一起，发起筹建文艺界统一战线的大型团体中华全国文艺界抗敌协会。他用剧本《八百壮士》的稿费在蜀珍酒家邀请聂绀弩、王平陵等人协商讨论，积极筹备，做了大量组织工作。接着他又联合代表各党派、各阶层、各种艺术风格的著名作家胡风、崔万秋、梁宗岱、老舍、胡秋原、王向辰、茅盾、胡绍轩、艾青等 97 人签名发表《中华全国文艺界抗敌协会发起旨趣》，大声疾呼："团结起来，树起这面中华全国文艺界抗敌协会的大旗！" 1938 年 3 月 27 日，"全国文协"在汉口总商会庄严成立，零星分散的文艺队伍集结成整齐的抗战大军，一面团结抗日的文艺旗帜，迎着硝烟烽火在扬子江边高高竖起，阳翰笙眼见各种不同流派的作家和文艺社团都汇聚到抗战文艺的滚滚洪流中，这位肩扛团结抗战大旗的文艺先锋无比振奋。

当时就有人戏谑地称赞说：抗战初期在武汉成立的各类全国性大型文艺团体，阳翰笙都是始作俑者。

忠于职守

完成了三个协会的组织工作后，阳翰笙又投入到国民政府军委会政治部第三厅组建的繁忙工作中。他和郭老一方面团结大多数抗日爱国人士，另一方面又一起机智地同顽固派周旋并作了坚决的斗争。在三厅人事安排遭到阻力时，他和郭老愤然中途退出政治部正在召开的会议，郭老出走长沙，阳翰笙远去重庆，对当局给他们二人的委任，坚不就职。直到这年 3 月底，当局在人事安排、经费预算等方面作了让步后，二人接到组织上的通知，才回到武汉。在周恩来的领导下，他与郭老相互配合，草拟计划，编制预算，设置机构，聘请人员，争取团结了大批爱国知名人士。1938 年 4 月 1 日三厅正式成立，阳翰笙出任政治部设计委员和厅主任秘书，主管宣传工作，

他和郭老、田汉一起组织和领导了武汉如火如荼的文艺宣传运动，在扩大宣传周中，他日夜驰驱，指挥若定，奔忙于各个宣传点。歌咏日，他和数千群众引吭高歌《大刀进行曲》。当时，那万人欢腾的场面至今萦绕在他心头。时隔数十年，他深情地回忆说："我敢说，这个时期武汉歌咏的盛况，在后来一直到今天恐怕也没有达到过这样热烈的程度和宏大的规模。"还有三厅组织的全市 10 万民众火炬大游行，激越的歌声与滚滚的火龙汇合在一起，当时他也持着火炬行进在群众的洪流中，那雄壮的情景也令他终生难忘。七七事变一周年时，他和郭老力挫悲观主义者"民气低落"的错误论调，共同制定计划，联合社会各界，主办"献金活动"，以激发全民的抗战热情。当时民气高扬，万人募捐的献金运动席卷三镇，获资 100 万元之巨。是年 9 月，他身受重托，远赴香港，被委派采购各类抗战急需物资，他和程步高一起身带各界捐出的巨款，历尽艰难，想方设法购回了前方奇缺的各种药品、医疗器械和 10 辆大型卡车。郭老在《洪波曲》中写道："这的确是阳、程两位的一件大功劳，虽然他们在胜利后并没有得过什么'胜利奖章'，但谁能抹杀这两位的战绩呢？"

他除自始至终参加三厅工作外，还参与了大量社会活动。1938 年 7 月 24 日他参加"武汉各界慰劳前方将士委员会代表团"，代表武汉百万民众献旗慰问城防战士，并多次赴前线慰问、视察，还给戏剧班上课，在集会上演讲，出席各种纪念会和座谈会等，三镇大地上到处留下了他匆忙的足迹。他是武汉抗战救亡活动的一名重要领导者、组织者和参加者。

剧作丰收

团结抗日的高潮也激发起阳翰笙难以遏止的创作热情，武汉活动时期也是他创作上的丰收期。在繁忙的统战工作和组织工作中，他依然挥动着剧作家的笔杆。

■ 左起：中国电影制片厂郑君里、陈白尘、姜莉莉、阳翰笙、洪深、田汉

还在1937年底阳翰笙到武汉不久，正忙于剧协的成立时，一天，他在街上遇到随上海救亡演剧二队来汉的演员赵丹，赵正为缺少新剧本排演而犯愁，邂逅阳翰笙，赵丹十分高兴，忙说："老阳，您给我们写个剧本吧！"阳翰笙因实在没有时间，面呈难色。赵丹连忙拿来一个本子塞到他的手中说："我知道您时间紧，这是您在南京监狱中写的电影剧本《塞上风云》，就先将它改成话剧给我们应个急吧。"看着阿丹焦灼恳切的神情，阳翰笙承应下来，说："让我试试看吧。"为了保障阳翰笙的写作时间，赵丹和魏鹤龄偷偷将阳翰笙接到剧团驻地，轮流把门，谢绝来客。整整半月，阳翰笙在那里伏案疾书，创作出了抗战时期第一个反映各兄弟民族团结抗日的四场大型话剧《塞上风云》，这是一曲抗战史上的民族正气歌。1937年11月25日，该剧由洪深导演，赵丹、舒绣文主演，在汉口天声剧场首次公演，引起轰动，成为在戏剧舞台上显示中国人民抗日决心与力量的一次大示威。

阳翰笙一生创作的8个有影响的剧本，其中有3个是在武汉写作发表、首演和出版。四幕话剧《李秀成之死》1938年1月由汉口华中图书公司初版；四幕话剧《前夜》1938年2月由汉口华中图书公司出版，4月再版。前者借天津沦陷的悲剧，喊出了人民要求抗战救亡的呼声；后者描写了七七事变的现实，歌颂了军民抗敌救国的斗争，这些剧本以强烈的现实意义，震撼人心，成为抗战时期全国剧团久演不衰的剧目，也是我国现代戏剧创作中不可多得的佳作。除此之外，这个期间阳翰笙还写作了《抗战戏剧运动应做到的几件事》、《我的祝辞》、《大家来拥护这神圣的工作》、《今后的几点希望》等文章。

■ 阳翰笙编剧的影片《八百壮士》剧照

对于武汉的戏剧活动，阳翰笙一直十分关心，早在来汉之前，他和湖北戏剧界的同行就有联系。后来身在江城，对抗战戏剧更是备加关注。1937 年 12 月 12 日，他参加汉口“拓荒剧团”召开的戏剧座谈会，以《怎样领导戏剧的游击队》为题，提出为了适应抗战需要，戏剧运动要实行游击队路线的观点；1938 年 3 月“抗战电影社”组织“关于国防电影之建立”的讨论，他提出建立国防电影的 5 种建议，都极富创见而且有指导意义。第三厅改组旧的电影制片厂并成立中国电影制片厂后，阳翰笙担任编导委员会主任，保证了“中制”的正确方向。他在汉期间，还领导拍摄了抗日故事片《保卫我们的土地》、《八百壮士》（阳翰笙编剧）、《热血忠魂》3 部故事片和 50 多部新闻纪录片。这是抗战期间中国电影制片厂最有成绩的一个时期。

■ 三厅绘制的黄鹤楼护墙上的《抗战必胜》大型壁画

在武汉的近一年时间，阳翰笙无论是筹组文艺界抗战组织和领导抗日文艺运动，还是在戏剧创作上都取得了巨大的成绩，朋友们写诗称赞他：“烽火梨园百千姿，润色河山笔未疲。”

壮志得舒 为民舍予

——老舍

在武汉的抗战文化史上，老舍先生是应该浓墨重彩书写的一位人物，在长江汉水之畔，他肩扛着中华全国文艺界抗敌协会的大旗，奋勇当先，排除万难，呼啸前行，在中国近代革命史和现代文学发展史上写下了光辉灿烂的一章。

人民艺术家老舍一生中，仅在抗战初期到过武汉一次，但他以高昂的爱国热情、出色的组织能力和丰饶的通俗创作实绩，将辛勤的汗水洒落在大江之滨。

来自炮火封锁下的孤城

1937 年 7 月 7 日，卢沟桥的炮声，震撼了古老而多难的中国大地。11 月，日军猛烈炮火袭击下的济南，已是危在旦夕的一座孤城。老舍那时正在济南齐鲁大学担任教授，学校的学生已经走完，教员也大多散去，校园一下子变得空旷而寥落。每天不是凄厉的警报、猛烈的轰炸，便是死一般的沉寂。

面对着无书可教、无事可做的动乱生活，老舍十分烦闷，变得沉默寡言，整天抱着一部《剑南诗稿》反复吟哦，当他读到"夜视太白收光芒，报国欲死无战场"、"楚虽三户能亡秦，岂有堂堂中国空无人"的悲壮诗句时，总是一声长叹，涕泪纵横。他在一篇散文中写道："我已暗暗下了舍身报国的决心，我只有一枝笔。这枝笔是我的本钱，也是我的抗敌的武器，我不肯，也不应该放弃了它。"决定用自己的笔作武器，投身到抗日救亡的行列中去。可是几次打点行装，又几次亲手拆开，看着面前的稚儿弱女：三个孩子，大的不过四岁，小的未满三月，他实在不忍将一家人抛在将要沦陷的孤城而独自出走。踟蹰着、盘算着，思想展开了激烈的斗争："眼看着院内的黑暗或月光，我仿佛听见了前线的炮声，仿佛看见了火影与血光，多少城市被炸平！这一夜又有多少妇孺变成寡妇孤儿！全民族都在血腥里炮火下，到处有患难与最悲壮的牺牲。"山河破碎、生灵涂炭的残酷现实，使他痛心疾首，满怀忧愤。他想到："一个读书人最珍贵的东西是他的一点气节，我不能等待敌人进来，把我的那点珍宝劫夺了去，我必须赶紧出走。"

■ 老舍与家人离别赴武汉前合影

他终于下了最后的决心，1937 年 11 月 15 日黄昏，他提起一个小皮箱，带着仅有的 50 元钱，毅然抛别一家亲人，头也不回地踏上了征程。在一列装满炸药的车厢里，他不能改换姿势，没吃没喝地坐了一天一夜，辗转徐州和郑州，11 月 18 日在飒飒秋风中来到了扬子江畔的武汉。

到武汉后，繁忙的工作之余，每当一灯独对，他就常常记挂起日军包围中的济南孤城，惦念着战乱中的妻儿，国仇家恨，满腹感慨。他住在武昌千家街福音堂时，曾写下一首七律寄托自己深切的思念：

弱女痴儿不解哀，牵衣问父去何来？
话因伤别潜应泪，血若停流定是灰。
已见乡关沦水火，更堪江海逐风雷，
徘徊未忍道珍重，暮雁声低切切催。

连老舍也不曾想到，这济南一别就是整整5年！当他再次见到妻儿，已是抗战进入艰苦相持阶段的1943年。老舍从济南到武汉，由书斋走向社会，勇敢地投身到抗日救国的滚滚洪流，从而结束了过去“孤高自赏，轻视政治”的生活，在他的一生中，这是一个异乎寻常的重要转折。

扛“文协”大旗的人

抗战初期的武汉，是全国政治、经济、文化的中心。由于国共两党的第二次合作的成功，抗日救亡运动风起云涌，群情激昂，人心振奋。大批文化工作者从全国各地云集江城，文艺界更是同仇敌忾，热浪奔涌。可是一时因没有严密的组织，缺乏统一领导，宣传、创作和演出都呈现着不同程度的盲目和混乱。当时，担任国民政府军事委员会政治部副部长的周恩来指出：必须在抗日民族统一战线的旗帜下，建立一个团体，将文艺界的各派力量组织起来，而且需要一个各方面都能接受的领导人。由于老舍先生在文艺界的声望和他的无党派身份，既受到共产党和进步文艺界的信赖，国民党当局也容易接受，加上老舍勤恳、诚笃、正直、宽厚，善于交友，自然成为联络各派文艺力量的最合适人选。于是周恩来指示楼适夷等举荐老舍出面工作。

国家的危难，民族的存亡，激发了老舍高涨的爱国热情。各个派别和进步作家们的深切希望，使他欣然愿意接受委托，毅然肩负起在文艺界中团结各种力量，组建中华全国文艺界抗敌协会的繁重任务。他宣称："我不是国民党，也不是共产党，谁真正的抗战，我就跟着谁走，我就是一个抗战派！"大家十分理解老舍这番话的深刻含义，把希望的目光投射到他的身上。老舍在极其复杂的政治环境下，着手筹备全国性文艺界统一战线组织。他在报刊上大声疾呼："团结起来，像前线战士用他们的枪一样，用我们的笔，来发动民众，捍卫祖国，粉碎敌寇，争取胜利……希望大家来树起这面中华全国文艺界抗敌协会的大旗！"并相继发表了《大家的事情大家作》、《我们携起手来》、《写家们联合起来》等一批文章，宣传文艺界团结的重要，呼吁大家行动起来。他在上述文章中一再强调"抗日救国是我们的大旗，团结与互助是我们的口号"。在当时极其复杂的政治环境中，要开创一个团结的局面是艰难的。老舍既用他的笔开展广泛的宣传，又做了大量琐碎繁杂的实际工作。作为"筹委会"负责人的老舍，筹措经费，起草文件，寄发信函，联络会员，组织会议，乃至租借会场、清理账目，他都事必躬亲。这里我们将1938年2月老舍的主要活动排列如下，就能从中找到他当年匆匆的足迹，看到他忙碌的身影：

2月4日，出席文协临时筹备会会议，会上被公推为文协会章起草人。

16日，出席"临筹会"工作会议，决定成立正式的"文协筹备会"。创作反映抗战长篇小说《蜕》，并在《抗到底》月刊上连载。

17日，创作的抗战京剧《新刺虎》脱稿。

24日，出席文协筹备会，被推举为筹备会负责人。

28日，出席第一次筹备会会议，受委托起草大会成立宣言。

30日，写作发表《关于大鼓书词》论文，对抗战通俗文艺发表重要意见。

会议，写作，各种社会活动排满了老舍的生活日程。由于他和许多人不辞辛劳的工作，1938年3月27日，中华全国文艺界抗敌协会在汉口总商会礼堂（今中山大道939号市商业联合会）正式成立。中国新文学史上文艺界第一次空前的全民族大联合，在团结抗日的大旗下得以实现。郭沫若盛赞为"作家团结的豪华版"，周恩来在成立大会上说："全国的文艺作家们，在全民族面前，空前地团结起来。这种伟大的团结，不仅仅是在最近，则在中国历史上，在全世界上如此团结，也是少有的！这是值得向全世界骄傲的！"会上老舍代表筹备会宣读成立大会宣言。他像一只报春的燕子欢跃地往来于众多朋友之间。

在选举时，老舍被选为“文协”常务理事，在第一次理事会上，又被推举为总务部主任（“文协”不设主席，总务部主任为第一负责人）主持“文协”工作。

看到不同阶级、不同党派、不同风格流派的全国作家，在全民抗战旗帜下的大团结、大会师，一向持重沉稳的老舍思绪万千，无限兴奋，诗情勃然，提笔挥写了一首《贺全国文艺界抗敌协会成立》（七律）：

三月莺花黄鹤楼，骚人无复旧风流。
忽听杨柳大堤曲，誓雪江山半壁仇。
李杜光芒齐万丈，乾坤血泪共千秋。
凯歌明日春潮急，洗笔携来东海头。

欣喜之情，溢于言表，抒发了老舍力扫倭寇、誓雪国耻的壮志雄心。

“文协”成立后，老舍全力以赴地投入抗战文艺的领导工作。为了表达他的决心，他写了一篇《入会誓词》向祖国人民宣誓：“全国文艺界抗敌协会成立了，这是新的机械化部队。我这名小卒居然也有几个手榴弹打碎些个暴敌的头颅。你们发令吧，我已准备好出发。生死有什么关系，尽了一名小卒的职责就够了。”他倾吐了一个爱国知识分子赤诚的心声。

国民党中宣部曾答应批给“文协”每月两千元的经费，但要到教育部取款，而部里有人却以种种理由推托、拖欠。协会付不了房租，工人发不出津贴，刊物印费无处开支，老舍只好一次次到教育部坐索，几经周折，才得如愿。

1938年4月，当周作人在北平卖国求荣，投敌叛国时，老舍和18位作家联名发表《给周作人的一封公开信》，历数其恶行劣迹，痛斥周已成为“民族之大罪人，文化界之叛逆者”。出语深痛，满纸怒火，表现了爱国作家大义凛然的民族正气。

■ 在武汉写作出版的通俗作品集

“文协”的会务，无论巨细，都由老舍这位“当家人”操持。每星期一次的座谈会或报告会，他主持召开；工作计划、会务报告，他亲自参与编拟；编发函件和宣传书刊，审核财务和公布账目，他一一过目；建立分会，发展会员，他亲自过问。“文协”在武汉召开的两次欢迎斯特朗和史沫特莱的大会，都由他一手操持，甚至连讲演时的翻译，在人手不济时，也由他临时充任。50多年后，当事人之一的楼适夷在《忆老舍》中不无感慨地说：“文协的一切都以他为轴心而轰轰烈烈地活动。”

在老舍的领导下，“文协”响亮地提出了“文章下乡”和“文章入伍”的口号，组织和动员了大批作家和文艺团体深入抗战前线，进行抗日救亡宣传。“文协”还倡导通俗文艺创作，开展街头剧和朗诵诗运动，编印和输送抗日宣传刊物和传单，组织社团赴前线慰问。在中国人民争取民族解放的斗争中，“文协”一直坚持到抗战胜利，在中国革命史和新文学史上写下了光辉的一页。

茅盾曾这样论述过老舍的伟大功绩：“如果没有老舍先生的任劳任怨，这一件大事——抗战文艺家的团结，恐怕是不能那样顺利迅速地完成而且恐怕也不能艰难困苦地支撑到今天了，这不是我个人的私言，而是文艺界同人的公论。”在神圣的民族解放战争中，“文协”是文艺界在烽火中的一杆战旗，老舍是扛着这面大旗呼啸前进的旗手。

辛劳的“写家”和编辑

抗日战争的烽火激发了老舍的爱国热情，点燃了他心中的怒火烈焰。在繁忙的社会公务之余，他奋笔疾书，劳碌不息，创作了大量反映现实、鼓舞抗战的文艺作品。他说：“我不肯，也不应该放弃了它，而去另找出路。”

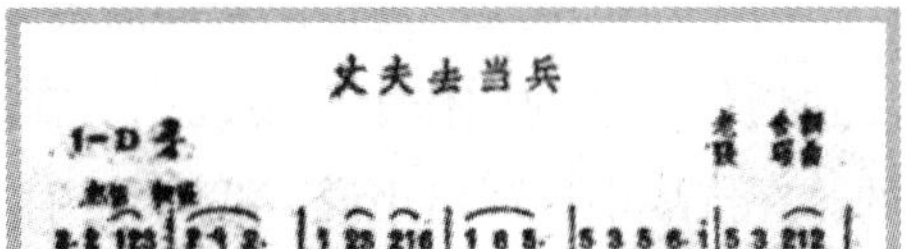

■ 老舍作词、张曙谱曲的抗战歌曲《丈夫去当兵》

在文坛上，老舍是以善于描绘下层人民社会生活著称的小说家。抗战炮响，他把小说创作贴紧抗战现实，在武汉写作了短篇小说《人同此心》、《浴奴》、《敌与友》和长篇小说《蜕》。这些作品都直接描绘了民众觉醒，锄奸抗倭的内容。《人同此心》描写一个沦陷下的城市，人民觉醒，暗设圈套，巧制顽敌；《浴奴》叙述弱女受辱，奋起反抗，手刃仇寇；《敌与友》写两个世仇很深的村庄，在大敌当前的形势下，捐弃前嫌，化敌为友，共歼日军。活跃在他笔下的人物，不再是凄凉悲切的市民、车夫，而是深明大义、英勇无畏的民族战士了。尤其值得一提的是小说《蜕》，通过描写5个流亡学生在阴城开展抗日救亡的故事，热情歌颂了一代热血青年的爱国精神，愤怒揭发了反动当局政治腐败、尔虞我诈的肮脏内幕，是一部反映抗战初期现实的作品。《蜕》是抗战文学中树立的一块“爱国主义的心碑”。

王小赶驢（大鼓書詞）

老舍

■ 老舍为鼓书艺人所写抗战新曲《王小赶驴》

为了动员民众，宣传民众的需要，老舍把自己最大的热情和主要精力，倾注在通俗文艺的创作上。他说：“在战争中，大炮有用，刺刀也有用，同样的，在抗战中，写出小说、戏剧有用，写鼓词、小曲也有用。我的笔须是炮，也须是刺刀。我不管什么是大手笔，什么是小手笔，只要是有实际的功用与效果的，我就肯去学习，去试作。我以为在抗战中，我不仅是个作者，也应当是个最关心战争的国民，我是个国民，我就该尽力于抗战，我不会放枪，好，让我用笔代枪吧。既愿以笔代枪，那就写什么都好，我不应当因写了鼓词与小曲而觉得有失身份。”为了创作群众熟悉的大鼓词，他在汉口遇到著名鼓书艺人富少舫（艺名山药蛋）、董连枝等人时，就向这些民间艺人学习，亲自动手用鼓书坠子、套曲、数来宝等多种群众喜闻乐见的形式进行创作。为适应街头宣传的需要，他为汉口六渡桥的抗战画廊编写韵文，为流动表演的“拉洋片”写作套曲。

1938年7月7日抗战一周年那天，老舍创作的大鼓书词《抗战一年》印了1万多份，贴满了三镇的大街小巷、车站码头。在武昌千家街，他为3位河南艺人编写了一段3千多句的抗日坠子。武汉沦陷前，3位艺人把它背得滚瓜烂熟，上了弦板，唱遍了华中一带的偏乡僻壤。老舍和民间艺人的亲切交往，曾在文坛传为佳话。1946年他到美国讲学时，回忆起这段生活，并以此为素材创作了著名的长篇小说《鼓书艺人》，真实地描绘民间艺人在抗战中的觉醒与抗争。老舍在武汉先后写作了大鼓词《王小赶驴》、《张忠定计》、《游击战》，新京剧《忠烈图》、《新刺虎》、《王家镇》等一大批通俗文艺作品，曾结集为《三四一》出版，受到普遍的欢迎，其中的不少段子，广为传唱，久演不衰。

为了推动群众文艺活动的开展，促进通俗文艺创作的繁荣，老舍还致力于通俗文艺工作理论上的研究和探讨。在“文协”，他主持过通俗文艺工作委员会和“士兵通俗读物百种”的编写工作，在他主持召开的通俗读物座谈会上，一再强调文艺的大众化、通俗化在抗战宣传中的巨大作用，提出过许多解决前线缺乏读物的措施。他还写作了《谈通俗的文艺》、《关于大鼓书词》等论文，就通俗文艺的作用、意义和创作方法等发表过中肯的意见。老舍以他的理论研究和创作实践提高了通俗文艺的社会地位，引起了文艺界对群众文艺创作的注意。

■ 1938年在武昌留影

除此以外，老舍还应报纸之约，写作了《我这一年》等触及现实、针砭时弊的散文和杂文，创作了《新青年》等诗歌。在创作上，老舍始终不忘一位“写家”的职责，每天争分夺秒，手不停挥。他给自己作了严格的规定，“每天到十一点左右，写完我一天该写的一二千字”才休息。不论社会公务多么繁忙，老舍决不中断他既定的写作计划。在武汉短暂的驻留中——总共不到8个月的时间，他创作的小说、诗歌、通俗文艺作品共计 30 余万字，数量惊人，成绩丰厚。

老舍先生不仅是一位著名作家，也是一位优秀的编辑。他在编辑岗位上兢兢业业、任劳任怨地工作着。“文协”成立后，老舍担任会刊《抗战文艺》编委，主持刊物的日常编务。他不仅为刊物组稿、编稿，而且还管印刷、校对、发行等琐碎事务。在老舍领导下，《抗战文艺》在民族存亡的严峻关头，高举抗战、团结、进步的旗帜，刊载了大批鼓动抗日的文学作品，在内容上系统地反映了文艺界抗日统一战线的行动，为广泛团结抗日文艺工作者，发动和推进抗日文艺运动作出了很大贡献，“成为全国文艺工作行进中的道标”。尤为可贵的是，由于老舍的辛勤劳作和有理、有利、有节的斗争，刊物自 1938 年 5 月 4 日在汉创刊，后又迁至大后方，老舍在困难重重的办刊过程中，5 易发行所，坚持 8 年之久，该刊是全国唯一一份和抗战共始终的文艺期刊，留下了研究抗战时期文艺活动和创作的重要原始资料。正是由于老舍在刊物上倾注了自己一腔心血，在艰苦卓绝的抗日战争获得胜利之后，老舍回顾其艰难历程，满怀深情地说：“它实在是一部值得重视的文献。它不单刊露了战时的文艺创作，也发表了战时文艺的一切意见与论文，并且报告了许多文艺者的活动，它是文，也是史。它将成为将来文学史上的一些最重要的资料。”可以说，在《抗战文艺》的每一页上，都洒落着老舍的辛勤汗水。

老舍还是通俗文艺刊物《抗到底》的主要组织者和编辑。1937 年底，老舍由济南来到武汉不久，应冯玉祥将军之邀住在千家街福音堂的冯宅，冯将军对住在一起的作家和画家们提议创办一份面向大众的通俗文艺刊物。老舍听后十分高兴，笑着说：“千家之街群贤毕至，福音堂里人材济济，将军此举，善莫大焉。”大家一致赞同。为了表现刊物与抗战共始终的决心，定名为《抗到底》。老舍说：“抗到底这个名字是宝贵的，只有它可以表现出抗战的决心。”他和老向一起为创刊号亲自撰写了《发刊词》，申述刊物的宗旨：“我们希望这里边的每一篇文章，甚至每一个字，都有炸弹般的力量，炸碎敌人的堡垒……抗到底这个名称，充分代表着本刊的特征，我们要根绝妥协，永不屈服，抗战到底。我们不说大话，但绝对不说软话，不说与抗战无益的话，更不为谁造消闲趣话。我们愿以血为墨，使文字化为武器，赠与全国的同胞。”在确立刊物方向，编发稿件上，老舍都起着决定性作用。刊物上的许多重要文

■ 左起：老舍与旧友黄琪翔相聚武汉

章，都出自他的手笔。他是《抗到底》的一根“台柱子”。

老舍以独特的幽默讽刺艺术步上文坛后，20年代末期就成为享誉中外的著名作家。来到武汉时，他虽然还不到40岁，却已是许多文学青年尊敬的前辈了。对于有志于文学的青年，老舍热情接待，悉心培养。在汉口三教街罗荪的寓所时，他的身边经常簇拥着大批勤学好问的青年学子。他笑着对大家说：“到这里找我，地名好记，三教九流嘛！”他教诗人蒋锡金写作鼓词，带他到汉口“新市场”聆听现场说唱，边听边讲，替作家楼适夷修改文章，帮助民间艺人“山药蛋”学习文化，协助剧作家赵清阁编辑刊物《弹花文艺》，在老舍的帮助下，不少人成为抗战文坛上的中坚力量。

1938年7月，江城沉浸在“保卫大武汉”的悲壮气氛中，市区又遭到两次日机大轰炸，各种机关纷纷向大后方迁移，正是这个时候老舍先生却说：“我不能走，连想也不想一下，好像我是命定的该死在武汉，或是眼看着敌人在这里败溃下去……我以离开武汉为耻。多住一天仿佛就多一分勇气与力量。”他决心留在武汉战斗，可是“文协”召开临时会议，作出了由汉迁会入川的决定，接着又受冯玉祥和邵力子的多次催促，他只好在8月30日这天挤上一艘插着意大利国旗的轮船，结束了在武汉8个月的战斗生活，溯江而上……

狂飙怒潮戏剧魂

——田　汉

田汉（字寿昌）是中国现代戏剧史上一位披荆斩棘的人物，一支《义勇军进行曲》唱遍了大江南北、长城内外，激励着一代又一代的中华民族子孙。这位中国现代戏剧的开拓者、著名剧运活动家和剧作家，被郭沫若称为“我们中国人应该夸耀的一个存在”，他的一生充满了火热的战斗。75年前在烽火连天的武汉度过的八个月，即是他生命中辉煌的一页。

愿入地狱

1938年2月的一天，正在长沙《抗战日报》从事抗日救亡活动的田汉，收到周恩来召请他赴汉参加军委会政治部三厅工作的电报。当时，郭沫若也在长沙，望着田汉手中的电报，郭沫若半是兴奋，半是忧虑地说："周公之请，理当奉行，但陈诚当家的政治部是去得的么？那是地狱。寿昌！"田汉深知老友的禀性，也理解郭沫若此时的心情，便幽默地说道："国事如此，我不入地狱，谁又入地狱呢？"郭沫若悟出此话含意，不禁哑然失笑。几天后，他们与音乐家张曙一道来到武汉。

对武汉，对这里方兴未艾、如火如荼的抗战戏剧运动，田汉有着特殊的感情。1937年11月，他在由上海至长沙途中，就曾经绕道武汉。那时恰逢戏剧家马彦祥带领的上海救亡演剧队在汉演出，田汉便与马彦祥共同努力，创办了抗战后的第一家大型戏剧杂志——《抗战戏剧》，开辟出抗战戏剧运动的第一块战斗阵地。繁忙的社会活动之余，他为该刊撰写了《戏剧艺术家的志节问题》等6篇文章和《卢沟桥》等剧本，用自己的心血浇灌了这枝绽开在烽火狼烟中的戏剧奇葩。在武汉逗留期间，田汉不辞劳苦下剧场、访艺人、入梨园、谈戏剧，对武汉戏剧作了详尽的调查和了解。回到长沙后，他仍然惦念着武汉的抗战戏剧运动，曾多次往来于长沙、武汉两地之间，著文讲话，将两湖一带的抗战戏剧运动联为一片。

1937年年底，阳翰笙根据中共党组织的指示筹建中华全国戏剧界抗敌协会，田汉又专程来到武汉，担任筹备大会委员，并负责起草了大会宣言。12月31日，中华全国戏剧界抗敌协会在汉口大光明剧院（即原中南剧院）宣告成立，田汉当选为常务理事、话剧部主任。根据对武汉戏剧界的切身考察，田汉撰写了《武汉剧坛印象》一文，作为社论在《抗战戏剧》第3期发表。文章对推进武汉乃至全国抗日戏剧运动具有深远的指导性意义。

创始人和先行者

1938年4月1日，第三厅正式成立的鞭炮在武汉燃响，田汉任第六处处长，主持艺术宣传，分管戏剧、音乐、美术、电影等工作。

三厅成立伊始，事务繁多，田汉以极大热忱投入工作，大小事宜，必定躬行。4月7日起，三厅举行了声势浩大的“抗日扩大宣传周”，田汉同郭沫若一道运筹策划，亲赴现场，全面主持了“歌咏日”、“戏剧日”、“美术日”、“电影日”的宣传运动。在美术日，广大艺术家用画笔与油彩抒发了抗战热情，一夜之间，上百幅不同流派、不同风格的抗日宣传画挂满了武汉三镇的街头巷尾。在黄鹤楼旧址召开的揭幕式上，郭沫若发表了慷慨激昂的演讲，田汉则在一旁摇旗呐喊，带头振臂疾呼。11日的戏剧宣传日，好戏连台，京、汉、楚、豫各剧团在全市12家剧场里摆开阵势，紧锣密鼓地日夜义演抗战戏剧。为确保演出成功，田汉驾车来往奔忙于各戏院间，亲自巡查。12日的电影宣传日更是盛况空前，全市5家电影院同时上映抗战影片，观众如潮，场场爆满。晚上，流动放映队把银幕从闹市一直挂到了郊区，老少争睹，万人空巷。最后一天的歌咏日更是蔚为壮观，达到了宣传周的高潮。田汉不顾多日辛劳，亲临中山公园参加闭幕式。他豪情四溢，号召艺术工作者“将民族解放的歌声唱遍全球”。

■（前排左起）杜国庠、田汉、陈诚、邵力子、马彦祥在三厅

抗战初期的武汉既是抗日救亡运动的中心，也是全国戏剧运动的中心，全国100多个抗日救亡团体和各地的著名戏剧团体，以及上海10支救亡演出队先后集结江城，全国戏剧界95%的人才会聚武汉。为组织戏剧宣传力量，将

零散的戏剧队伍汇合成严整的大军，田汉根据郭沫若的指示，与洪深一道按剧种对在汉的戏剧团体和演出队进行整顿，组织他们在武昌昙华林进行了两个月的严格军事训练，然后组编成 10 支抗敌宣传队，分赴各地开展抗敌宣传。1938 年 2 月，著名的上海孩子剧团历经艰辛来到武汉后，田汉对这株诞生于腥风血雨中的幼苗备加关怀，将他们收编到第三厅的编制之内。4 月，武汉培英、培心两所小学师生在上海孩子剧团影响下组成了七七少年剧团，田汉热情扶植，积极鼓励，使它成为与孩子剧团、新安旅行剧团齐名的中国三大儿童剧团之一。

田汉既是现代戏剧的创始人，也是戏曲改革的先行者。他对旧剧形式加以创新，对旧剧艺人加以培训，扩大了抗战宣传的人马与阵地。他先后在长沙、武汉举办了两期“战时歌剧演员讲习班”，亲自担任讲习班教务长。包括京剧、评剧、汉剧、楚剧、话剧等 10 多个剧种的 1000 余名艺人参加了武汉讲习班的学习。田汉根据郭沫若开学典礼的讲话精神创作了《班歌》：“戏剧的兴衰关系着民族的兴亡，要把剧场当作战场，让每一句话成为杀敌的子弹，让每一位观众举起救亡的刀枪。”这支由冼星海谱曲的班歌被讲习班的艺人从长江畔的武汉传唱到民族解放的各个疆场。

戏剧创作硕果累累

抗战的烽火点燃了田汉的创作激情。作为一名爱国的剧作家，他不顾公务繁忙，在短短数月之内创作了一批演出急需的剧本。1937 年 10 月，他将鲁迅的《阿 Q 正传》改编为同名五幕话剧，这是《阿 Q 正传》较早的改编本之一。1938 年该剧在武汉首演并由汉口戏曲时代出版社出版。剧本借阿 Q 这个不觉悟的农民形象，鞭挞了现实生活中不愿正视自己奴隶地位的民族“劣根性”，深刻地体现了鲁迅原著的精神。

卢沟桥事变后，满怀激愤的田汉仅用五天时间就创作出四幕话剧《卢沟桥》，剧本由汉口大众出版社列为“抗战戏剧丛书”首次刊行，不到半月即销售一空。《卢沟桥》艺术地再现了军民奋起抗敌，死守卢沟桥的悲壮情景，给浴血抗战的武汉人民以巨大鼓舞，在武汉首演时观众踊跃，反响强烈。在汉期

■《保卫卢沟桥》剧照

间，田汉还创作了四幕话剧《最后的胜利》，该剧结构宏大，气势雄伟，出场人物多达 100 余人。1937 年 12 月，由 12 家剧团在武汉联合首演，日夜两场，座无虚席，大大鼓舞了军民的抗日斗争热情，该剧被称为“全民抗战在舞台上的艺术化，表现了舞台上的抗战示威”。在创作过程中，田汉难以遏制心头的激情，他把纸贴在墙上，奋笔疾书台词，而且一边写作，一边油印，一边组织排练。常常是写一页、印一页、排一页，仅用一周时间便完成了从剧本创作到舞台演出的全过程。田汉创作的神速一时在剧坛传为佳话。

■ 田汉剧作书影

抗战初期武汉舞台上轮番上演的仍是《拾玉镯》、《汾河湾》等老剧目，和决定国家存亡的抗战气氛很不适应，广大文化人士十分忧虑，戏曲艺人也迫切盼望有现实性强的剧本供演出使用。面对这种情景，田汉在武汉期间为戏剧的大众化、民族化和通俗化做了有益的尝试。他披阅史志，广察民情，将现实斗争附着于历史的题材之中，采用“旧瓶装新酒”的方式连续写下了

《土桥之战》、《新雁门关》、《杀宫》、《渔夫报国》等一批新型抗战京剧，使传统旧剧焕发新的生机。《渔夫报国》便是直接取材于《汉阳县志》中的故事，剧本描写南宋时期，异族大举南犯，金大将军蒲龙统领重兵围攻汉阳，汉阳城池空虚，兵微将寡，太守曹彦若起用“民间贤士”共商抗战大计，又请老渔民阮复成联络江汉一带数万渔民，同心协力，大破金兵。在欢庆胜利的庆功宴上，曹彦若唱道：“要抗战就要动员民众。”阮复成也唱道：“只有抗战到底，才能够打破那敌人的迷梦。”田汉敏锐地从地方志记述的历史故事中发掘出只有充分动员民众才能取得抗战胜利的深刻主题。剧本上演后，受到广大观众的热烈欢迎，成为武汉剧坛上经常演出的剧目之一。后来，该剧很快不胫而走，在全国各地上演，受到各界人士的交口称赞。1938年年底，武汉沦陷后，田汉在广西桂林榕湖路五美园的小楼上，又对此剧本加以精心修改，扩展成36场的著名新剧《江汉渔歌》，使其成为抗战戏剧代表性作品之一。

■ 1938年田汉（前排中）与抗敌演剧九队于武汉

告别江城

1938年10月，日本帝国主义的铁蹄日益逼近武汉。在保卫大武汉的悲壮气氛中，田汉冒着日机的狂轰滥炸，出席了鲁迅逝世两年和聂耳逝世三周年纪念大会。

手法何妨有异同，十年苦斗各抒忠。
雄文未许余曹及，亮节堪为一世风。
《惜逝》惊添鬓须白，忧时喜见《铁流》红。
神州今作存亡战，百万旌旗祭迅翁。

田汉用这首诗表达了自己和武汉军民对鲁迅的纪念以及抗倭到底、誓雪国仇的决心。在各部门纷纷撤往大西南时，他与郭沫若坚守阵地，组织了武汉地区文艺工作者的疏散和善后工作，直至武汉沦陷前夕的10月24日，田汉才在隆隆的炮声中离开了硝烟弥漫的武汉。著名教育家陶行知先生对田汉的胆识十分钦佩，曾以诗相赠："人从武汉散，他在武汉干，练出艺术军三千，田汉毕竟是好汉。"

1956年，在阔别了武汉18年之后，身为中国剧协主席的田汉来汉参加湖北省首届戏曲观摩大会。会议期间他踯躅于昙华林故地，徜徉于扬子江畔，满怀感慨地追忆起当年战斗的时光。

这是他最后一次来到武汉，但他的生命和艺术永远留在催人奋进的《义勇军进行曲》里，留在武汉人民深切忆念的心中。

■ 保卫大武汉群众游行

语妙并州快剪刀　丘八诗章石点头

——冯玉祥

作为一代爱国名将，冯玉祥的名字是人所共知的。他在文化事业和文学创作中的成就也为人景仰。

在抗日战争中，他是中外闻名的坚决抗战派；在文化战线上，他也是促进抗战文艺发展的急先锋。

1937年严寒的冬天，冯将军一肩风雨，率领着他的部下来到武汉，居住在武昌千家街的福音堂内。他在军政界挂着许多显赫的头衔，这位久经战阵的军界领袖，也把自己的极大精力倾注到抗战救亡、动员民众的宣传上，执着于抗战文化事业的开展和诗歌创作，在这两方面冯将军都卓有成绩，颇多建树。

"全国文协"的"佩剑会员"

中华全国文艺界抗敌协会（即全国文协）是抗战时期文艺战线上一面团结、爱国、抗日的大旗，在它的旗帜下聚集着全国文艺界的精英。冯玉祥将军是这个抗日统一战线组织的参加者、组织者和支持者。

1938年春，周恩来作为中国共产党的首席代表驻武汉主持抗战工作，曾授意党的文化工作者阳翰笙筹组文协，并推举无党无派、各方都能接受的老舍作为该会领导。其时老舍正寓居冯宅，周恩来在2月14日与冯玉祥的一次会晤中，请冯将军出面说服老舍出山并支持文协的成立，冯连连颔首，慨然允诺。在为时三个月的筹备过程中，筹措款项、立项批文、借用会场、往返聚餐等，但凡筹委会的一切困难，老舍无计可施时，都由冯先生以军委会副委员长的身份帮助解决。3月27日，"文协"在汉口总商会礼堂召开成立大会，冯玉祥将军脱去戎装，身着一袭长仅过膝的灰布上衣出席大会，并以"丘八诗人"的资格报名入会，是"文协"唯一的"佩剑会员"。

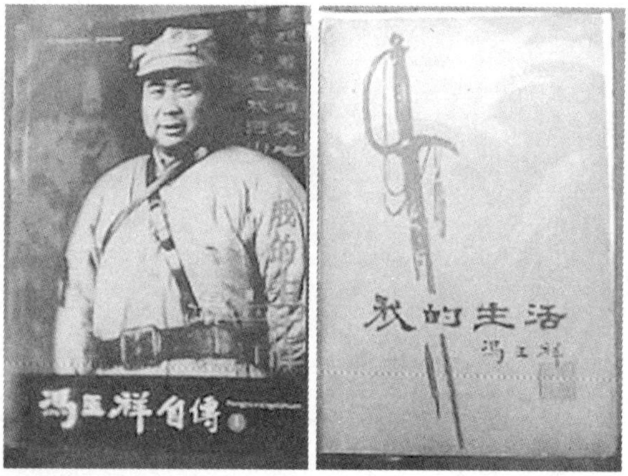

■ 冯玉祥著作书影

中午，全体代表在普海春酒家聚餐，席间，冯玉祥将军一袭长衫，轻挥手绢，即兴演唱了山东民歌《柴夫的儿子》：

爸爸（呀）上山去打柴，
日落西山方才回来，
百斤柴火百里路啊，

我要读书怎敢发呆？
我要读书怎敢发呆？

冯将军的表演，声情并茂，惟妙惟肖，时时被掌声和喝彩声所打断。

在成立大会上，他被推举为主席团成员。在讲话中，他论述了文艺在抗战中的作用和文艺的通俗化问题，他说："打仗不但要外部健康，还要内部健康才能和敌人拼命，而文艺是使人内部健康的。"妙语连珠的演说常常被热烈的掌声打断。看到文艺界的大团结大联合，冯玉祥精神亢奋，不仅在聚餐时为大家演唱了山东民歌《柴夫的儿子》，而且逢人就兴致勃勃地谈论文化抗战活动的开展。会后，他一再向人说起："我听说这些拿笔杆子的文人，平时都是你挑剔我，我批评你，谁和谁都不易在一起。这一次为了打倒日本帝国主义，收复失地，雪我们全民族的耻辱，他们成立了抗战文协，大家全团结起来了。"无法抑制内心的兴奋。

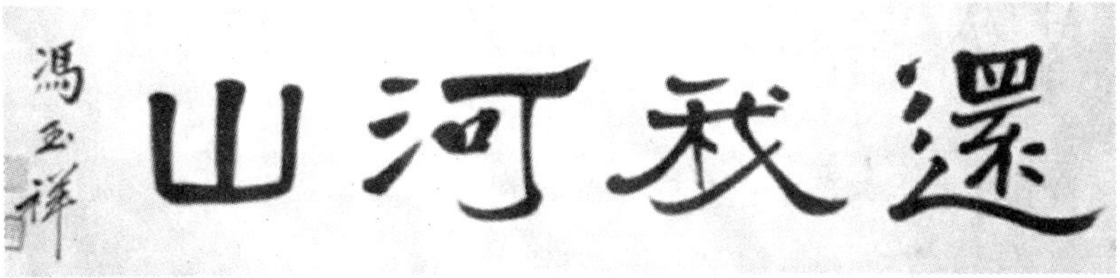

■ 冯玉祥条幅手迹

在文协大会上，冯玉祥被选为总会的理事，在以后几届文协年会上，一直继续当选为理事或监事，是文协名符其实的领导人之一。冯玉祥将军积极参加文协的活动，十分关心抗战文艺的发展，茅盾曾深有感触地说："文艺界抗敌联合战线成立后，有力地支持者之一，就是冯焕章将军。"

抗战文化的坚强后盾

冯玉祥将军是作家和艺术家们的亲密的朋友，这在文艺界是人所共知的。在他的周围总是簇拥着一大批文化界朋友，为了抗战的宣传和民众的动员，他们朝夕相处，文武相济，密切合作。

武汉时期，冯的寓所在武昌千家街福音堂，应邀住在冯宅的文化人就有老舍、吴组缃、宣谛之、何容、王向辰、楼适夷、赵望云、张克侠、魏凤楼、冯文华、刘思慕等数十人。

出于动员民众、宣传救亡的需要，某日，冯将军提议办一份以民众为对象的文艺杂志。话刚出口，老舍欠身起立，拱手笑道："千家之街，群贤毕至，福音堂里，人才济济，将军此举，善莫大焉！"众人齐声鼓掌，极表赞同。经过一番商议，决定编辑出版《抗到底》和《抗战画刊》两种刊物。冯玉祥筹集经费和登记备案，并负撰稿之责，老舍组稿，老向编辑，何容发行。分工易事，没过多久，两份杂志就在隆隆的炮火声中先后与江城人民见面了。通俗文艺半月刊《抗到底》是 1938 年元旦在武昌创刊的，其《发刊词》宣告：

"抗到底这个名称，充分代表着本刊的特征，我们要根绝妥协，永不屈服，抗战到底。我们不说大话，但绝对不说软话，不说于抗战无益的话，更不为谁造消闲趣话。我们愿以血为墨，使文字化为武器，赠与全国的同胞。"

由于冯玉祥将军对通俗文学创作的重视、关注和身体力行，在他的领导下，刊物以老百姓与士兵为读者对象，大凡在民间广为传播的各种旧形式，如大鼓词、快板、数来宝、山歌、小曲、相声、对联、章回小说、通俗韵文、地方戏曲等等，几乎都被采用过来，用以反映抗日救亡的新内容。其中，冯玉祥将军独树一帜的"丘八诗"，老舍针砭时弊的杂文，赵望云的画，安娥的诗，丰子恺幽默诙谐的"诗画配"等，都是引

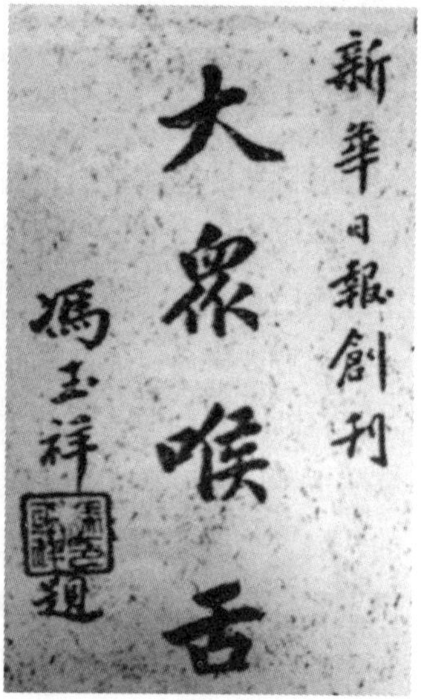

■ 冯玉祥为《新华日报》题词

■ 冯玉祥撰写的抗日对联

人注目的篇目。由于《抗到底》文字通俗易懂，形式采自民间，深受大众欢迎，从而使它不胫而走，成为当时十分畅销的大众刊物之一。

《抗到底》刊物开始是由武昌天祥印刷社承印。他们“以七拼八凑的字体，以性质不同的文章，慢慢拼成，慢慢地由一架手摇机降落下来”，因此难以满足出版的需要。冯玉祥将军又当机立断，决定自办印刷社。他自筹经费，勘察厂址，还委派一名得力的秘书督办此事。不久，三户图书印刷社便张贴广告，开张营业了。冯将军为印刷社定名“三户”系取义于“楚虽三户，亡秦必楚”之说，借以表示抗战必胜、建国必成的坚定信念。从此以后，不但《抗到底》、《抗战画刊》的印刷出版条件得以改善，而且该社还承印了《新华日报》社论单行本、《列宁文选》等重要书籍，成为屹立在扬子江畔的一个重要的出版阵地。

《抗到底》半月刊，在冯玉祥和老舍的亲密合作之下，在武汉共出版了14期计12本（其中第12期脱刊，第13、14期合刊），包括“抗日负伤将士作品专号”、“抗日通俗文艺专号”等特辑。1938年7月底日寇逼近武汉，《抗到底》从第15期起迁重庆出版。在硝烟弥漫的艰难岁月之中，一直坚持到1939年11月20日出版第26期后终刊。

《抗到底》是抗战文艺园中一朵别具风格的小花，是冯玉祥将军和他的战友们亲密合作的结晶，被称为“抗战中通俗文化的一面旗帜”。

广大读者对冯玉祥将军热心支持抗战文化事业的精神十分钦敬。1938年春节时，有人给他题赠对联一副：

将军出资办三户　志在亡秦
文豪挥笔理千篇　心为抗日
横批：文武相济

冯玉祥将军创办《抗到底》杂志和三户图书印刷社的故事，成为武汉抗战时期文化界的一桩美谈。

只要有利于抗战的事，冯将军都乐而不疲，他曾说过：“只要抗战，我冯玉祥牵马坠镫的事都干。”到达武汉不久，为组织民众，他两次到河南参加救亡宣传，有时一天连作三场演讲。冯是激情滂沛、富有鼓动性的演说家，他声如洪钟，言重九鼎，不由你不为之动情。周恩来评价说：“先生长于演说。凡有集会，有先生到，必满座；有先生讲话，没有不终场而去的。”在武汉的群众大会上，在广播电台，在宣传周和演讲日，冯玉祥都以他震聋发聩的滔滔雄辩征服过江汉大地的无数听众，对群众的演讲，成为他进行抗日宣传的一种重要形式。

冯玉祥将军对文化界的朋友十分关心，极为尊重。他救助过华岗、楼适夷等共产党员。老舍抛妻别子，只身一人来武汉工作之余，常常思念亲人，曾写过一首七律抒发自己的情怀：

弱女痴儿不解哀，牵衣问父去何来？
话因伤别潜应泪，血若停流定是灰。
已见乡关沦水火，更堪江海逐风雷，
徘徊未忍道珍重，暮雁声低切切催。

当时出任第六战区司令长官的冯玉祥将军见到这首诗后，深为老舍弃家远行、矢志抗日的爱国精神所动，诗情勃发，曾赋诗二首献给老舍：

老舍先生到武汉，提只提箱赴国难，
妻子儿女全不顾，赴汤蹈火为抗战！

老舍先生不顾家，提个小箱撵中华，
满腔热血有如此，全民团结笔生花！

赞佩之情，溢于言表。为解除老舍的寂寞，冯将军又热情邀请老舍同住于武昌千家街福音堂内，共谋抗日救亡大计，朝夕相处，情厚谊笃。后来吴组缃看到这首诗，评曰：“这首冯体‘丘八诗’，很可能没有流传，它无意中写出了老舍为人的一个精要之点。”作家情热，将军赠诗，小说家评点，一时传为文坛佳话。

武汉市的夏天，酷热难耐，老舍久居北方，很不习惯南方的气候，他曾对朋友说过：“武汉的天气不令人喜爱。……夏天极热，使人无处躲藏。”武昌

■ 武昌千家街冯玉祥旧居

的蚊子极多，老舍更是畏惧，他曾在一篇文章中写道："在千家街的一间屋子里，我曾在傍晚的时候，守着一大扇玻璃窗。在窗上，我打碎了三本刊物，击落了几百架小飞机。"作为主人的冯玉祥，很觉过意不去，一次，他到马当山一带视察防务，特地买了两把当地的特产鹰毛羽扇，回来后，一把赠与老舍，一把送给适夷，他说："这扇子可以煽风驱蚊。"但受赠者心里都很清楚，冯将军赠扇的深意，是希望他们像雄鹰一样，在抗战的烽烟烈火之中，展翅飞翔！将军赠扇，虽是小事一桩，却使两位作家久久难以忘怀。

丘八诗章的丰收之期

"我虽一军人，素昔好文艺"是冯玉祥将军的夫子自道。他爱好写诗、书法、绘画和演讲，主要成绩则在诗歌方面，抗日战争时期是他诗歌创作的丰收期。抗战初期在武汉，他的创作处于最佳状态，成绩卓著。

拨动诗的琴弦，创造出别具一格的"丘八体"，他早已超越名与利。1938年3月三户图书印刷社出版了他的《抗战诗歌集》，收诗八十首之多。他在《自序》中说："我在本分职守之外，常常抽空写我的丘八诗，我要把这次神圣抗战中我们英勇战士们可歌可泣的伟大事迹，告诉大家知道；我要把敌人禽兽行为告诉大家知道；我要把我心里所有的对于这次抗战的了解和认识，告诉大家知道。希望大家能从我的诗中得到鼓舞，一致踊跃奋发，将自己的一切贡献出来。"

冯玉祥创作诗歌的目的十分明确，是要为抗战而呐喊，他的写作也非常勤勉，在武汉出版了两本诗集，写作或修改重印了《在南京的第一年》、《救国必读》、《我的读书生活》、《抗日的伟大民众》、《我的生活》等一批读物。仅在《抗到底》上，从第四期起到第二十六期止，他就发表了长短诗作约三十篇，武汉出版的《新华日报》、《七月》、《弹花》、《抗战文艺》等书刊上也经常刊登他的诗歌。在这些为数甚巨的诗歌篇什中，宣传抗战是作品唯一的主题。

冯玉祥少时家贫，只上过一年零三个月的乡村私塾，十二岁即列身戎行，由于他勤勉好学，刻苦认真，数十年手不释卷，熟读经书，遍观古籍，学问有坚实而渊博的功夫。以如此深厚的学力而专事通俗诗文的写作，自然驾轻就熟，出神入化。写于武汉的许多诗作大多通俗易懂，朴实无华，而力的健劲与火的热情充满字里行间。如《姓殷的》一诗，以鄙视的口吻唾骂大汉奸殷汝耕“认敌作父献冀东”的可耻行径，并指出他只会落得个“卖国贼名留万世，人人笑骂下流狗”的下场。《给吾儿洪国》情真意切，“谁先战死，谁先心安”表达了父子身在南北，同心抗日的决心。《打蜈蚣》一诗通俗明白，形象逼真：“毒虫蜈蚣，头部亮红，天热地湿，爬出石缝，速爬紧跑，何等威风！”号召“凡我同胞，痛须思痛，赶紧起来，打此毒虫”！以蜈蚣比喻日寇的凶狠，贴切生动。

这位在战场叱咤风云的将军，以他诗歌的强烈的爱国精神和独特的丘八风格赢得了现代诗坛上“丘八诗人”的雅号。

“语妙并州快剪刀！”是对他诗歌的造境浑朴、出语天然的高度评价。董必武读过他的丘八诗后赞不绝口，提笔欣然称颂；

“丘八诗章石点头”是对他诗歌的气势滂沛，元气淋漓的由衷赞美。郭沫若读过他的丘八诗后情不自禁，题句推崇备至。

周恩来同志也说：“丘八诗体为冯先生所倡，兴会所至，嬉笑怒骂，都成文章”。

这些诗、这些话是对他诗歌作品的礼赞，也是对他伟大人格的颂扬！

谱写长江边上的抗日春秋

——茅盾

从五四新文化运动打响的第一声冲天号炮算起，中国新文学长途跋涉，已经走过了九十多年艰难而曲折的路程。如果我们要建立一座文学的纪念里程碑，那么，在这座纪念碑上，人们将怀着尊敬与感激，镌刻上一个辉煌的名字：茅盾。

茅盾，原名沈德鸿，字雁冰，浙江省桐乡县乌镇人。我国现代进步文化的先驱者，中国新文学的奠基人之一。他从1916年从事文学活动以来，在60多年漫长的文学生涯中，满腔热情地追求革命，歌颂人民，无限愤怒地鞭笞黑暗反动势力，创作了数百万字的杰出作品。他以开拓者的辛勤劳绩，和许多新文化运动的先辈一起，披荆斩棘，开创了现代文学的新时代，成为以鲁迅为代表的中国新文学巨匠之一。

在民族解放斗争的重要历史关口，茅盾先后四次来到武汉，与江城人民休戚与共，并肩战斗。扬子江边，洒落着他炽热的鲜血和辛勤的汗水，刻印着他奋斗与前进的坚定足迹。

四赴武汉　全心抗战

1937年7月，抗战军兴，举国振奋，民族解放战争的全面展开，掀开了中国现代史上新的一页。从1937年10月到1938年春天的半年多时间内，茅盾辗转于上海、广州、长沙与武汉之间，为推进抗战文艺运动而奔走忙碌。

1937年10月8日，茅盾因事由上海去长沙在武汉中转，曾逗留一夜。第二天晚上，就登车南下了。长沙事毕，茅盾于10月20日又返程到汉。这次本拟多住几日，以便和叶圣陶及生活书店的徐伯昕商讨筹办抗战刊物和书店的事，但突然接到夫人的急电，便于10月24日匆匆上路急赴上海。这两次都是路过武汉，行色仓促，来不及从事什么活动。但他看到大革命失败沉寂10年之后，武汉在抗战炮声中复苏，十分希望能在抗战救亡的中心一展身手。

上海沦为“孤岛”后，他于1938年2月8日经香港、广州、长沙，第四次来到武汉，下榻于汉口交通路的一家旅馆内。这次他是应生活书店之请，来汉筹办新编大型抗战文艺期刊。到汉不久，他就通过八路军办事处找到当时中共代表团的周恩来同志，向周报告了自己的想法，并商谈出版刊物的计划和他个人在社会上活动的方式等问题，得到周的指导和支持。经过和文艺界同仁的广泛接触，和邹韬奋、徐伯昕等人的仔细商议，茅盾决定创办一个叫《文艺阵地》的文艺半月刊，在“这阵地上，立一面大旗，大书‘拥护抗战到底、巩固抗战的统一战线’”，刊物每期五万字，专门发表反映抗战生活的各类文学作品和评论。后来由于变动，1938年4月16日《文艺阵地》才在广州正式诞生，但它的酝酿、动议、筹备和创刊号的编辑，却是茅盾在武汉完成的。

茅盾来到武汉的时候，全国的千余名文艺工作者和近百个抗战救亡团体云集江城。为了将分散的宣传活动汇聚成浩浩荡荡的抗战文艺运动，由周恩来同志领导，阳翰笙、吴奚如、冯乃超、楼适夷等同志参加，正着手筹备建立文艺界的统一战线组织，茅盾又满腔热情地参加了这一工作，为文艺界的大团结四处奔走。他和田汉、阳翰笙、王平陵、王向辰、孙陵、老舍、吴奚如、冯乃超、孔罗荪等人联名发表《中华全国文艺界抗敌协会发起旨趣》，大声呼号：“希望大家来树起这面中华全国文艺界抗敌协会的大旗！”1938年3月16日，

■ 茅盾主编的刊物

茅盾出席“文协”临时筹备会，被推举为筹备委员。第一次正式筹备会上，茅盾承担了为“文协”起草历史性文献《致世界文艺家书》的任务。是年3月27日，文艺界抗日民族统一战线组织“全国文协”在武汉庄严成立。由于茅盾在文坛的威望和工作实绩，在成立大会上，他和郭沫若、老舍等人一起当选为“文协”理事。5月4日“文协”会刊《抗战文艺》在武汉创刊，茅盾又被推选为编委。在抗战文艺大军的行列中，他始终是一名排头兵。

4月9日，从沦陷的北平传来周作人叛变投敌的消息，文坛震惊，闻者无不愤怒。茅盾义愤填膺，怒不可遏。5月4日，他和老舍、郁达夫、胡风等18位作家联名发表《给周作人的一封公开信》，信中历数其污行秽迹，痛斥周的无耻变节。宣布周已成为“民族之大罪人，文化界之叛逆者”。出语沉痛，满纸怒火，义正辞严地表达了爱国作家的凛然正气和崇高民族节操。

来到武汉时，茅盾虽然只有43岁，却早已蜚声文坛，名闻中外了。对于在抗战烽火中成长的一代青年，他殷殷关怀，谆谆教诲，寄托厚望，精心浇灌着文艺之花。当孩子剧团高举着火红的战旗，餐风饮露，历尽艰辛，于2月上旬从上海来到武汉后，茅盾被这群祖国“小主人”的爱国热情和勇敢精神深深感动了，他特地从繁忙的工作中抽出一天时间，到剧团的驻地去看望孩子们。在一间用教室改成的卧室里，他兴致勃勃地观看了孩子们排演的自编话剧《咱们帮助游击队》，慰问了一位卧病中的男孩，对他们嘘寒问暖，和他们亲切交谈。后来又欣然挥毫，写下“谁对于民族前途抱悲观的，请看看这一队冲开了敌人的炮火的勇敢、天真、活泼的未来的中国主人——给可爱的孩子剧团”的题辞，激励孩子们在民族解放的风雨中立志成才。

回到家里，孩子们天真、刚毅的小脸还在面前闪现，茅盾奋笔疾书，浓墨重彩地写出了《记孩子剧团》一文。在那流淌着感情波涛的笔端，他写道：“在洪流中，他们这小小的单位跳跃着，滚腾着，他们天真、坚决、勇敢、青春的吼声，报告了民族前途的光明！看呀，日本帝国主义残杀了我们民族万千的男女，然而我们民族复兴的后备军已经在炮火中成长。”他盛赞：“孩子剧团是抗战血泊中产生的一朵奇花！”他欣然承诺，担任汉口《少年先锋》杂志的主编，为刊物题辞并撰写《珍惜我们民族的未来主人》、《“青年日”速写——国际反侵略宣传第三日》等文章，表达他对青年的关切和希望。对于武汉文坛出现的文学青年，他更是关怀备至，奖掖栽培。就是在他远离江城，身居香港的时期，仍然把关注的目光投射到武汉抗战文艺事业上。武汉的朗诵诗运动勃然兴起，他给予高度评价，盛赞“诗歌朗诵运动就是诗歌大众化的一个方式”；当以《八百壮士》为同一题目的剧本、鼓词、电影在武汉公演时，他兴奋地欢呼：“看哪，文艺各部门为了‘八百壮士’而总动员了！这是文艺史上稀有的佳话！”1938年6月，姚雪垠的报告文学集《战地书简》在武汉出版，茅盾读了以后，诚恳地写道：“作者是一个很有才能的作家，这本书显然是因为没有充分的时间来写，所以成了‘大纲’的模样，把它好好扩充起来，一定是一部杰作，我们对于作者抱着无穷的希望。”称许、批评、希望，坦露着茅盾真挚友爱的心。后来成为著名作家的姚雪垠一生都对茅盾的教诲与鼓励感激不尽。

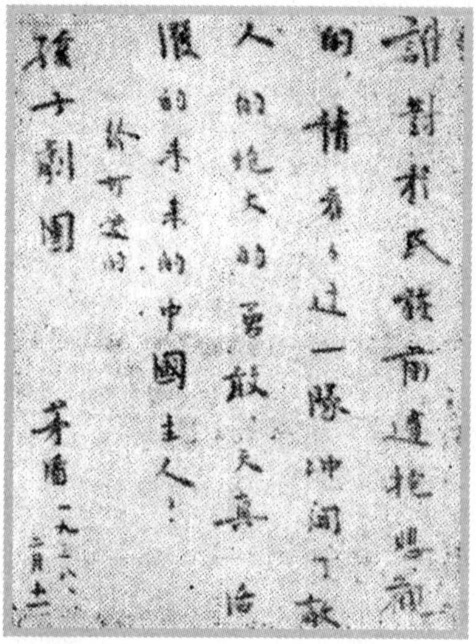

■ 在武汉为孩子剧团的题词

编稿撰文　笔耕不辍

在江城短暂的驻留，茅盾的生活是紧张而忙碌的。出席会议，采访组稿，应邀演讲，接待来访，著文撰述，将他每一天的日程排得满满当当。他出席“响应国际反侵略大会”，观看抗日宣传演出，参加宣传周安排的各种活动；为了悼念为抗战工作劳瘁而死的著名社会活动家钱亦石同志，茅盾广泛联络，发起195位社会著名人士于1938年2月14日在汉口商会礼堂召开追悼大会。他又挥泪著文纪念英雄的逝去，激励“万万千千的后死者踏着无数先烈的血迹前进”。他应青年之邀，在汉口量才图书馆发表《文艺大众化问题》的演讲，深入浅出地宣传文艺大众化的方向，受到听众的欢迎。武汉三镇，经常能看到他奔忙的身影。

有着丰富编辑经验的茅盾，深知“办好杂志，关键在于手中能掌握一批质量高的稿件”。作为《文艺阵地》的主编和发行人，他充分利用武汉作为全国中心的优势，向全国广发信函，八方征文，又在三镇走门串户，广开稿源。他几次拜望老舍，约到了抗战京剧《忠烈图》和大鼓书词《王小赶驴》的稿子；又不嫌路远，不厌其烦，走访叶以群、冯乃超、楼适夷、洪深、孔罗荪等人，请他们撰文组稿，鼎力相助。精诚所至，这些作家都拿出了自己的精心佳作。为了能在自己主编的刊物中真实而及时地反映八路军的战斗生活，反映抗日民主根据地的崭新风貌，他几次到“八办”拜望董必武同志，请董老提供和介绍有关敌后斗争的稿件。董老热情帮助，并请吴奚如同志具体负责此事。由于茅盾的细致工作，《文艺阵地》在战火纷飞的艰难岁月里，在广州等地支撑近5年之久，出版了7卷共57期，成为抗战时期一份有过重要影响的抗战文艺期刊。作为编辑，茅盾向人约稿，身为作家，茅盾又被人约稿。每次来汉，他都被报刊的编辑“盯”上了。每有所求，他无不应命。2月10日应韬奋之约，写下《“抗战文艺展望”之发端》，发表于武汉《抗战三日刊》第45期。文章就文艺界正在讨论的“抗战文艺运动动态和展望”发表了意见。在认真分析抗战文艺所面临的现状后，他严肃批评了某些人视抗战文学作品为“鸡零狗碎”的错误看法，一针见血地指出造成抗战文艺贫乏“最根本原因是我们没有将目前有关抗战的一切问题深入研究而抓住最重要的核心”。郑重提出“应当研究和拟定抗战文

■ 1938年春，（右起）茅盾与潘汉年、夏衍在一起

艺工作方案”，因为“唯有了这样的方案，然后抗战文艺能有整齐的阵容，能与抗战的现实血脉相通，然后能有真正反映现实的现实主义文学”。这些意见，对于正在兴起的武汉抗战文艺运动无疑具有指导意义。

与此同类的文章，他还撰写了《抗战文艺的重要课题》、《广“差不多”》等文，对于抗战文艺中出现的弊端作了中肯的剖析，提出了具体的改进意见。为了发动民众，鼓舞士气，抗战后，文艺大众化成为紧迫的问题摆到了重要位置。在往返粤汉的车旅之中，茅盾就在思考揣度文艺如何深入民众服务抗日的问题。到武汉后，他搜集阅读了不少通俗文学作品和理论文章，特别是读到老舍新创作的几篇大鼓书词后，很受启发，感情的激动触发了写作的机杼，他铺开稿纸，一气呵成，连续写了《关于大众文艺》、《抗战文艺的重要课题》、《关于鼓词》、《文艺大众化问题》四篇文章，就文艺大众化和通俗文学的重要意义、价值观念、创作方法、社会效果等问题广泛而系统地发表了自己深思熟虑的看法。茅盾的这些著述，对于武汉的抗战文艺运动和文学创作产生了相当影响，起到了积极推动作用。

1938 年 2 月 24 日晚上，星光闪烁，因《文艺阵地》出版的催迫，茅盾告别武汉借道长沙，南下广州，又开始了作家兼编辑的紧张生活。

诗歌作军歌　诗魂壮国魂

——于右任

于右任（1878—1964）陕西省三原县人。原名伯循，字诱人，后以谐音“右任”为己名。著名政治家、社会活动家、诗人和书法大师。早年追随孙中山先生，投身辛亥革命，是中华民国开国元勋之一，中国国民党元老。历任民国审计院、监察院院长数十年。一生充满传奇色彩，为人气度奇伟，襟怀磊落；为文滂沛大气，声名卓著。

于右任北伐时期和抗战时期两次来到武汉，在民族忧患中，以高瞻远瞩的政治家胸襟，贡献过他的心力、智慧与诗行……

1927年，在轰轰烈烈的北伐中，于右任曾在江城有过短暂的驻留。转瞬十年，1937年底他随着国民政府的迁移又来到武汉。出席会议、前线视察、参机国是，忙于抗战的领导工作。民族危难，大敌当前。对于国共两党的再度携手合作，于右任充满了欣喜和期待。还在南京的时候，有一次，朱德和周恩来到公寓去拜望他，受到他的热情接待。周谈到共产党准备在武汉办一份刊名为《新华日报》的报纸，请于给予支持，并提出请他题写报头的请求，于右任当即慨然允诺。他说自己早年就积极倡导国共两党合作，提出过“合则两益，分则两损”的论断。时下大敌当前，更应该厉行孙中山先生“一起唤起”的精神。他毫不掩饰自己的兴奋说：只有团结起来，抗战才有希望，并热情地留两位客人共进了晚餐。不久，筹办报务的潘梓年就到政府公寓取到了于先生题写的“新华日报”四个酣畅淋漓的大字。他一共写了19幅，供潘挑选。字字可见其对两党合作和抗战大业的真心实意。1938年1月，中国共产党领导的《新华日报》在武汉创刊，于右任应邀为该报题写的报名赫然纸上。2月20日，他参加武汉各界公祭殉国空军将士，送去亲手所书“英风得天地，壮气作山河”的挽联，表达对洒血志士的敬意。次日，又与蒋介石、孔祥熙及中共代表王明、周恩来执绋送葬，列身于群众的盛大游行。他积极支持中华全国文艺界抗敌协会的筹备和成立，欣然担任该会名誉理事。在第二次理事会上，他指出：“常言道文穷而后工，或乱而后工，这都不对。老实地讲，是实而后工，真而后工。唯真与实，乃能生动深刻，是活文学，不是死八股。诸位在这大时代，能把握现实，能深入民间，则抓到真，抓到实，定能产生伟大的文艺，愿诸位努力前进！”对战时作家提出谆谆教诲和殷殷希望。在全市的数次扩大宣传活动中，于右任多次在电台和集会上演讲，号召军民“向着倭寇猛刺！向着倭寇猛袭”！在汉近一年，他出席各种会议、展览和群众集会，凡是重大抗日活动场合，都能见到于右任长髯飘逸的身影。

“诗言志，歌咏言”。一代诗人和草圣于右任挥动着如椽的大笔，更在文化战线上发挥着他人不可代替的作用。作为老报人和有着深厚国学根基的大师，他了解报刊杂志的巨大宣传作用，又深知旧诗词在中国的影响。为宣传抗日，他和学者卢冀野商量后，决定在武汉筹办一份期刊。在繁忙的政务之余，两人经过紧锣密鼓的短时间张罗，1938年5月，一个申言“本刊选录作品，在今日固以能激发抗战情绪者为第一”作宗旨、以登载旧诗词为主的月刊《民族

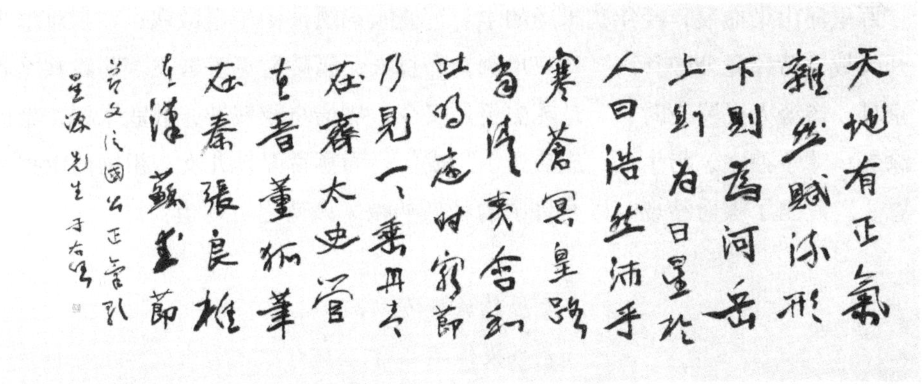

■ 于右任手迹

诗坛》，在武昌由独立出版社正式发行。在反侵略的嘹亮号角声中，名流毕集，佳作迭呈，诗坛吟友风从，刊物很快流布全国。“笔阵纵横能扫穴，词锋锐利可犁庭”，刊物以倡言民族气节、高扬民族风骨、宣传抗战精神为中心，先后刊登过政坛、学界董必武、沈钧儒、郭沫若、柳亚子、程潜、吴宓、许世英、潘公展等名宿的大作，也发表过赵尧生、陈粹劳、殷芷源、王陆一、张庚由、谈瀛、朱璠、卢前、贺敏生等学者的诗词，影响甚大。由于于右任的巨大号召力和诗作导向，诗社的集结、诗人的吟咏不再是旧时代文人的附庸风雅，而是以歌颂抗日将士的坚强意志，赞美不畏强暴的精神，为轰轰烈烈的民族解放斗争作与时俱进的吟唱。许多作品，大义凛然，气撼天地，词清句丽，堪称上品。如沈均儒的《晓闻炮声不能成寐》写耳听抗战炮响，辗转难眠，诗人为国魂民意动情，抒发了“书生愿效死，抚枕动沉吟”的爱国胸怀。《夜归》描绘“野旷弹声嘶”的深夜行军，《前线两首》写因家室之累，不得喋血沙场的自责，感情浓烈，语多沉痛。这些作品以另一种形式与面貌反映了抗战的现实，在反击日本侵略者的斗争中，“军歌与战鼓齐鸣，吟坛共战场并捷”，诗人总动员，各种形式的诗歌全面参战，于右任倡导的抗战诗坛新风，给旧诗词带来了新的活力与生命。

于右任力撑《民族诗坛》杂志，使旧诗在抗战中重获新生。自己在汉也写作发表了大批优秀作品，不论律诗、词、散曲还是自由体的白话诗，无不充满强烈的民族意识和爱国情怀。如《鹧鸪天》三首描绘时代风云，歌颂爱国卫士，揭露敌寇暴行和诉说民众苦难，几乎是一幅完整的抗战画卷。词中有云：

“万里河山染血痕，经年犹未净胡尘。”慨叹锦绣河山沦于敌寇；“艰难皇祖开天战，劳瘁元公破斧声”“三尺剑，一戎衣，园陵曾见五云飞。蹉跎兵马收京日，惨淡人民哭庙时。”是咏史更是叹今，痛惜金瓯残缺，敌寇未灭，黎民涂炭；“争独立，与生存，成功让尔我成仁。为牺百万佳儿女，祖国何由报汝恩。”发出了喋血沙场、以身许国的壮烈呐喊。该诗之三写道：

无限精诚接万方，
无戎秉钺镇非常。
风云圣人争睹，
雷雨及时夜未央。
天运转，
地机藏，
大风吹动太平洋。
自由女神姗姗下，
喋血人间认故乡。

有人注曰：“则已为太平洋战争预言矣。”可见诗人眼光远大，对时局洞察的透彻，其远见卓识，寄托深邃，令人感佩。

于右任对武汉一直充满热爱之情，早年在写黄鹤楼的词中，他触景伤情，追思民族气节与风骨，就感叹过“黄鹤归来应堕泪，泪满汀洲”。他的《浪淘沙·黄鹤楼》系作者辛亥革命时离别武汉所作，最早曾刊于《民立报》，因词清句丽但气势恢宏，情景苍凉却撼人心弦，发表后一时和者甚众。原手迹在流亡中佚落，但抗战初期被友人曹雨亭于敌机轰炸时发现，诗书两全，尤为人宝爱。于右任在烽烟中旧地重来，感慨无限，又将此诗重刊于世，并曾在朋友中吟诵，慷慨悲歌，无不发自衷曲。听着他发出的“凭吊大江秋，尔许闲愁。纷纷迁客与清流，若个英雄凌绝顶，痛哭神州”那气度非凡的呼喊，苍凉悲壮，荡气回肠，又一次震惊着读者和听众的心。这次在汉，于右任诗兴勃发，又写了《春雨中黄鹤楼写望》一诗：“一江风雨昼冥冥，烟树参差认不清。壮观兼饶诗画意，万重新绿武昌城。”意境自然清新，诗中有画，似乎纯然写景，但“一江风雨”也暗寓时势气象，“万重新绿”则是三镇抗日声浪勃兴的写实。

时年已近花甲，于右任仍常常亲赴阵地作视察和慰问，在巡视前线时，他体恤士兵，嘉言奖慰，并填词赋诗，鼓舞士气，为抗战救亡大声呼号。诗歌《中秋薄暮·黄陂道中见伤兵》，在中秋佳节的背景下，他对负伤的前线士兵深怀敬意，表达了自己忧国忧民的心情和献身民族大业的决心。诗中写道：

伤兵叹息复叹息，
日之夕矣月复出。
转诟人间爱赏月，
不知敌机乘月伤吾骨。
明月阑，
吾骨酸；
民族生命争一线，
吾身幸参神圣战。
军前歌舞作中秋，
独惜更番不得见。
今宵明月圆又圆，
定是吾军破胡天；
破胡天，
破胡天，
吾躯甘愿为国捐！

歌颂士兵的视死如归精神。感情浓烈，辞浅意深，让读者一咏三叹。

于右任早年即以诗抨击时弊，呼吁民生，曾因诗贾祸，亡命四方。如今高位在身，看到战乱中百姓流亡，深感痛心，在汉便常有感时伤世之作见诸报端。在《减字木兰花·武汉回渝机中回望》中，“回首两茫茫，江北江南几战场！”鸟瞰血染山河的破败凋敝惨状，心抖笔颤，催人泪下。在《战场的孤儿》中，诗歌则细节般描绘了“东村屋煨烬，西郭人逃亡”、“孤儿点点泪，湿透母亲衣”的荒凉残破景象，无情揭露日寇的暴行，控诉了这场战争给人民带来的深重灾难。诗人坚信：“战场几孤儿，祖国几行涕；何人卫祖国？中华此孩子！”日本侵略者灭亡中国的妄想，只是痴人说梦而已，必然遭到全中国和世界人民的反对而彻底失败。

为了宣传、鼓动的需要，于右任还写了一些白话诗。在具有儿歌特色的《长歌复短歌》一诗中，诗人用通俗的形式和轻松畅达的笔触，歌唱抗暴卫国的正义之战，号召热血青年投身抗日，保家卫国。诗中写道："长歌长，短歌短；神圣战争方开展。哥哥后，弟弟前；争将性命为国捐，击破胡儿在今年。短歌短，长歌长；万世荣名是国殇。爱吾爱，仇吾仇；勇者不惧仁不忧，大家起来卫神州。"通俗易懂，琅琅上口，别开生面，为人民大众喜闻乐见。

■ 秉烛夜读之于右任

于右任在汉仅短短数月，但诗词创作不辍，佳作迭出。令人吃惊的是在其为数不多的散曲之作中，武汉所写竟占了极大的分量。他以多种曲牌写的《中吕山岐羊·神圣战争》、《双调拨不断·题太炎遗像》、《南商调黄莺儿·示冀野庚由》、《中吕醉高歌·题朱心佛藏季刚遗墨》、《黄钟人月圆·阴雨连日此情冀野庚由知之也》、《中吕醉高歌·题冀野饮虹乐府》、《双调殿前欢·题全面抗战画史》、《中吕四边静·读冀野陶塘秋兴词代夫人答之》等，或追忆"鄱阳湖上，风陵渡口，大别山前。文人呕血，将军效命，计已经年"的"梦绕战场还"往事；或发出"十年慷慨歌声，远道流亡鬓影。文人争起生民命，旗鼓中原待整"鼓励友人的互勉；或称赞"看神州放异花，一战收功也，把血史争图画"《全面抗战画史》的出版，字里行间渗透着深深的忧国忧民、以身许国的爱国情怀，作品意境深邃，语调铿锵，耐人寻味，诗思绵长。他说过："作旧诗的，也宜有兼容并包的襟怀，择善而从的雅度。取旧诗之所长，补新诗之所短。融会贯通、截长补短，以收调节折中之效。"因其诗其词能取精用宏，融新于旧，所写则古朴中寓新意，感情丰富，酣畅大气，故素为人爱。他还说过："诗是大众言志的工具，而不是一部分人的怡情玩具。"其《金缕曲》描写对家国友人的怀念"平生湖海，故人余几，褒鄂应刘寒之友，多少成仁去矣”，悼念自辛亥革命以来牺牲或病逝的战友，抒写了“不作名儒兼名将，白首沉吟有以”的心迹，表达出“料当世，知君何似。血染开天史，求祖国，自由耳”对国家美好未来的向往。感情真切，诗意葱郁，读后回味无穷。《双调折桂令·季鸾弟癸丑十月十一日在北京入狱二十五周年纪念，时同在汉口》是为张季鸾正名的。曲曰：

危哉季子当年，洒泪桃源，不避艰难。恬然文人，穷光记者，呕出心肝。吊《民立》余香馥郁，说袁家黑狱辛酸。到如今大战方酣，大笔增援。廿五周同君在此，纪念今天，庆祝明天。

其时张季鸾主笔汉口版《大公报》，时人多有微辞，但张在辛亥革命及倒袁斗争中持正不阿，权奸胁诱，不为所动，曾笔扫千军，功不可没。于在诗中追述历史，称赞嘉许，寄望他在抗战中“大笔增援”再立新功。情真意切，后张季鸾写了不少抗战文章，坚持抗日立场，鼓舞民心士气，对抗战起到了一定作用。二战中《大公报》曾获得美国密苏里新闻学院奖章这一世界性荣誉。

1938 年 10 月出版的《民族诗坛》，发表了于右任写于长江之畔的终篇之作《中吕山岐羊·神圣战争》和《南商调黄莺儿·示冀野庚由》两首曲子。其中《中吕山岐羊·神圣战争》写道：

忧愁风雨，
迷离云树，
流亡不尽艰难路。
寇何如？
寇何如？
中原春色还如故。
神圣战争当共负；
兴，
天定助；
亡
人自取。

这首感思抒怀之作，表达了他对抗日民族统一战线的衷心赞美和真诚拥载。“神圣战争当共负”，说得何其好呵！只有全国上下、军民同心，团结如钢、众志成城才能夺取抗战的最后胜利。这里的“兴，天定助”，乃指抗日为保家卫国的正义之战，是一定会胜利的，而“亡，人自取”是指淡漠民意，消极抗战，那就只能是他们自取灭亡了。以诗的形式，诠释了他对抗日民族统一战线的理解，也是对自己早年言论“合则两益，分则两损”的艺术化表达。

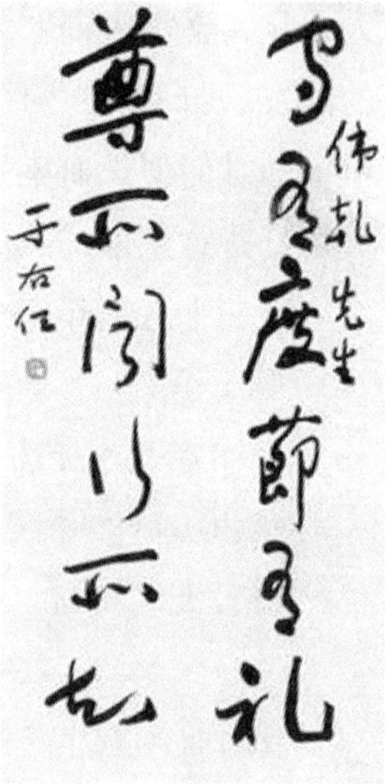

■ 于右任手书条幅

《民族诗坛》对于右任的诗词极为重视，发表过多篇评论，评论界称赞其作品“元气淋漓，词源滂沛”极具气势，“虽篇幅甚小，亦鞺鞳声洪，而无波俏妖媚之陋”。在遣词用字上“诗之句法，不尚生硬，字皆习见之字，语亦习见之语，而自有新意其间”。对于右任的人品和诗作推崇备至。

该刊以旧体诗词为主，但并不排斥新诗和其他形式的诗作，对通俗诗歌也持欢迎态度。间或也选登新诗，如老舍的《新青年》、蒋青的《赵侗的母亲》等。老舍很少写诗，新诗更是鲜见，他的《新青年》热情歌颂了有志青年对祖国的热爱之情，寄托着对新一代的厚望，是不可多得的新诗之作。诗刊还刊载了卢前、朱璠采写的若干诗坛消息，对文坛信息的沟通起了一定的作用。应该说，《民族诗坛》是于右任巧用国粹对中国抗战文化的一大贡献。

主编之一的卢冀野，原名芦前，早年毕业于清华大学。留美学习归来后，即在中央大学任教。他对我国古典文学有很深造诣，曾出版研究我国古代诗词的著作多种。他原本是一个和政治保持着距离的旧式文人，但在于右任的教育与影响下，爱国热情日益高涨，在他们的主持下，《民族诗坛》所载的旧诗词，不再是旧时文人墨客的附庸风雅和吟风弄月，而是把诗歌当作军歌，振国魂，扬民气，成了为轰轰烈烈的民族解放斗争引吭高歌的阵地。

说到于右任的诗词，不能不提到他的诗歌《望大陆》。作为早期南社诗人的他终生不废咏唱，1964 年 11 月 10 日于右任以 86 岁高龄在台湾溘然长逝，他没有留下遗言，却以《望大陆》一诗撕心裂肺地震撼人心，长留人间，人们把此诗当作他的遗嘱：

葬我于高山之上兮，
望我故乡。
故乡不可见兮，
永不能忘；
葬我于高山之上兮，
望我大陆。
大陆不可见兮，
只有痛哭。
天苍苍，野茫茫，
山之上，国有殇。

于右任这首血泪交融、动人心魄的诗作，被人们称为千古哀歌或灵魂绝唱，它记录了这位辛亥革命志士、国民党元老和民国元勋对国家、民族的赤子之心。

■ 于右任的“四联条屏”

为文艺界的团结奔走与呐喊

——王平陵

“‘忍耐’是人生的消炎片；‘幽默’是人生的兴奋剂；‘仁爱’是人生的维他命；‘宽恕’是人生的润滑油。”这几句话是台湾作家王平陵留给女儿王晶心的处世哲学，也是他自己安贫乐道、平实守拙一生的写照。

说起王平陵，今天大陆的年轻一代已相当陌生，就是在台湾，绝大多数人对他也是鲜有所闻。但在20世纪30年代的中国文坛，王平陵却是具有相当知名度的风云人物，在抗战时期的武汉。还曾经颇有一番作为哩。

■ 王平陵主编的《文艺月刊》之一

■ 王平陵主编的《文艺月刊》之二

王平陵（1898—1964），江苏省溧阳县樊川镇人。原名仰嵩，字平陵。出身于富裕的书香之家。为中国现代作家，致力于右翼文艺运动，以“国民党御用文人”著称文坛。他幼承严格家训，饱读四书五经，国立小学、县立一高、省级师范一路畅达以优异成绩毕业。曾受到弘一法师赏识，获赠其全部文艺书籍。王未负厚望，年少成才。1920年22岁时即发表小说《雷峰塔下》和剧本《回国以后》。后到多所学校任教，1924年震旦大学分校毕业后，主编《时事新报》副刊《学灯》，并从事社会学、美学的理论研究和写作。发表作品除署王平陵外，还常用笔名：写小说署“草莱”；写散文用“秋涛”；写政论署“西冷”；写文论用“史痕”，此外尚有“疾风”等笔名。曾任职国民党中宣部，主编《中央日报》副刊《大道》和《清白》，是“中国文艺社”的负责人，主编大型杂志《文艺月刊》，鼓吹“民族主义文艺运动”，宣传“三民主义文艺的建设”，与鲁迅为首的左翼文艺阵线发生过激烈的著名论辩，是右翼文化势力的骨干分子，国民党中文化人的得力干将和重要代表人物之一。

1937年底，王平陵从南京来到武汉，将其主编的杂志改为《文艺月刊·抗战特刊》在汉复办，并为全国文艺界的大团结摇旗呐喊，四处奔波。

随着全国的政治、军事和文化中心逐渐从南京移至武汉，各种文艺团体、大批文艺工作者一时云集长江之畔，王平陵到汉口时，全国已有十八个著名戏剧团体和95%的戏剧界代表人物来到这里。那时正是国共合作时期，共产党人阳翰笙根据周恩来要他尽可能多地在抗日救亡旗帜下把文化人团结起来、组织起来的意见，便和国民党的“中国文艺社”负责人王平陵联名发起建立文艺界的各种团体。经过几次协商，1937 年 12 月 31 日在汉口光明大剧院成立了中华全国戏剧界抗敌协会。在剧协的成立大会上，阳翰笙被会场中空前热烈的情绪所激动，受到启示，心想：“在抗战的旗帜下，戏剧界的朋友们都能够精诚团结，为什么我们作家之间会不能够精诚团结呢！”他在《“文协”成立之前》一文中写道：“于是，便想立刻在会场中找一个在中国文艺社方面负责的朋友来谈。我在会场中扫视了一遍，恰巧瞧见了平陵，嘴上吸着一支香烟笑嘻嘻地正在跟一个朋友吹牛。当时我便走过去把我的意思告诉了他，他听了很高兴，立刻笑嘻嘻地打着宜兴国语回答我‘赞成！赞成！兄弟非常之赞成’！于是我们商谈的结果，便决定他去向力子先生请示，我到作家之间去奔走。”后因阳翰笙调去筹备第三厅，文协的筹组便由王平陵担任临时筹委会总书记，胡风、冯乃超为书记，老舍、华林和茅盾等主要负责。由于国民党中宣部邵力子和时任国民政府政治部副部长周恩来的支持，正式筹委会成立后，筹备进展迅速。在一段时间里，王平陵借座中国文艺社先后召开 21 次筹委会议、办理政府申报登记立案、草拟作家调查等文件和公函、列名《中华全国文艺界抗敌协会发起旨趣》为发起人、担任秘书筹备成立大会的召开等事宜等，终日张罗劳碌，忙不可支。经过三个月的辛苦奔走联络，1938 年 3 月 27 日，中华全国文艺界抗敌协会成立大会在汉口总商会礼堂胜利召开。在会上，王平陵担任大会秘书，向大会报告文协筹备经过，后被选为常务理事，并担任文协组织部主任和《抗战文艺》编委，一直连任至抗战胜利。文协成立时，他发出誓言：“在全国文艺界抗敌协会成立的今天，我谨敬地起一个誓：从今后，我必绝对履行大会义务，为抗战而写作，不为抗战，不写作。”

■ 王平陵论著《社会学大纲》

王平陵虽然曾经有“御用文人”的一面，但在大敌当前、国家民族危难的严峻时刻，作为一个平实诚笃的中国人，也有爱国抗日的一面。他不仅为文艺界的大团结奔走呼号，功不可没，作为作家，在繁忙的组织联络活动之外，他仍然致力于抗战文艺的创作，也做出了显著的成就。他的诗集《狮子吼》气势恢宏地歌颂了军民同心抗倭的英勇战斗；剧本《狐群狗党》和《维他命》无情揭露了无耻汉奸和奸商蝇营狗苟、丧尽天良的种种罪恶，在鼓舞士气、安定人心和增强斗志上都起了一定的作用。

早在日寇侵略东北的抗日时期，王平陵就毅然拿起手中的笔，写作了不少鼓舞人心的抗日作品。发表在《文艺周刊》第 48 号上的《二道沟的血迹》，即是一篇为抗日士兵塑造壮烈群像的诗作，曾受到诗歌爱好者的欢迎，在武汉诗朗诵运动开展后，被作为朗诵诗传诵。该诗的前言写道："暴日侵略长春，在二道沟，我军傅冠群营长仅以三连之众，与倭寇血战一昼夜，力竭弹尽，傅以身殉，所部大呼中华民国万岁，皆自杀，无一降者。忠义烈烈，诚足千秋，歌咏其事永垂不朽。"虽然这一段话，带有明显的政治倾向性，但诗歌所歌咏的是抗日军人英勇血战、至死不屈的爱国精神，张扬了浩然长存的民族意志：

…………

凄凉的杀声，
惊破了深秋的黄昏，
惨淡的杀气，
充满着寂寞的古城，
"壮士们！为国死！"
一位年少的将军立在孤堡上嘶喊。

枪林弹雨中，将帅身先士卒，誓死报国；官兵众志成城，洒血疆场；血雨腥风，画面肃杀惨烈。

…………

此地有英雄愿战死不投降，
曾经映过夕阳一般的殷红，
一昼夜的肉搏冲锋，

挽回了无量数历史的光荣。
…………
一个巨弹，
穿过石洞，
落在山崖，
谁的鲜血飞溅在馥郁的野菊，
塞上的秋草，
塞上的树叶，
全都染成了迷人的桃花。

诗歌雕像般地再现了抗日战士壮烈英勇的形象，展现了战争的血腥与日寇的残酷，诗人大声地呼喊：

别了！我们的祖国哟！
这最后的一点“血”，
是赠给你的只剩得这最后的一点血了。

杀身成仁，大义凛然。慷慨赴死，壮怀激烈。读着这铿锵的句子，至今还激动着每一个中国人的心，诗歌唤起我们对民族历史的记忆和缅怀，行行荡漾着昂奋向上的爱国情愫，这首诗的其中片断曾多次作为朗诵诗在集会上朗诵。

由于忙于全国文协的筹组和成立后的繁杂性行政工作，王平陵在武汉的创作并不丰富。这方面的成绩主要在文艺理论研究上，在这里他写作了论文《论战时的通俗文学》，并出版了专著《战时文学论》一书，对抗战文艺的理论建设有一定的启示和推动作用。前者结合战时通俗文艺的兴起，他认为“为着要唤醒全民众参加斗争的战线，于是，通俗文学便成了最有用处的宣传工具”。如何展开通俗文学运动，他从四个方面展开论述：一、旧瓶装新酒。他认为“我们应该是不择手段的”，只要能达到深入民众的目的，无论文体形式的新旧“写作者不惜牺牲自己的趣味及其用熟的技巧，而采用通俗的便利于下层读者的文体”，“我们要把新的内容装入旧的形式，必须是先把旧的形式适当与新的内容严格地配合起来”。也就是说装入旧瓶的新酒，有一个瓶的适用性选

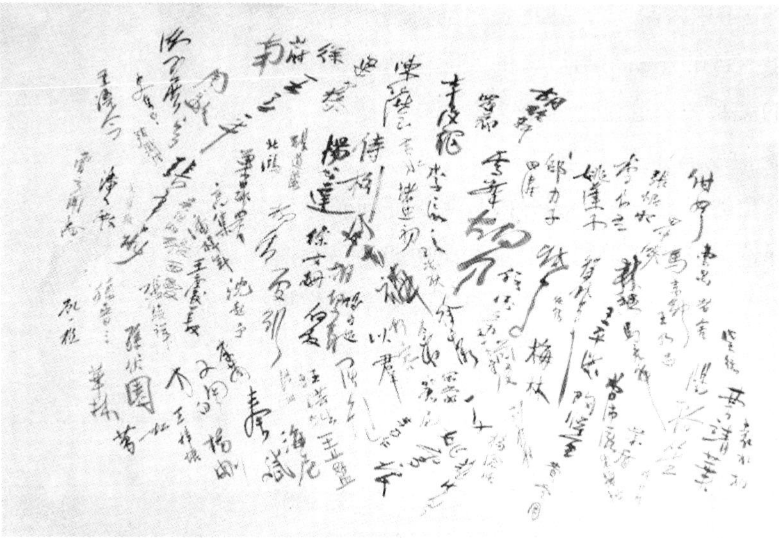

■ 王平陵参加文协会议的签到册

择问题，那就是“写作者不要忽略读者的脾胃，先把握了他们的生活实况，让写出来的东西，和他们发生密切的利害关系，不必忧虑读者们不能诚恳地接受。写作者应该注意的是，是用怎样的方法把握战时民众的现实生活，怎样分析现实生活中所搜集的材料，并确定其适合于哪一种表现的方式，至于瓶之新旧，是无关宏旨的”。这一论述针对性很强，是对一窝蜂而起的通俗创作中某种弊端的纠正；二、降格以求。他批评了政府在民众教育上长期缺失，造成民众文化的低下。提出作家“应牺牲自己艺术上的满足，降格相从，以求得广大读者的共鸣”。在做到“通而不俗，俗而不伤，雅俗共赏”的前提下，“应用各种流行的文体，充实新鲜的内容，撒播到群众之中”。这种分析也较切合当时作家的心态和写作实际。三、三化主义。他提出通俗文学要做到“中国化、战斗化、生活化”，强调“写给他们的读物，句子要简短，意思要明确，故事可以简单，但一定要完整，字汇宜选择最通俗的，即损害艺术上的美观，亦只得牺牲”。“作家们应该

■ 王平陵小说《新狂飙时代》

懂得各地的生活习惯，熟悉各地的方言土语，应该写出这样的作品，与读者的实际生活有着不可分离的关系……这是使通俗文学成功的捷径”。这即是他所言通俗文学“三化主义”的内容。四、整个的一套。这一部分内容并无任何新意，姑不择论。抗战文学的理论建设在初期是一个薄弱的环节，此文对于正在展开的通俗文学创作提出了许多有益的意见，可堪一提。不久即有专著《战时文学论》一书的出版，较广泛地论说了抗战文学的一些理论问题。

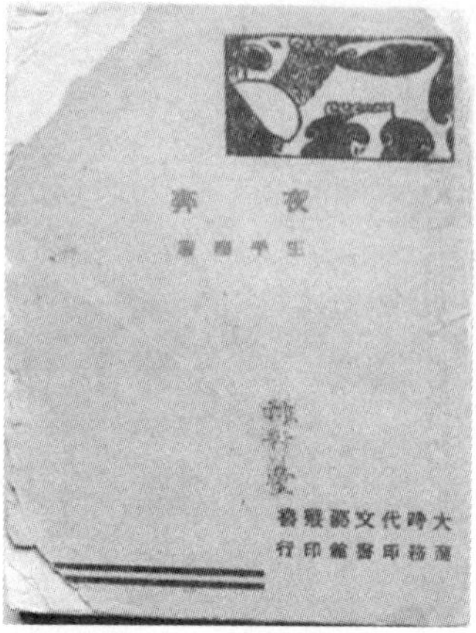

■ 王平陵小说《夜奔》

在汉期间，王平陵的主要精力在积极组织和参加抗战文化运动方面。在《给周作人的一封公开信》中庄严地签上自己的名字，痛斥汉奸卖国，表现了大义凛然的立场。出席各种座谈会、纪念会和欢迎会，参与士兵读物的编制，开展群众性的通俗文化活动，对建立沦陷区文艺等问题发表过一些建设性意见等。他曾往返于重庆、长沙等地参与筹组多地的文协分会等，做了大量有益的工作，如在文协组织的“怎样编制士兵读物座谈会”上，对如何解决创作材料的问题，他提出“一、注意报章上的新闻材料。二、集各刊物已有的报告文学。三、访问士兵和军官。四、去向军队征求。五、登报征求。六、到伤兵医院去访问”六大途径。关于如何处理旧形式利用中内容与形式的关系，他认为“我的意思以为旧瓶的选择，一定要注意瓶的本身是否合用，像大鼓词的形式可以制成新词，十八摸便不能了。总之，只要看酒的好不好，无论瓶的新旧”。这些意见都是十分正确的。在汉数月，王平陵笔耕不辍，他写作的时评宣传文章，被编入“武汉各界第二期抗敌扩大宣传周特刊”在《新华日报》刊出。还曾写作和发表过诗歌《觉醒吧！出卖祖国的奴役！》、小说《最后的敬礼》、散文《黄鹤楼上》、《夺回我们的“耶路撒冷”》、文艺通讯《重庆——美丽的山城》、文艺论文《在抗战中

■ 王平陵论著《战时文学论》

建立文艺的基础》、《战时中国文艺运动》、《战时移动演剧》、《编制士兵读物的我见》、《中国文艺工作者的责任》、《文学的提高与普及》、《为抗战而写作》等，1938年5月专著《战时文学论》在武汉由上海杂志公司正式出版。

1938年6月，根据全国文协的安排，王平陵为全国文协的迁移和重庆分会的筹建先去重庆。他对曾在烽火中驻留过的江城还是很有感情的，在到达重庆后写作的第一篇散文中深情写道：

> 六月十五日的晚上，我和武汉告别，和武汉的朋友们告别。武汉的抗战情绪是紧张的，热烈的；武汉朋友们牺牲服务的精神，“不为抗战，决不写作”的那一份真心和诚意，是令人可感的。在十五日的深夜，江风怒号，狂雨打着船背，如同散开的兵马，我孤独地站在船尾，汉口的街灯投射在波涛上的光影，已经渐离渐远了，不觉发生无限的惆怅，我几乎要落下泪来。我挥一挥手，做一个告别的姿势，对着这伟大的都市，虔诚默祷：“武汉！你这支持全国抗战中心的巨人！敬礼你！愿你在风雨中寻找你的前路，在黑夜里，放射你的光明。”

抗战胜利后，1949年王平陵到台湾，但晚景凄凉，贫病交加，于1964年去世。在台曾主编《中国文艺月刊》和《文艺创作》。一生著述颇丰，有涉及文学、哲学、美学、戏剧等著作40余种。有短篇小说集《残酷的爱》、长篇小说《茫茫夜》、散文集《副产品》、《雕虫集》、诗集《狮子吼》等，其后人编有《卓尔不凡——王平陵纪念文集》存世。

戏剧的誓言：危难见忠贞

——洪深

在中国话剧发展史上，写着为数不多的开拓者的光辉姓名。他们为我国话剧事业的发展披荆斩棘，呕心沥血，奋斗终生，使话剧这个“舶来品”在中国古老的大地上生根发芽，成长壮大，开放出灿烂的花朵。著名的戏剧活动家、剧作家、导演洪深就是其中重要的一位。

早在20世纪初，洪深就冲破家庭和社会的藩篱，投身于中国现代戏剧运动。二十岁时写出了话剧《贫民惨剧》，在舞台上为劳苦大众发出第一声呐喊。后来赴美留学，在此期间，又成功地编导并演出了中国人第一个用英语写作的剧本《木兰从军》。回国以后，他致力于剧本创作，兴办剧团和发展戏剧教育事业，开创了我国男女同台演出的先例，拍摄了我国第一部有声电影。在20世纪20年代，就为我国新兴戏剧、电影事业奠基作出了重大贡献。

投身到抗战的洪流中

1937年7月，抗战炮响，神州震动，上海的群众救亡运动风起云涌。广大爱国文艺工作者纷纷组织起来，深入内地，奔赴前方，开展抗日宣传。

听着闸北传来的隆隆炮声，洪深怒火满腔，热血沸腾，他毅然辞去大学教授的职务，将弱妻幼女远送香港，并留下“遗书”，表达了抗战到底、视死如归的决心。1937年8月20日，洪深和金山、王莹、冼星海等人组成了一支十四人的演剧队，由他自任队长，高举着郭沫若题写的“上海救亡演剧第二队”大旗，穿过笼罩在炮火下，拥挤混乱的上海徐家汇码头，踏上征途。他们餐风饮露，历尽艰辛，辗转于战火燃烧的中原大地，先后在徐州、开封、郑州、洛阳等地演出。是年10月3日来到武汉。在汉口火车站，他们受到武汉各界人士的热烈欢迎。洪深当场发表演说，激动地谈到他们一路上的所见所闻和来汉后的打算，表示决心要在抗战的烈火中和武汉人民休戚与共。当时演剧队就宿于汉口精武体育馆，一些新闻记者听到戏剧界知名人物率领阵容整齐的队伍抵达武汉，都蜂拥而至体育馆采访。当他们端着照相机走进体育馆时，却一个个都惊呆了，他们看到风尘仆仆的著名留美戏剧专家和闻名全国的演员们，正大口大口地嚼着烤白薯，使他们深受感动，于是记者们纷纷摄下了这个珍贵的历史镜头。当时武汉各界群情激愤，敌忾同仇，团结抗战的气氛，像盛夏的扬子江潮。这就更加激发了艺术家们的爱国之心。二队的队员们不顾旅途劳顿，立即跃身于武汉的抗战洪涛。10月7日，也就是演剧队到汉的第四天，洪深就带领全队在光明大戏院（现中南剧场）公演五幕大型话剧《保卫祖国》。

■ 洪深执导的《卢沟桥》舞台演出照

■ 街头剧《放下你的鞭子》郊外演出照

该剧由《九·一八以来》、《卢沟桥》、《上海之战》、《在东北》、《逃难到汉口》五个独立又连贯的剧目组成，全面反映了中国人民从九·一八后六年艰难抗击日本帝国主义的历史，给武汉人民以很大的鼓舞。为了更广泛及时地做好宣传工作，洪深提议将一辆卡车装上简单布景，制成一座“流动剧场”。每到一处，他作抗战演讲，冼星海教唱救亡歌曲，然后上演短小的街头剧和报告剧。一时车轮滚滚，锣鼓声声，武汉三镇的街口、码头和安陆、枣阳、随县、襄阳的集市广场，经常飘动着二队火红的旗帜。还在演剧二队组建时，洪深就为队员的行动制定了四条规则：“一、移动中各人自己管行李；二、对外只许团体行动，无个人行动；三、拒绝一切宴会；四、演戏不卖票，生活自筹。”在他的严格要求下，演剧二队纪律严明，作风正派，成为深受武汉人民欢迎和敬爱的一个戏剧团体。

为戏剧界的大团结而奋斗

到了 1937 年底，上海的十多个救亡演出队，全国著名的 18 个戏剧团体和全国 95%以上的戏剧界人士，都集中到了武汉，所谓“剧坛雄兵、会师江城”。街头剧、报告剧和各种会演、巡演、公演，盛极一时。团结起来，统一步伐，进一步发挥战斗力，成为当时社会上和戏剧界的强烈呼声。恰好在这时，国民党汉口特别市党部召开一个文化界座谈会。会上有个官员大肆散布“枪炮不如人，不能打”的悲观论调，引起绝大多数与会者的极度不满。听到这种涣散人心的亡国之论，洪深按捺不住，猛然站起，据理驳斥。他说：“我是江苏常州人，常州在京沪线上，已被日本鬼子占领了，昨天我在路上碰到一位刚从我们家乡逃来汉口的同乡，他说，日本鬼子打进常州城后奸掳烧杀，惨无人道。听说被鬼子们杀害的老百姓有好几万人……‘养兵千日，用在一时’，你们的兵吃了老百姓的粮，而不去保卫老百姓的生命财产，你们这些掌握军政大权的官老爷有良心没有？”他声若洪钟，充满了愤懑与悲怆之感。这场即席慷慨激昂的言论，撞击在人们心上，激起了一片悲愤的回声。接着，一阵阵“团结起来，抗战到底”的口号声随之而起。

为了把全国的戏剧工作者更广泛地团结和动员起来，洪深到处奔走呼吁。一次，中国文艺社在汉口普海春酒家宴请来汉各戏剧组织，席间，洪深、阳翰笙动议组建一个戏剧界的全国统一组织，全场鼓掌赞同。当场推举田汉、洪深、宋之的、余上沅、王莹、熊佛西、唐槐秋等三十人组成大会筹备委员会。会后洪深积极参与了起草文件、登记会员、筹措经费等大量琐碎的工作。1937 年 12 月 31 日，中华全国戏剧界抗敌协会在武汉隆重成立。由于洪深崇高的爱国精神、卓越的戏剧才能和任劳任怨的工作态度，得到各阶层人士的信任和拥戴，成立大会上他被选为主席团成员，又被推举为常务理事兼歌剧部主任。1938 年 1 月，当全国电影界抗敌协会成立时，又由于他深孚众望，荣任该会理事。

1938 年 4 月 1 日，军委会政治部第三厅在汉成立。其时，洪深正在襄樊演出，当他接到田汉的两份急电报后，便赶回武汉。他一向不以仕途为念，但为了团结抗日的大局，他一改旧态，不计较个人得失，欣然接受三厅戏剧科长之职。在周恩来和郭沫若同志的领导下，配合田汉等同志，编制和审查工作计划，编辑《抗战戏剧》杂志，安排举办各类会演、公演，开展戏剧教育和培训艺人，还深入战地和医院进行慰问演出。他不辞辛劳，在武汉度过了三百六十多个繁忙的日日夜夜。在“扩大宣传周”中，他既运筹帷幄又亲临指挥，4 月 11 日是“戏剧宣传日”，十二家戏院、十多个剧种、数十个剧团日夜轮番公演，他奔走于各

■ 洪深（左）与田汉

剧院之间。5月3日至9日间，在“雪耻与兵役扩大宣传周”中，洪深负责组织了声势浩大的百多个戏剧歌咏队，走向街头、深入农村进行宣传。当他用熬红了的双眼凝视着广场上万头攒动的人海时，心中充溢着无限的欢欣，看到戏剧艺术在抗战中所发挥的巨大作用，他兴奋地说：“话剧在这里才获取得它的真正知己！”

戏剧艺术上的新成就

抗战的烽火更加燃起了洪深的创作激情，他的戏剧艺术才华得到了进一步的发挥。在武汉短短一年中，他伏案疾编，临场执导，登台扮演，虽然劳碌不息，却创作、导演和参加演出了大批剧目。1937年12月21日，中国旅行剧团在汉口天声剧场公演田汉编剧、由他导演的话剧《阿Q正传》，这是鲁迅先生的作品第一次被搬上江汉舞台。这个剧痛斥了那种不愿正视自己奴隶地位的民族“劣根性”，给观众以深刻的思想启迪。四天以后，拓荒剧团等十四个团体在汉口光明大戏院联合公演了由赵丹、王莹主演的大型话剧《最后的胜利》，洪深又担任导演。这个剧讴歌了广大人民群众不畏强敌，顽强战斗的爱国精神，预言抗战的必然胜利。出场人物达一百余人，结构宏大，气势雄伟，场面壮阔，轰动了武汉三镇，可说是中国人民抗日的决心和力量在舞台上的一次大示威，也是武汉抗战戏剧力量的一次大会师、大检阅。

在武汉期间，洪深还先后导演过田汉编剧、中国旅行团演出的《马百计》，于伶编剧、上海业余实验剧团人协会演出的《塞上风云》和《李秀成之死》等。在当时演出的海报上，几乎天天都能看到“洪深导演”几个粗黑大字。

■ 率队在黄鹤楼进行救亡宣传

现实的斗争生活也开拓了洪深的创作视野，他目睹武汉不法商人投机倒把

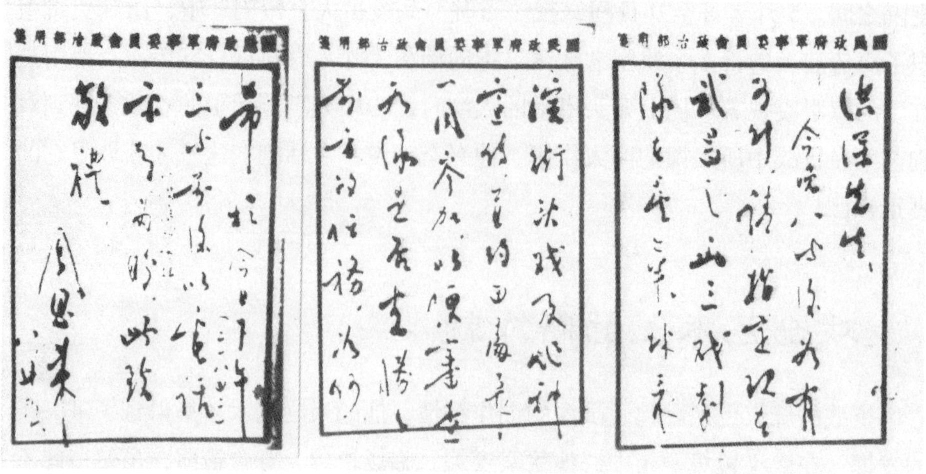

■ 周恩来在三厅时给洪深的信

破坏抗战的罪行，于是独出心裁，迅速写作了两幕话剧《米》。此剧第一幕只有一场，第二幕却有三场，第一幕提出总问题："有米怎么办？"第二幕三场以三个人物的经历作出三个答案：一、只顾私利，任意抬价；二、充当汉奸，以粮资敌；三、深明大义，公平买卖。这种提出问题，鲜明对比，催人思索的构思，表达了泾渭分明的立场，及时打击了一些囤积居奇、发国难财的奸商，对稳定市场，向商人宣传抗日起了一定作用。洪深还倡导以湖北方言演出，受到武汉人民的热烈欢迎。

1937 年 11 月 12 日，洪深自编、自导、自演的话剧《飞将军》在汉口光明大戏院首次演出，该剧以一个空军中尉高鹏飞的变化为线索，歌颂了矢志抗日的爱国精神，批判了消极颓废的错误思想。公演之日，洪深正在患病，但他看到观众的热烈情绪，深受感动，于是抱病登台，主演高鹏飞，与金山饰演的徐卓午，珠联璧合，十分默契。剧本强烈的民族精神和演员精湛的艺术才能，赢得了观众的普遍赞扬。一位空军中尉专门找到后台，对洪深说："洪导演，你注意看报！如果你看到一条消息，'空军中尉×××击落日寇飞机一架'那就是你们这出戏给我的力量！"此外，他还创作了楚剧《岳飞的母亲》、《新天河配》，电影剧本《风雨同舟》、《镀金的城》等，并发表过许多对武汉戏剧运动的指导性意见，对武汉的戏剧发展功不可没。

1937 年 11 月 25 日，在《文艺阵线》社召开的抗战戏剧座谈会上，他发表的关于戏剧游击战的意见，是对战时戏剧建设的重要建议。4 月 21 日，武汉文艺界在德明饭店举行欢迎英国诗人奥登和小说家伊修伍德招待会，奥登为武汉高涨的抗战热情所激动，即席写出一首十四行诗《中国兵士》。洪深用一口纯正的英语当场译诵，声情并茂，使在座的中外人士惊羡不已。他不图虚名，乐干实事，既协助编辑著名的《抗战戏剧》月刊，又为无名的《抗战晚报》常年撰稿。郭沫若同志曾盛赞他为“艺术界的完人”。洪深同志高昂饱满的爱国热情，刻苦踏实的工作精神，精湛娴熟的编导艺术，赢得了人民的敬爱，也受到同辈战友的赞誉。阳翰笙曾说：“丰富的热情，强烈的正义感，深沉的人生经验，这是洪深先生性格的特征，也是作品的特征。”

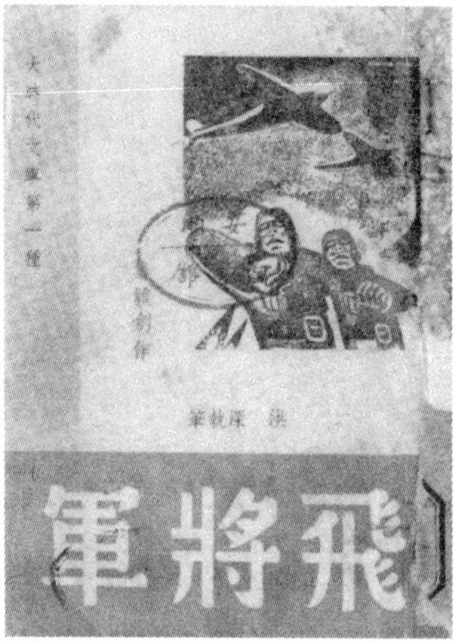

■ 洪深剧作书影

在洪深五十寿辰的时候，与他风雨同舟的中国艺术剧社的金山、于伶、孙师毅、宋之的、凤子等联名送上一首祝寿诗，可说是对他一生重大活动的真实写照：

洪先生，五十庆。穷虽穷，骨头硬。
写剧本，宣民隐。做导演，有本领。
上舞台，包得厅。做学生，满有劲。
剧运史，第一人。戏剧家，学兼品。
不怕死，向有名。老青年，打前阵。
古话说，知天命。新道理，才十龄。
好戏码，压轴心。到最后，定输赢。
不成文，三字经。词虽俗，意思诚。
祝高寿，剧坛幸。祝多产，为人民。

坚守在文化抗日的第一线

——胡风

七月派，在中国现代文学史上，是一个有着深远影响而又历经坎坷的文学流派。它因一份名叫《七月》的刊物而得名。

七七事变后，由于战争的骤然发生，生活失去常态，出版界和文艺界一度陷于沉滞，许多刊物纷纷停办，出版机构忙于内迁。正是在这样的时候，1937年10月15日，大型文学刊物《七月》伴随着民族解放斗争的隆隆炮声在汉口诞生。为了纪念中华民族历史上那个难忘的日子，取名“七月”，它的主编是兼创作、理论与编辑于一身的著名作家胡风。

重返故乡　投身抗战

胡风，湖北蕲春县人，1920 年到武昌读中学，对新文学产生浓厚兴趣。1922 年加入共产主义青年团，次年考入东吴大学附中而离汉。1927 年秋，编辑《武汉评论》，曾在该刊上发表诗歌《儿时的湖山》，写作《我从田间来》、《赠 S》等抒情诗，后出国留学。

抗战全面爆发后，1937 年 10 月 1 日，胡风携带他在上海开始编辑的《七月》，由上海来到武汉，居住在汉口汉润里 42 号的朋友熊子民家中。

胡风到武汉，首先见到的是中共中央驻武汉的代表董必武。由于他们两人是老乡，又早在大革命时期就彼此认识，所以重逢后都备感亲切。董老对胡风说："现在好了，随时都可直接联系，只要注意和总的统战任务灵活结合起来，就好了。"在党的安排下，胡风很快参加了以博古（秦邦宪）为首的"调整文艺领域工作"的 4 人小组（另外两位是何伟和冯乃超），他们每周开会一次，报告文艺界的情况，交换工作意见，一直坚持到"全国文协"成立。

中共中央军委副主席周恩来到达武汉以后，也与胡风作过一次恳切的谈话。周恩来对时局的分析是：关于统战局势，是要争取大发展的，但如果做得不好，也可能出现某种停滞甚至倒退。因此，一要工作面广阔，二要坚持原则立场。自从这次谈话以后，凡是周副主席主持或出席的文化界集会与谈话等，大都邀约胡风参加，表明了党对胡风的信任。常常周恩来与日本人谈话的时候，胡风还担任翻译。再往后，周副主席的秘书吴奚如也回到武汉，在八路军办事处工作，胡风与他早在上海"左联"时期就是朋友，通过他，胡风与中国共产党的关系更密切了。

胡风到武汉后所做的第一件工作就是筹备鲁迅逝世周年纪念会，并在 10 月 19 日下午如期举行的纪念会上被推选为大会主席，会址就选在汉口青年会前面的小广场。这是一次非官方的群众自发性聚会，大约有 300 人参加，胡风在致词中论述了在神圣的民族战争中发扬鲁迅精神的重要性。加外，他还应《大公报》之约，写了一篇《关于鲁迅精神的二三基点》的纪念文章。

鲁迅生前是极为看重木刻的宣传作用的。胡风在武汉组织过一次抗敌木刻展览会，对这一大众艺术进行介绍和提倡。他在江丰、力群、艾青等的帮助下，搜集了300多幅作品并逐一进行审看，为画作编目，继而撰写《“抗敌木刻展览会”小解》加以推介。虽然由于会场（武汉民众教育馆大厅）的限制，这次展览会只在1938年1月8日—10日举办了3天。但观众竟达万余人次，获得了相当大的成功。这是抗战期间在国统区举办的第一次全国木刻展览会，影响甚大。为此，刚创办的《新华日报》还在1月13日特别编发了一期“抗战木刻展览特刊”。

1938年1月11日，中国共产党在国统区公开出版的《新华日报》创刊了。第一任总编辑西园（华岗）约胡风编辑星期天原副刊《星期文艺》，要求多多注重文艺评论，批评不良倾向。但由于某种原因及当时在统战和团结的前提下，对于此类稿件的分寸不易把握，因此仅编发4期后就停刊了。

这一阶段，胡风在武汉是以左派身份参加中国共产党领导的抗日民族统一战线，并在其中努力工作的。

再刊《七月》　重辉文坛

《七月》原是胡风在上海编辑出版的一本小周刊，1937年9月11日创办，但只出了3期就停刊了，刊名显然是对七七事变的一种纪念。那时有许多文化人都认为，现在打仗了，大家没心思看书，用不着文艺刊物了。胡风对这种浅薄的观点很不赞同，他感到越是在战时，越应该有文艺作品来反映生活，反映抗战，播撒火种，反映人民的希望和感情。因此，还在西迁武汉前夕，他就写信委托熊子民向国民党市党部登记，申请出版《战火文艺》，但被当局以“登记手续不合”予以驳回。胡风仍不甘心，到汉以后，只得沿用上海的《七月》原名，重新进行登记，发行人用熊

■ 在汉主编的《七月》第一期

子民的名字，改成16开大小的半月刊，很快于1937年10月16日出版了第一期。胡风在代致辞《愿和读者一同成长》中指出："中国的革命文学是和反抗日本帝国主义的斗争（五四运动）一同产生，一同受难，一同成长。"希望"在神圣的火线后面，文艺作家不应只是空洞地狂喊，也不应作淡漠的细描，它得用坚实的爱憎，真切地反映出跃动着的生活形象"。由于这期杂志出版之时正适逢鲁迅逝世周年纪念，所以胡风特意组织了一个纪念特辑，感情深挚，内容凝重，发表了包括柏山的《活的依旧在斗争》、胡风的《即使尸首炸成了灰烬》等缅怀纪念文章。

《七月》的全部编辑工作，从看稿到改稿、回信、校对、跑印刷厂，都由胡风一人承担，其紧张和劳累的程度不言而喻，每天晚睡早起是可想而知的了，然而也正是如此，便更能体现主编胡风办刊物一贯严谨持重的个人风格。

《七月》在武汉一共出版了18期（统编为三集）。除在书店发行以外，每期有二三百本委托八路军办事处带往延安，所以在延安的毛泽东也能读到这本杂志，他曾经在一封信中称赞过"《七月》很好"。

胡风主编的《七月》，有如下一些特色：新诗在刊物上的地位特别醒目，影响巨大，硕果累累。胡风认为，诗是抒发诗人自己对客观生活真情实感的文学，它能反映广大人民的精神动向。由于胡风有着对新诗的巨大热忱和利用刊物组织诗歌战斗的魄力，因此在中国现代文学史上占有显赫地位的许多诗篇，如艾青的《雪落在中国的土地上》、《北方》、《向太阳》，田间的《给战斗者》、《战争抒情小诗》，胡风的《给怯懦者们》，邹荻帆的《江边》、《给鹿地亘》，侯唯动的组诗《斗争就是胜利》等，最早都是在武汉的《七月》上问世的。这些政治抒情诗，是"时代激情的冲击波，是中国人民坚韧顽强的抗日意志的形象表现"。据胡风统计，先后在《七月》上发表诗歌作品的诗人共有39位，由于他们中的许多人后来都成为现代诗坛的著名诗人，他们在《七月》上的集聚，后来竟形成了抗战诗坛上最重要的诗歌流派之一——七月诗派。

提倡战时的散文和报告，也是武汉时期《七月》主要个性之一。因为这时战争刚刚爆发，作者不可能对生活作深入的概括，并进而创作出具有典型形象的小说和剧本来，但表现个人遭遇和群众生活的散文、记录事件和人物的特定报告，及时生动，却更能受到广大人民的普遍关注和欢迎。在《七月》上，其中影响最大的作品有：丘东平的《第七连》、《我们在那里打了败仗》、《我认识了这样的敌人》，曹白的《这里，生命也在呼吸》，阿垅的《闸北打了起来》，丁玲的《到前线去》等。

■ 胡风与家人在一起

重视理论批评，尊重读者意见，是刊物的办刊导向与指南。胡风认为，无产阶级的革命导师向文艺工作者提出的庄严任务，一定能激励我们的作者和读者，严肃地对待文艺事业，正视我们人民在战争进程中的沉重负担和艰苦的斗争。为此，他译载了罗曼·罗兰的《艺术与行动：论列宁》、季米特洛夫的《反法西斯主义斗争中的文学》等重要论文，冀以引导文艺走上社会主义现实主义之路。另外，胡风在每出了几期刊物以后，就要开个座谈会，约几个愿意谈感想的人随意谈谈，不拟具体的讨论题目，让大家自由交换意见。我们仅从武汉的《七月》上就可以找到一些这样的座谈会的记录，如《抗战以来文艺活动和发展》（第7期）、《宣传、文学、旧形式的利用》（第13期）、《现时文艺活动与〈七月〉》（第15期）。一次座谈总结便是刊物的一次提高和前进。

《七月》在国统区率先发表大量来自延安及革命根据地的稿件，坚持反映八路军、新四军的抗战生活，反映人民的希望和感情，是刊物一向的主旨，因而受到读者的热烈欢迎。

还有一件特别值得提出的事情，胡风有一次收到了一篇署名“大漠”的自由来稿，题为《毛泽东论鲁迅》，并附有一纸短信：“这是周年祭日，毛泽东先生在‘陕公’纪念大会上的演讲，当时由我记录下来的。”“这篇演讲是非常精辟独到的作家论，而且对于每个正在艰苦斗争着的民族解放战士，都是具有特殊的意义的”。这篇记录稿的文字沉实、明晰，它告诉读者，毛泽东在讲演中明确指出，鲁迅“并不是共产党的组织上的一人，然而他的思想，行动，著作，都是马克思主义化的。”毛泽东总结了鲁迅的政治远见、斗争精神等三大特点，并说“综合了上述这几个条件，形成了一种伟大的‘鲁迅精神’”。胡风收到这篇来稿以后，喜出望外，他惊喜地看到毛泽东对鲁迅怀有如此恳切的同志式感情，并对鲁迅作了如此崇高的评价，这对那些轻视甚至敌视鲁迅的人，无疑是个有力的回击。于是，他毫不犹豫地在《七月》第二集第 4 期（1938 年 3 月 1 日出版）的首篇位置上予以发表，这是第一次公开发表的中国共产党领袖对鲁迅的评价，社会影响很大。为此，胡风直到晚年在回忆录上还多次提及此事，表达自己对于大漠同志的怀念之情。

1938 年 7 月 16 日《七月》第 18 期出版后，由于武汉的形势越来越紧张，已处在沦陷前夕，而不得不再次停刊，以后便一迁再迁，直到 1939 年的 7 月才在重庆复刊。

忠于职守　矢志不渝

“文协”的全称是中华全国文艺界抗敌协会，这是全国文艺界精诚团结，一致抗日，呼唤国魂复苏的文艺界群众团体。发起成立这一团体的动议人是阳翰笙和王平陵，而胡风则是无条件的积极支持者。

1938 年 1 月中旬，在中国文艺社负责人王平陵借汉口普海春举行的一次聚会上，讨论产生了一个由 14 人组成的文协临时筹备会，胡风被推为筹备委员。经过一个月紧张的工作，2 月 15 日又成立了由 28 人组成的正式筹备会，胡风继续当选筹备人并受命起草《致日本被压迫作家的公开信》。3 月 27 日上午，“文协”在汉口总商会大礼堂隆重举行成立大会，到会作家、艺术家和来宾共 500 余人，济济一堂，热闹非凡。胡风被选进大会主席团，当日本反战作家鹿地亘在会上发表演说时，胡风充任翻译。在这次大会上，胡风被推为理事，继而在 4 月 4 日由冯玉祥在自己的公馆（武昌千家街福音堂）里召集的第一次理事会上，又被推举为常务理事，并兼任研究部副主任。研究部主任是老作家郁达夫，但他对胡风说“实在没耐心做组织性的工作，不惯于管事”，因此委托胡风完全做主。这样，研究部的实际工作就主要由胡风单独负责了。

为了祝贺文协成立，胡风在《七月》第 11 期上编了一个专辑，发表王明（陈绍禹）和博古的文章各一篇，非正式地表示了中国共产党对文艺界统战组织的希望；另外还发表了吴奚如、陈辛人、魏猛克的文章，他们对文艺工作均提出了现实主义的要求，要求作家批评社会生活中病态的或反动的东西，发扬健康的积极的东西。

1938 年 4 月 9 日，周作人出席了日本帝国主义在北平召开的更生中国文化建设座谈会，后来又任北平伪政权的教育督办。这一消息传到武汉后，武汉文坛震惊了。5 月 14 日，胡风等 18 人联名发表了《给周作人的一封公开信》，称“先生此举，实系背叛民族，屈膝如仇之恨事，凡我文艺界同仁人无不为先生惜，无一人不以此为耻”。并向周作人发出了最后一次忠告：“希望能幡然悔悟，急速离平，间道南来，参加抗敌建国工作。”表达了一个爱国作家强烈的民族感与正义性。

1938 年 6 月初，从延安来了一位爱好文学、曾写过诗和小说的青年俞鸿模，年纪不过 20 出头，个子不高，说话细声细气，而且还带点腼腆。他与欧阳凡海在日本留学时是同学，这次来找胡风，他立志要办一个纯文学的书店，并取名“海燕”，这是从高尔基的散文诗《海燕之歌》所受到的启示，表明他愿意在暴风雨中迎接光明。胡风感到他是一个认真严肃、属于那种说到做到、能踏踏实实干事业的青年，于是就将自己的第二本论文集《密云期风习小纪》（作于 1935—1938 年，计 22 篇）交给他出版，并在 6 月 26 日深夜亲自写了一篇《序》，以表示支持。不想俞鸿模仅

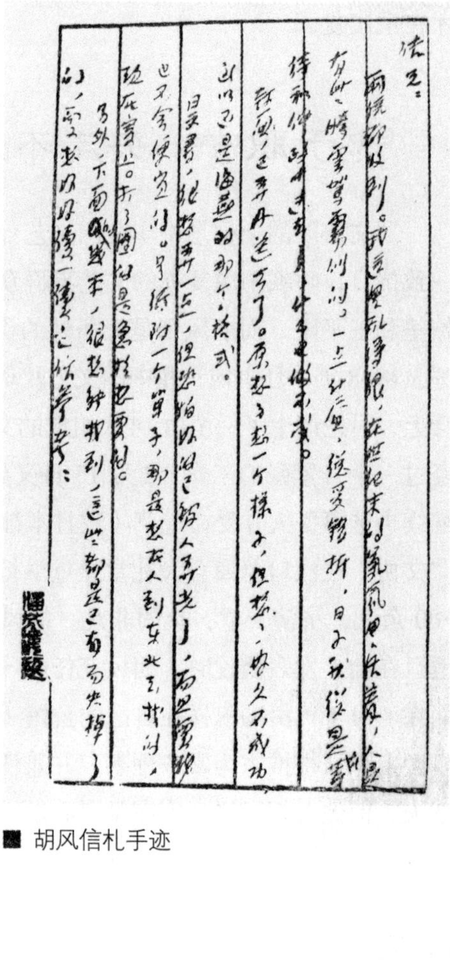

■ 胡风信札手迹

用了两个月的时间就再版了，而且从封面到校对都很不错。这件事给胡风留下了很好的印象，他感到与俞鸿模之间已经取得了共同合作的基础，于是又热情地请他编辑了一套《七月诗丛》，包括艾青的《向太阳》、胡风的《为祖国而歌》、庄涌的《突围令》三本；一套《七月文丛》，包括丘东平的《第七连》、SM的《闸北七十三天》、陶雄的《0404号机》、曹白的《呼吸》、萧军的《侧面》五本。这两套丛书后来都在上海严整完备地出版了，这两套诗、文丛书是抗战文艺的重要成果。

笔耕不辍　硕果累累

胡风手中的笔从来不曾搁下，除编务的繁忙外，武汉时期，他写下了大量的政论和文论作品：《忆矢崎弹》、《愿和读者一同成长》、《即使尸骨被炸成了灰烬》、《关于鲁迅精神的二三基点》、《大众化在今天》、《高尔基底殉道与我们》等散文；《关于创作的二三理解》、《论战争期的一个战斗的文艺形式》、《民族战争中的国际主义》等论文，都表达了自己对时局和文坛的关注和支持。但当作家们从狭小的书房投身于抗战洪波，面对着全民抗日的蓬勃景象，创作诗歌的机杼被触动了。胡风说："抗战一爆发，我就被卷进一种非常激动的情绪里面。在血火的大潮中间，祖国儿女们的悲壮行为，使我流感激的泪水，但也是祖国儿女们卑污的行为，使我流悲愤的泪水，于是我的暗哑了多年的咽喉豁然地叫了出来。"他先后写出了《血誓》、《为祖国而歌》、《给怯懦者们》、《同志》、《敬礼》等篇章，歌颂英勇的战士，痛斥卑劣的灵魂。后结集为《为祖国而歌》出版。其中如《血誓》是"献给祖国的年轻歌手们"的赞歌，也是诗人在祖国面前发出的血的宣誓：

燃烧于四万万五千万个中华儿女们的血仇
燃烧于四万万五千万个中华儿女们的爱仇
我们年青的笔也要随着我们的行进
直到仇敌的子弹打得我们血花飞溅的时刻
直到力尽声枯地在行进中间倒毙了的时刻

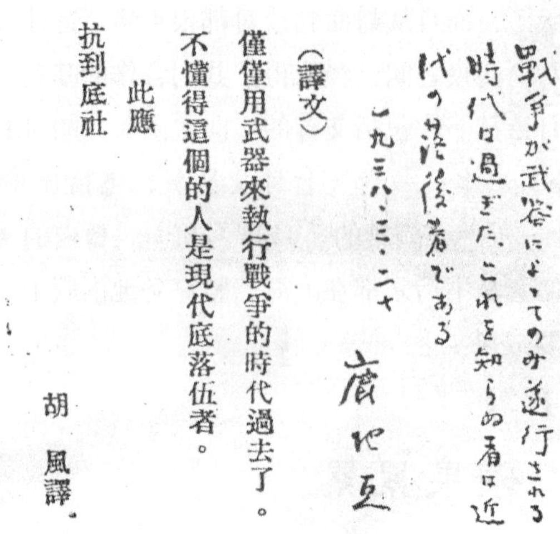

鹿地亘先生爲本刊題詞

抗到底社のために

戦争が武器によってのみ遂行される時代は過ぎた。これを知らぬ者は近代の落伍者である

一九三八・三・二十 鹿地亘

(譯文)

僅僅用武器來執行戰爭的時代過去了。不懂得這個的人是現代底落伍者。

此應

抗到底社

胡風譯

■ 鹿地亘在武汉的题词及胡风的译文

直到也许我们苦痛于自己的歌声不能和祖国的脉搏，新生的祖国儿女们的脉搏，新生的祖国儿女们的脉搏和谐的跳跃，像你似地把一粒子弹打进自己的脑袋里的时刻……

作者不讲究诗歌外在形式排列的整齐，而注重内在感情的连贯，以诗情在读者心中唤起共鸣。在许多诗中，他都有这样大段大段的散文句式，但由于壮怀激烈，热情贯注，一连串的诗行奔涌而出，读时感到长而不冗。《为祖国而歌》一诗，如大河泻地滔滔不绝唱出了对祖国的一往深情：

祖国呵，
为了你，
为了你勇敢的儿女们
为了明天
我要尽情地歌唱
用我的感激
我的悲愤
我的热泪

我的也许迸溅在你的土壤上的活血！

这些诗句，灼热如火，跳动着诗人一颗炽烈的爱国之心。《给怯懦者》写年是是眉间尺的复仇故事，《同志》歌颂了斗争中新的女性。作者说这些诗“算是我最初地向这伟大的民族战争献上一瓣心香”。抗战初期成为他诗歌创作的鼎盛期。

■ 武汉沦陷前胡风主编的《七月》

1938年8月12日，胡风寄住的小朝街被敌机轰炸，卧房的门锁被震坏，围墙也坍塌了，再也不能住人。他只好过江借住在汉口的友人张西曼家中，继续坚持写文章、看稿件等工作。但由于这时的武汉已越来越接近前线，差不多天天都有敌机轰炸，形势十分紧张。在万不得已的情况下，胡风终于在9月28日下午6时乘船告别了战斗近一年的武汉。在甲板上，他依依不舍地在心中默念：大武汉，我们就要回来的！

时光匆匆，人世沧桑。可是，此后数十年，胡风竟然从未获得过重归故乡，寻觅旧踪的机会。1985年，武汉文联组织黄鹤楼笔会，已届83岁高龄的胡风本来早就愉快地接受了邀请，正欲南下再访故乡亲友，不料可恶的癌症又突然恶化，使他久卧病榻，不能成行。这年的6月8日16时5分，心脏停止了跳动，竟使他重访武汉的夙愿变成了终身的遗憾。

（胡水清参与了本文的写作）

“攘夷大义著春秋”

——郁达夫

1945年8月29日，已是日本宣布无条件投降后的第十四天，仍在南洋为虎作伥的日本宪兵逮捕了一个名叫“赵廉”的人，当日寇得知这个人就是中国著名作家郁达夫时，于是年9月17日在印度尼西亚的丹戎革岱将他秘密枪杀。郁达夫以自己的血肉，为中华民族谱写了“一篇富丽悲壮的史诗”。

郁达夫在他那经历了太多苦难和曲折的一生中曾经两次来到武汉。

1925年初，武昌师范大学改名为武昌大学，郁达夫应邀由北京来到武汉，在武大担任文科教授。任教之余，他在珞珈山上潜心于文艺理论的研究，曾将当时的讲稿整理成《小说论》、《戏剧论》和《文学概论》三部专著；创作了短篇小说《烟影》、《街灯》和《寒宵》；他热心帮助和扶植文学青年刘大杰、胡云翼，是学生文学社团“艺林社”的积极支持者，培育了一批文学新苗。他曾将学生们编辑的《艺林旬刊》推荐到北京的《晨报副镌》附载，并为他们编辑的刊物撰稿，相继专门写作了《文学上的殉情主义》、《诗的内容》、《介绍一个文学的公式》、《戏剧之一般概念》、《诗的意义》等论文，指导学生们的创作。并欣然同意在学生们的创作集《长湖堤畔》中选收了自己写作的《秋柳》等三篇作品，以提高该集子的声誉。郁达夫以学识丰厚和奖掖后学受到青年学子的尊敬和爱戴。后因不满于校内派系斗争和环境污浊，是年11月，郁达夫愤然辞职，离汉赴沪。这一次在武汉的居留使他颇感不快，他说：“这一年在武昌大学里教书，看了不少阴谋诡计，读了不少线装古籍，结果终因武昌的恶浊空气压人太重，就匆匆的走了。”

■《郁达夫抗战论文集》书影

时光荏苒，十余年的日子飘然而逝。抗战全面爆发后的1938年3月，郁达夫应郭沫若之邀，风尘仆仆由福建赶到武汉。其时军委会政治部第三厅已在筹建，郭沫若担任厅长，三厅管辖的组织中新增一个对敌宣传处，郭拟请郁达夫就任处长之职，但由于工作的紧迫需要，当郁达夫赶到武汉时，其职已由范寿康充担，就只好另行安排，在军委会政治部担任设计委员。

第二次抵达武汉，抗日声浪席卷楚天，郁达夫也一扫孤苦郁闷的情绪，精神振奋。莅汉不久，他就写了一首题为《廿七年黄花岗烈士纪念节有感》的七绝，直抒胸臆：

年年风雨黄花节，热血齐倾烈士坟。

今日不弹亲涕泪，挥戈先草册倭文。

面对革命先烈，热血奔涌，家庭纠葛和个人不幸已被报效祖国的渴望所淡化，他憧憬着握枪和执笔讨伐倭寇的双重战斗。

抗战烽火中的武汉，群贤毕至，名流咸集，一时荟萃了全国的作家、艺术家达数百人之多，时人谓之“五百罗汉，云集江城”。作家往还，以文会友，艺苑文坛，佳话频传。1938年3月27日，中华全国文艺界抗敌协会（简称“文协”）在汉口商会大礼堂成立，群情激昂，同仇敌忾，会议开得隆重庄严，一杆文艺界团结战斗的大旗在敌机的轰炸声中高高竖起。这天，老舍和郁达夫都出席大会，两人互相慕名已久，这是初次见面，但一见如故，言谈甚欢。会上两人都被推举为常务理事，主持“文协”工作。看着文艺大军在抗日旗帜下的大会师、大团结，老舍十分激动，文思泉涌，情不自禁赋写了一首七律，诗曰：

三月莺花黄鹤楼，骚人无复旧风流。
忍听杨柳大堤曲，誓雪江山半壁仇。
李杜文章齐万丈，乾坤血泪共千秋。
凯歌明日春潮急，洗笔携来东海头。

感情充沛，音调铿锵，表达了老舍力扫倭寇，誓雪国仇的壮志雄心，充溢着凯歌明日，抗战必胜的坚定信念。几日以后，“文协”常务理事会在冯玉祥将军公寓召开，理事们出谋献策，当郁达夫读到老舍的志贺七律后，赞叹之余，诗情勃然，即步老舍原韵，赋律唱和（此诗为多种选集漏收）：

明月清风庾亮楼，山河举目涕新流。
一成有待收失地，三户无妨复楚仇。
报国文章尊李杜，攘夷大义著春秋。
相期各奋如椽笔，草檄教低魏武头。

字里行间洋溢着慷慨激昂的浩然正气。“相期各奋如椽笔”既含拳拳友谊又吐相互期勉，情真意切，感人至深。郁达夫工于旧诗，出语天然，造境清新，

■ 1938 年斯诺、郭沫若、郁达夫（左起）在武昌

素称“方家”；老舍偶尔为之，格律谨严，深厚朴实，每臻绝唱。现两位诗文高手，在扬子江畔酬唱抗战，共抒豪情，一时成为抗战文坛上的一段佳话。

早在来武汉之前，郁达夫就曾立下决心：“我意要文化人到各乡、各村，去遍撒爱国抗敌宣传种子。”全国文协成立后，在“文章下乡，文章入伍”的旗帜下，身为常务理事和研究部主任的郁达夫身体力行，亲躬不辍。他经常不辞艰辛、不避炮火深入抗战前线采访、巡防、慰劳和视察，这样做既丰富了作家的实际生活，又鼓舞了广大抗日将士。台儿庄大捷后，4 月 14 日，郁达夫和盛成受命代表军委会政治部、全国文协和文化界国际宣传委员会，赴前线劳军。4 月 22 日上午，在徐州的第五战区司令长官部，郁达夫和盛成代表政治部等部门向浴血奋战、重创日寇的广大官兵赠送绣有“还我河山”的锦旗一面，分发《告慰台儿庄胜利将士书》万份，向他们祝贺胜利。赠旗仪式后，郁达夫与李宗仁司令长官畅谈抗战形势，宾主甚欢。后来，他写了一首七律书赠李宗仁将军，因迄今各种文集均未收录，遂引抄如下，诗云：

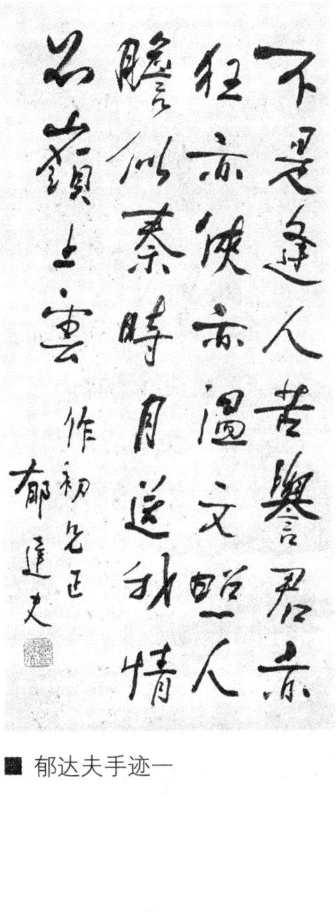

■ 郁达夫手迹一

道阴鼓城十日间，郊洞时复一跻攀。
地连齐鲁频传警，天为云龙别起山。
壮海风怀如大范，长淮形胜比雄关。
指挥早定萧曹计，忍使苍生血泪殷。

诗作歌颂了抗日将领的运筹帷幄和广大士兵的英勇战斗，殷切希望我军获得更大胜利。字里行间充满着痛歼倭寇，洗雪国耻的壮志雄心。

台儿庄的慰劳刚毕，征尘未掸，郁达夫又接到通知，到山东、河南、江苏、安徽一带视察防务。这次巡视时近一月，他为广大士兵和群众高涨的抗日热情所震动，感触殊深，回到武汉，他临灯伏案写作了《平汉陇海津浦的一带》的战地通讯，据实报道了前线的战事构筑、士兵的牺牲精神和人民的有力支援，发表在汉口版《抗战文艺》第一卷第二期上。对于抗战的胜利充满着信心。他在文中写道：

> 我们的机械化部队虽则不多，但是我们的血肉弹丸与精神堡垒，却比敌人的要坚强到三百倍、四百倍。没有到过前线的人对我们中华民族将士复兴的信念，或有点儿疑虑。已经到过前线的人，可就绝对地不信会发生动摇。最后胜利必然地是我们的。

■ 郁达夫小照

回汉不过数天，筋骨未舒，6 月中旬郁达夫便又接到命令赴浙江、安徽等地巡视河防。轻装简从，匆匆就道，他笑着说：“上战线去跑的时日，比安居在武昌寓所里的时间还要多。”戎装在身，颇添了几分英气，此时的郁达夫似乎再不是那个多愁善感的旧日文人了。

由于经常往返于前线和后方，郁达夫以一个作家特有的敏感和责任心，深感战斗的前方不仅需要物资支援，更缺乏的却是精神和文化的输送，他说：“我们在后方的执笔者，能送些士兵的读物及以娱乐暇时的图书刊物等印刷品去，藉资消遣。文人在战时所应做的工作我想当以此事为最重要。”他不仅在口头和文字上加以呼吁，还和盛成发起向前线捐助书刊运动，他热情地号召：“我们大家来发动一种书的运动，将我们所读过的定期刊物、书刊小说之类，统统捐助出来，送上各战区的后方办事处去，请他们转送前线，给守土的将士们阅读。这岂不是轻而易举的一件事情么？”他的建议得到了社会广泛的响应，不久战地文化服务处汉口总站成立了，长沙、桂林、上饶、西安等地还设立了分站，做了一些前线的文化补给工作。

5 月初，北京传来周作人参加日本召开的更生中国文化建设座谈会的消息，郁达夫大吃一惊，他用学会的浙江话到处打听：“情况属实哦？情况属实哦？”焦灼、怀疑、忧虑的情绪集于一身。就个人感情而言，他是很看重与周作人的友情的。早在 20 世纪 20 年代初期，郁达夫的初作《沉沦》出版时，一度受到文艺界的严厉批评和社会上的强烈指责，1922 年 3 月 26 日周作人以“仲密”的名字在很有影响的《晨报副镌》上发表了一篇专论，为《沉沦》辩说。以周氏在文学界的声望，自然产生了很大的效应，郁达夫非常感激。到 1930 年郁达夫出版《达夫代表作》时，他心怀敬意地在作品扉页上印着“此书是献给周作人先生的，因为他是对我的幼稚的作品表示好意的中国第一个批评家”。

1927 年，郁达夫曾应周作人之邀到周府做客，由此结识了鲁迅先生并建立起深厚的友谊。1935 年编辑《中国新文学大系》时，郁达夫和周作人分编其中的散文一集及二集，他在导论中说：“中国现代散文的成绩，以鲁迅和周作人两人的最伟大。”这次合作深化了他们的友谊。

这次文艺界讨伐周作人，由 18 位著名作家签名的《给周作人的一封公开信》是经郁达夫修改定稿的，既要表明立场，又力图留有余地，更不能违背大家商定的原则，他怀着痛惜的心情字斟句酌，最后才慎重地签上了自己的名字。当周作人完全“落水”的消息证实时，郁达夫感到极其失望和愤怒，他就再也不能宽容了。

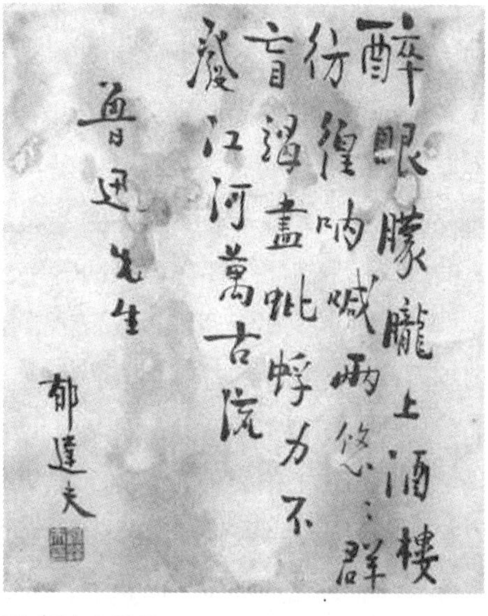

■ 郁达夫手迹二

一天，国际宣传处的崔万秋送给郁达夫一本三月号的《日本评论》，他在上面读到伊藤春夫的《亚洲之子》——一篇“黎明东亚画谱”的电影故事。故事中的主人公汪和郑是好朋友，汪在北伐后被通缉亡命日本，娶了个日本妻子，落籍异域。十年后，郑由中国赴日，游说汪归国。但回国后只是被当作宣传的工具，掌握他命运的人又时时不忘复仇，尤为难忍的是，十年前的恋人已被郑霸占为妾，汪深感受到欺骗，“痛感自己归国完全是失败之举”，愤怒至极，于是倾其所有在日军统治下的通州开办日式免费医院，修建日语学校，“着手开发日本思想体系的北支那”。这篇作品显然是以抗战前夕郁达夫访日和郭沫若归国捏造炮制的，对郭沫若和郁达夫进行恶毒的中伤和诽谤。伊藤的拙劣伎俩完全是仰承日本军国主义的鼻息。读了这篇故事后，一向沉静的郁达夫怒不可遏，他提起笔来，写了《日本的娼妓与文士》一文，文中写道：

> 我们因为在日本住的时间长一点，所以平时交游的日本文士，也比较的多。以常识及平时的谈吐、修养、抱负来看，总以为文士是日本的优秀分子，文士的气节、判断力、正义感当比一般人强些。但是，疾风劲草，一到了中日交战的关头，这些文士的丑态就暴露了。我们原有点被他们欺骗了的后悔。但因此也可以断定日本的抄袭文化，决不能有在世界文化史上的一点异彩的运命。矮子登场，弄了一辈子的轻薄小技，终也不过是些沐猴冠者而已。

在分析了日本文学娼妓“阿附军阀的态度”之后，余怒难息，笔锋直指伊藤之流：“平时却是假冒清高，以中国之友自命的。他的这一次的假面揭开，究竟能比得上娼妓的行为不能？”郁达夫的痛骂彻底撕下了伊藤骗人的伪装，赤裸裸展示了他那逢迎军界，丧尽节操的本质，中、日文坛都感到人心大快。

■ 郁达夫与王映霞

文学创作和文学活动的参与，仍然是郁达夫繁忙工作的重要部分。在汉口他曾参加《自由中国》杂志社召开的“抗战以来文艺的展望”座谈会，写作和发表了通讯《平汉陇海津浦的一带》，杂论《我们只有一条路》、《抗战周年》、《承前启后的现代儿童》、《抗战自入第二期后》、《日本的娼妓与文士》、《战时的小说》、《“差不多”也好》、《战时的文艺作家》；诗歌《七律·步原韵和老舍》、《七绝·廿七年黄花岗烈士纪念节有感》、《郭沫若氏自长江战线归来，谈及寒衣与文人在前线事两首》、《七律·闻鲁南捷报晋边浙江迭有收获而南京傀儡登场》、《七律·感时》、《七律·诗赠李宗仁》等作品。他还以一个文学批评家的敏锐眼光注视着抗战文艺的理论建设，对于诬称抗战文学为“抗战八股”，他不能苟同，他说：“以文艺为武器，去作宣传，藉收现在足鼓励民众，后世足警惕子孙之效。”当有人指责战时文学只是宣传上需要的“差不多”时，郁达夫站出来为之辩论，他认为在动荡的战时环境中，为抗战的急需“所谓‘差不多’的现象当然是不能避免，并且也不必避免。一样的在差不多之中，也有杰作与劣作之分，如同是女人，而有妍丑的一样”。他大力提倡适应战争需要的报告文学等文学的轻枪利剑，而不必躲进象牙塔去搞大制作，而对于中国文学的发展，他充满了自信，在《战时的文艺作家》一文中，他情不自禁地写道：

以后的中国文艺，将一般地富于革命性、民族性、世界合作性，是毫无问题的。所以经此一番抗战之后，中国文艺才真正地决定了与社会合至，与民族同流的可能与必然。

1938年秋天，在日军猛烈轰炸后，武汉开始疏散人口时，郁达夫携眷离汉去湖南汉寿，不久又辗转福建，远赴星洲，开始了他在海外的抗日宣传活动。

架起通向大众的诗歌之桥

——穆木天

武汉抗战文艺运动蓬勃发展的重要标志之一，是各类全国性和区域性文艺组织的相继成立。这些此起彼伏、时聚时散的文艺社团密切配合现实斗争的需要，开展了轰轰烈烈的抗战文艺活动。穆木天是其中一些社团的积极筹组者、参加者和支持者。

1937年8月底，穆木天偕妻子彭慧来到武汉，居住在武昌城北隅的海月庵十号内。同年9月和10月，萧军、萧红、罗烽、白朗、舒群等东北作家接踵而至，与早期赴汉的高兰、金人、孙陵等会合，这是在流亡中东北作家群大批南迁时在武汉的聚集，他们大都居住在武昌城北隅。其时，由京、津、沪、宁等地转移而来的大批作家汇聚江城，抗日怒涛，席卷楚天，一个声势浩大的群众抗日救亡宣传运动正在酝酿和兴起之中。但是由于没有严密的组织，缺乏思想上的领导，文艺的作用不能充分发挥。穆木天积极为文艺界的团结、为文艺团体的组建奔走呼号。1937年12月19日，地区性的“武汉文化界抗敌协会”成立。由于穆木天的声望和在武汉短时工作的成绩，他被聘为该会文艺工作委员会委员，参与该会“创办抗敌言论杂志、举办战时流动演剧”等工作，是抗战初期武汉地方文艺团体最早聘任的外地作家之一。

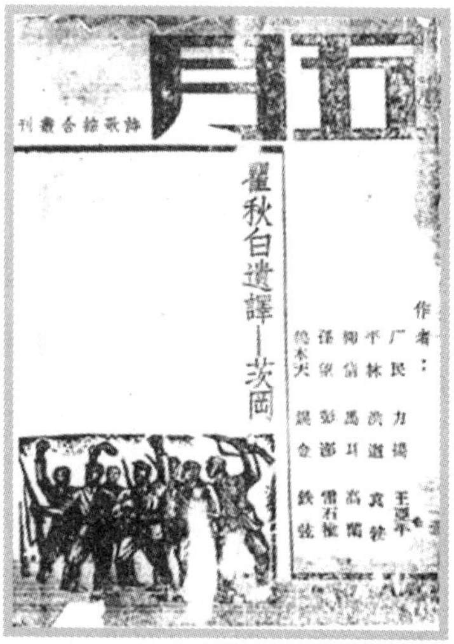

■ 穆木天在汉主编的诗刊《五月》

1938年初，阳翰笙根据周恩来的指示，筹建中华全国文艺界抗敌协会(简称“全国文协”)，以便将全国作家团结和组织起来。穆木天又踊跃参加了这一工作，他相继担任了“全国文协”临时和正式筹备委员，五次参加临时筹备会议，十五次参加讨论“征集全国作家入会”、“审查会员资格”、“决定大会成立日期，大会仪式及程序”及商讨各种议案的工作，是“全国文协”的发起者之一。他签名于《中华全国文艺界抗敌协会发起旨趣》，大声疾呼：“团结起来，像前线战士用他们的枪一样用我们的笔，来发动民众，捍卫祖国，粉碎敌寇，争取胜利。……希望大家来树起这面中华全国文艺界抗敌协会的大旗！”

是年3月27日，“全国文协”在汉口总商会礼堂宣告成立，穆木天出席大会，担任大会秘书。会上当选为理事，成为“文协”组织的领导成员。“文协”的成立标志着“五四”文学革命和“左联”之后，文艺界第一次空前广泛的全民族联合阵线的形成。看到一杆团结抗战的文艺大旗，迎着硝烟烽火在扬子江边高高竖起，穆木天欣喜异常，无比振奋。对“文协”的诞生，他予以极大的重视和高度评价，认为“中华全国文协的作家们。为着伟大的神圣的目的——民族的自由解放——而团结起来共同工作，这算是开天辟地以来的头一次。也可以说是有史以来的一段家国的盛事”。对于“文协”，穆木天寄予了深切的希望，他说：“全国文艺界抗敌协会的成立，的确地，是一个伟大的开始。今后，我们就是要从这个伟大的开始出发，有力地踏向前去，以完成我们的文艺在民族革命的战争中所应尽的伟大任务。”对“文协”的工作，他提出了创办“机关会报”、“训练文艺壮丁”和“编辑一些大众文艺读物”的建议，表现了他对抗战文艺运动发展的极大关注。1938年5月4日，“文协”机关刊物《抗战文艺》创刊，穆木天担任编委，是刊物的重要撰稿人和主要支持者。“文协”成立后，在文艺界组织的统一领导下，穆木天积极参加抗日救亡宣传，倡导和开展朗诵诗运动，编印抗日宣传刊物，从事创作和抗战文艺理论的研究，做了大量工作。以切实的成绩，赢得了武汉文艺界的尊敬与信任。

战时的武汉文坛，一扫昔日沙漠般的沉寂，呈现出如火如荼的崭新气象。穆木天一踏上这块饱经忧患、沸腾灼热的土地，就深为各界同仇敌忾、团结抗日的气氛所感染，很快汇入了抗战文艺运动的激流。他是许多文艺活动的倡导者、组织者和参加者。在武汉诗坛上，穆木天和锡金、冯乃超、高兰等诗人一起，号召、发动和组织了彪炳现代文学史册的朗诵诗运动，拉开了中国抗战诗歌悲壮、雄浑的大幕。

1937年10月19日，柯仲平首次在武汉各界纪念鲁迅先生逝世周年祭大会上朗诵了自己的诗作《猫头鹰》，穆木天就著文对朗诵活动予以推崇，充分肯定朗诵诗的意义、作用和效果。他说：“听了柯仲平的朗诵后使我们感到深挚的悲痛，那使我们狂奋，恨不能踏着柯仲平先生的歌声，加强了我们的步伐，向着我们的民族的敌人日本帝国主义，杀向前去。由于柯仲平先生的高声朗读，事实地，证明了诗歌朗读的强有力的效果。诗歌朗读的社会的效果，是我们必须加以肯定的。”为崭露初苗的朗诵诗运动摇旗呐喊，鸣锣开道。当他读到高兰的一些朗诵诗创作，看到诗歌朗诵活动开始在广播电台和一些学校及集会上小规模展开的时候，穆木天就在汉口版《大公报》上撰写文章，为之热情颂扬，大张旗鼓。他呼吁：“展开我们的诗歌的阵线！”他用诗人的激情和诗的语言欢呼一个诗歌主潮的滚滚到来：

白热的生活的火花，要燃烧成为白热的诗篇，
四万万五千万人的战歌，今后要震碎了强敌！
你们要作宏亮的回声，你们要作广播的号筒，
诗人们，歌唱吧！
现在，民族的叙事诗的时代到临了！

他读了高兰的诗后，称誉朗诵诗人高兰为“从冰天雪地中生出来的诗人”，把高兰的朗诵诗创作看作是诗歌运动复兴和发出的一个令人欢欣鼓舞的信号。他兴奋地写道：

我感到了——
“八·一三”的诗歌，
已经有了它的健全的萌芽，
诗歌的大时代，
已经在开始！

他热情鼓励高兰从事朗诵诗的写作，高度评价朗诵诗，认为它所表达的是“新时代的情绪”，指出：“诗歌朗读运动，就是诗歌大众化的一个方式。并不是诗中，有朗读诗和非朗读诗之分，而是一切的诗——不管是讽刺诗，还是叙事诗——都应是朗读的。今后，我们需要把朗读诗的天地扩展开。特别要强调的，就是朗读运动与大众化运动的一致性。朗读诗并不是诗的体裁，我们要作出各种体裁的诗，去拿着朗读。”

他自己也致力于朗诵诗与通俗诗歌的创作，并亲自到过江轮渡上去朗诵。1937 年“鲁迅逝世纪念会”，1938 年“美的冰室诗会”和中山公园万人集会上的诗朗诵都引起了社会很大反响。由于穆木天和许多诗人的大力鼓吹和提倡，一个以朗诵诗为主潮的波澜壮阔的诗歌运动蔚然兴起，武汉三镇的车站上，码头边，街道旁，广播电台和群众集会上，经常有朗诵诗的节目。当时一个名叫《诗》的刊物，这样描绘了诗潮勃兴的盛况：

凡是有战斗的角落，凡居住着不愿做奴隶的人们的地方都有诗，

凡有年轻人的地方，凡有油印机的地方，凡有纸笔的地方，也都有诗。

高兰的全部诗作、艾青的《反侵略》、穆木天的《武汉礼赞》、田间的《给战斗者》、王平陵的《二道沟的血迹》、彭慧的《被敌船载去的孩子们》、锡金的《朗诵去！》等诗篇都曾在群众中广泛传播，群众亲切地称之为“听的诗”。

在战斗的旗帜下，朗诵诗直接诉诸听众的视觉和听觉，把诗的战斗内容和民族感情当面传达给人民群众，不能不说是诗歌在大众化的道路上迈出了坚实的一大步。面对着朗诵运动的开展，看到诗歌走向现实，深入民众的进步，穆木天说：“诗歌从象牙之塔到十字街头，使诗歌从少数人的东西变为多数人的东西，虽然离大众化的境地还相当地遥远，可是，已经向着大众化一天一天地迈进了。”这段话透露了他对诗歌进步难以言状的欣喜，也表述了他对诗坛状况深刻、透辟而又清醒的认识。他及时发表了《诗歌朗读与诗歌大众化》一文，就如何朗诵、朗诵什么、由什么人朗诵以及朗诵的语言、姿态、感情和朗诵会的组织等具体问题，提出了自己的设想和意见。在另一篇文章中，又指出：“今后的朗诵诗，应当是直线条的，粗线条的，洪钟一般响亮的诗歌……那不是《毛毛雨》，更不是《渔光曲》，还要越过了《开路先锋》而成为《保卫马德里》和《义勇军进行曲》。”

武汉的朗诵诗运动，是全国朗诵诗运动的先声，不久，广州、重庆、延安的诗朗诵活动也相继兴起。对于在滚滚烽烟中崛起的武汉抗战文艺运动，穆木天有着特殊的感情。他不仅倡导和组织诗歌运动，还怀着巨大的热情参加各种社会活动。1937 年 10 月 19 日，他出席“武汉文化界纪念鲁迅逝世周年祭大会”，在誓雪国耻的悲壮激昂气氛中，表达自己对导师逝去的深切悼念。1938 年 5 月 4 日，他应邀参加汉口的一次诗歌座谈会，就抗战诗歌运动陈述自己的看法，并兴致勃勃地在会上朗诵了诗人庄重的获奖诗歌。他担任“全国文协”通俗读物审查委员会的审查工作，在“文协”召开的“怎样编制士兵通俗读物”座谈会上，他就通俗文艺创作问题，发表自己的意见，强调内容的决定性。他说：“旧瓶之能用与否，全在表现的技术上的健全与否及语言的通俗与否。有些旧瓶是并不见得通俗的，如‘黛玉葬花’、‘黛玉悲秋’

并不见得为大家所懂得。这就是旧瓶的阶级性问题。同时，新瓶也可以装旧酒的。所以问题还是在于内容和表现的方法。”这里较全面而辩证地论述了内容与形式的关系，对于通俗读物的写作，无疑具有指导意义。

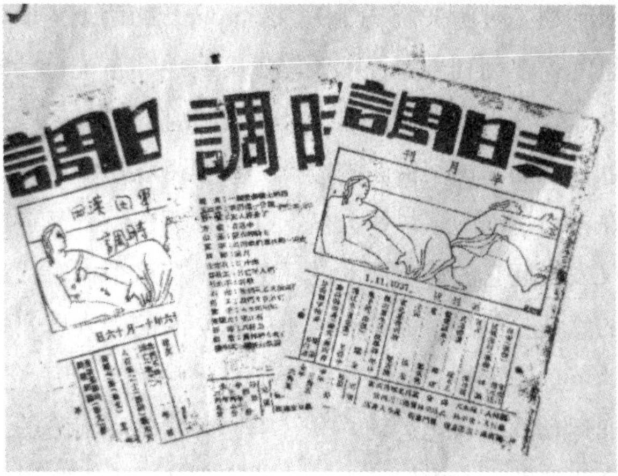

■ 穆木天在汉主编的诗刊《时调》

他对抗战文艺的热情和关心，已使他的兴趣大大超越了诗歌的范围，只要与抗日有关的活动，他都欣然参与。1937年马彦祥主编的《抗战戏剧》“广征戏剧界同志对于抗战时期戏剧运动的意见”，从不曾写过戏剧论文的穆木天也勇敢地拿起笔来乐于贡献自己的意见，他写了《我对抗战戏剧所要求的三点》的短论，指出“抗战时期的戏剧，应当认真地捉住大众的生活”，“要成为大众的娱乐”，“应当加强诗歌和音乐的要素”。从“综合的文艺样式”的角度提出了对战时戏剧的希望。1938年2月23日，他应邀参加战斗社召开的“从美术大众化谈到连环图画座谈会”。会上，他和画家叶浅予、胡考、张乐平、梁白波等人交换看法，并就“抗战中美术家都做了些什么？它的成绩是什么？”、“美术的大众化问题”、“连环图画的制作”、关于“艺术的联合”的意见，达成共识。“全国文协”每月组织的“园会”和“晚会”，他都每请必到，乐此不疲。

由于穆木天夫妇的居留，武昌城北隅僻静的街巷一度变得热闹起来。穆宅海月庵的两间房屋，一间是时调社的会址，一间成了彭慧和妇女们议事的场所。许多诗人、作家常常聚会一堂，有时纵论国家大事，争执不休，声震屋瓦，有时各自执笔凝思，一片肃静，有时讨论文稿，有时朗诵诗作，武昌的海月庵成为武汉抗战文艺的一个据点。

期刊荟萃，是武汉抗战文坛一个引人注目的现象。穆木天除担任《抗战文艺》编委和支持《战地》半月刊之外，为了推动武汉朗诵诗运动的发展，繁荣诗歌创作，1937年11月1日，穆木天在武昌创刊发行了由他和锡金主编的诗歌刊物《时调》(半月刊)。这本32开的诗刊“取名《时调》是时代的调子的意思”。在创刊号中穆木天旗帜鲜明地宣布了自己的编辑方针：“我们的工作，在这里展开的将是：救亡歌曲的制作，国防诗歌的创作，通俗诗歌，朗诵诗歌，歌谣，民间俗曲的编撰。希望诗歌运动有好的展开，也想教诗歌工作者能在救亡运动中多尽些力。”在第二期，编者又一次重申：“《时调》是要在武汉发展起它的诗歌运动的任务……在这个大时代中，我们尽量地发抒我们抗战的感情，但是，那种感情不应是狭隘的个人感情的复活，而应是伟大民族集体的英勇的情绪，同时更是要把它的触手伸入穷乡僻壤，这就是我们所要求的朗诵运动的大众化运动。”基于这种明确和清醒的认识，编者着力宣传抗日的大众化诗歌，大力倡导朗诵诗并注重从理论上加以探讨和总结，广泛收集和大量发表民谣、山歌；重视对青年诗人的发现和培养，刊物反映了抗战初期诗歌创作的特色和动向。由于穆木天在诗坛的声望和影响，刊物周围簇拥着柳倩、王亚平、蒲风、舒群、方殷、窦隐夫等著名诗人和伍禾、叶平林等武汉地区的青年诗人。《时调》创刊号卷首发表的冯乃超的诗歌《宣言》，批评诗坛积弊，发出热烈呼唤，激情澎湃，诗意盎然，在中国现代文学史上，被称为“诗歌运动倡导者的宣言”。第三期朗诵专号中的许多诗，曾在武汉不胫而走，广为传诵。穆木天倾注全力主编的这份《时调》，不但将一些优秀的诗篇奉献给了神圣的民族解放斗争，而且在诗歌大众化、通俗化的实践及理论探讨上，作出了重要贡献，一度成为南国瞩目的诗坛之星。

由于种种困难，《时调》艰苦挣扎出了五期之后，被迫停刊。穆木天毫不气馁，抖擞精神，又和锡金、高兰及长沙诗歌工作者通力合作，于1938年5月在汉口编辑出版了诗歌综合丛刊《五月》，它实际上是《时调》的继起。编者坚持了《时调》面向现实，服务抗战的方向，重申“我们的企图，是想供给人们一些严肃的诗歌工作”。要求诗歌摆脱“无谓的争端”和“市侩气的纠缠”，指出“动员大家写一些认真的作品，实在，前些时候一些朋友的工作，因大量生产而变成粗制滥造，他的成果曾经降低了我们诗歌的水准”。号召大家：“更勇敢地做一个诗人吧！”《五月》不仅大量刊载诗歌，而且发表了不少木刻、歌曲、散文诗、译诗和理论文章，内容更为丰富多彩。在《五月》中，编者以深深的缅怀之情，热情推荐介绍了瞿秋白烈士的译诗《茨冈》。普希金原诗共569行，秋白的译诗433行和译诗手迹一幅全部在诗刊刊登。编者高度赞扬瞿秋白为“辉煌的天才的生命”，指出从他的译稿中“处处可以看到译者的工作精神，是那样慎重，那样精细”。长诗歌颂的吉普赛人追求自由，不畏强暴，勇于斗争的精神，对于浴血抗战中的武汉人民，是一种鼓舞和激励。《五月》中发表的高兰的《我的家乡在黑龙江》等诗篇，都曾在诗歌运动中产生过久远的影响。《五月》成为抗战诗坛上颇有影响的刊物，穆木天的名字，因此而为武汉更多的读者所熟知。

扬子江边短暂的战斗岁月中，尽管编务繁忙，会议频仍，杂事羁身，忙不可支，可是作为诗人和文艺理论家的穆木天，从未放下手中的笔。他夜以继日，辛勤耕耘，在武汉写作和发表了不少诗歌、诗论、通俗作品和文艺论文，这些作品是武汉抗战文艺中有价值的篇章。

抗战的烽火点燃了穆木天火一般的诗情，热情讴歌忠勇战斗的抗日将士，愤怒斥责穷凶极恶的日本强盗，他写下了《四月二十九号下午》、《民族叙事诗时代》、《武汉礼赞》、《一定受了帝国主义津贴了》、《我们要做真实的诗歌记录者》、《赠高兰》等诗篇。

七七事变的枪声刚刚打响，诗人到武汉不久，就写下了《民族叙事诗时代》，在一片激动的感情之中，表达了自己对于反击的渴望和对于胜利的确信，声音严正地宣告民族解放之战的开始：

> 现在是民族的生命发扬到极高度的时候了！
> 现在是生死的关头，是光明和黑暗的分水岭！
> 民族的血在沸腾，意志是钢铁一般地坚韧了！
> 民族的行动，就是伟大的民族的英雄的史诗！

诗人以严峻的笔触预言了这场战争对于我们民族生死存亡的重大意义，号召广大作家投身生活的激流，用生命谱写民族解放的诗篇：

> 白热的生活的火花，要燃烧成为白热的诗篇，
> 四万万五千万人的战歌，今后要震碎了强敌！
> 你们要作洪亮的回声，你们要作广播的号筒，
> 诗人们！

歌唱吧！现在，民族的叙事诗的时代到临了！

《四月二十九号下午》，真实地记叙了痛歼日寇飞贼的武汉空战，欣喜之情，溢于言表。《武汉礼赞》是诗人唱给烽烟中江城的一首充满希望的赞歌。诗歌追述了这座革命之城的光荣历史，今天又从“死一般的沉静”变成了“民族抗战的大本营”，诗人满怀热望地唱道：

在你的黑夜中，我看见了黎明，
东方的微明，已经破晓了！
武汉，我祝福你，
我祝福在你的里边将涌出民族的新生！

这一时期，穆木天的诗多用口语，朴实自然，明白晓畅，但提炼推敲不够，因而失之浅露。诗味单薄，呈显着抗战初期诗歌粗砺直奔的通病。

为了给诗歌朗诵运动和文艺大众化推波助澜，穆木天又致力于朗诵诗和通俗文学的创作。1938 年 3 月 15 日汉口新知书店出版了他的通俗文学集《抗战大鼓词》。这是抗战血泊中较早开出的一朵通俗文艺之花。此外还发表了大鼓书词《密山县日本强盗屠杀路工》和朗诵诗《去打游击战》等。抗战开始后，出于宣传和动员民众的需要，穆木天在上海时，就曾搜集、研究和尝试写作山歌、民谣和小调，他早就认识到了通俗文艺是“大众文艺运动的路径之一”，对通俗文艺创作除了加以提倡和进行理论探讨之外，他还亲自执笔，身体力行。他的《抗战大鼓词》包括《卢沟桥》、《伪国兵王顺反正》、《八百壮士》、《江北铜匠王阿毛》和《游击队雪地退兵》五个段子，题材广泛，反映了东北、上海、江北一带军民抗战生活

■ 诗朗诵（木刻版画）

的一个侧面。其中《游击队雪地退兵》写了一个东北抗日联军战士智退日军追兵的故事，着重刻画了李大队长的机敏和智慧，情节曲折跌宕，曾收到较好的演出效果。鼓词《密山县日本强盗屠杀路工》根据报载新闻纪实而作，愤怒地揭发了日寇惨无人道的罪行，歌颂了工人的觉醒和奋起斗争。出语沉痛，满纸怒火，表达了诗人的民族义愤。《去打游击战》是一首朗诵诗，以张老五和王老三两人的对白，揭露了敌人的阴谋，号召乡亲们加入游击队，投入抗日的斗争，写得通俗上口，可歌可咏。为了写好通俗作品，穆木天经常由武昌坐船过江，到汉口民众乐园去听著名鼓书艺人山药蛋的演唱，细心揣摩，认真钻研。这些"下里巴人"式的作品出现在一位著名诗人的大手笔之下，大大地提高了通俗文学在文艺中的地位。由于作品注意适应民众的"口味"，较好地发挥了它在抗战宣传中的战斗作用。此外，他还翻译发表了苏联的《到远东去》和《我们的开拓者的梦》。

朗诵诗运动的兴起，文艺大众化的展开，旧形式利用的提出，通俗作品的创作和推广，抗战中复杂新鲜的文学现象扑面而来，触动着穆木天思维的机杼。他十分注意研究文艺实践中提出的问题，非常重视理论上的探讨和理论对创作的指导作用。他以一个文艺理论家深厚的功力和敏捷的思辨，相继写出了《关于通俗文艺》、《关于利用旧形式的认识》、《论诗歌大众化》、《我们需要文艺批评》、《诗歌的朗诵与大众化》、《致地方文艺工作者》、《关于抒情诗》、《调整文化队伍》、《"五四"文艺的战斗性》、《在血泊中创造你们的生活和艺术》、《一个伟大的开始》、《抗战文艺运动的据点》、《我们的诗歌工作》、《担负起我们的开拓者的任务来》、《展开我们的诗歌阵线》、《诗歌朗诵和高兰先生的两首尝试》、《大众化的诗歌与旧调子》、《抗战文艺的明朗性》、《关于抗战诗歌》、《关于报告文学》、《论名著的通俗化》等一大批文艺论文。1938年汉口生活书店出版了他的诗歌论著《怎样学习诗歌》，这些著述对抗战文艺中出现的许多实际问题加以探讨和研究，提出了一些解决的方法，对当时的文艺运动起过历史的推动作用，有助于抗战文艺的理论建设。在上述论著中，穆木天主要涉及了如下一些问题：

第一，对于轰轰烈烈的诗歌运动和日益增多的诗歌创作，给予了深切的关注和高度评价。面对抗战洪波中涌出的滚滚诗潮，穆木天欣喜异常，他在《我们的诗歌工作》中写道："'八·一三'的抗战，给中国的新诗歌运动造成了极有利的条件，诗歌的天地，一天一天地扩大起来……诗人们，武装起来了。诗人们，呐喊起来了。这样，开始了中国新诗歌运动的一个新的阶段。”他并不割断历史，不是将抗战诗歌当作一个偶然和孤立的现象加以研究，而是把它放在新诗发展的长河中去考察和审度。在稍后的一篇文章中，他通过抗战诗歌与“五四”、“五卅”、“九·一八”诗歌的比较，得出的结论是：“‘八·一三’的抗战诗歌运动，正是由‘五四’新诗运动开始，一步一步地发展起来的我们革命诗歌运动的主潮。”从而论证了抗战诗歌的渊源。他的眼光在诗坛扫视着，把奖掖佳作、培植新人作为己任。读了雷石榆的《烈女秋霞》和克锋的《敌机轰炸》后，他说：“两篇诗作，在宽度上，在深度上，都是比过去的一些作品有力。强烈的感情，真实的形象，表现他俩对于现实是越发地接近了。”第一次读到高兰的诗《我们的祭礼》后，他高兴地说，通过这首诗“使我能够认识到一位前途远大的新的诗人”，及至读了《吊天照应》后又激动地写道：“在那首诗，是充满了光，是充满了力，是充满着强烈的希望。从那首诗里，使我感到‘八·一三’的文字，是长了新芽了。”坦露着一位新诗“铺路作桥”人的诚挚的心。

第二，论述了文艺大众化的意义、途径和方法。文艺大众化的提出，导源于抗战初期武汉文艺运动的实际。从20世纪30年代初起，穆木天就在为诗歌的战斗性和大众化而呐喊和奔忙。“抗战时期的文艺运动是一种大众文艺运动。”他深刻理解这一工作的意义。在一系列文章中，反复加以宣传。在千头万绪的诗歌工作中，他认为“首先要肯定的，就是诗歌的大众化工作”。因为他懂得：“使大众都能参加抗战文艺活动，抗战文艺才能充分地发挥出它的机能，而成为有力的武器。”在一篇文章中他曾深刻地指出：“使诗歌工作者和大众，在意识上，在感情上，能够互相地接近起来。那样就是一方面，教育大众，而另一方面，更是教育诗人。”从而把对大众化的认识提高到一个超出当时许多人的认识水平的高度，使自己的诗论站到了一个新的思想制高点上。他倡导把大众具体化到各门类的文艺中去，“把诗歌朗读和大众化紧密联系起来”，把通俗文艺当作“大众化文艺运动的路径之一”。在武汉开展的朗诵诗运动，就是他和诗人们文艺大众化工作的一次实践。通俗诗歌的创作，在武汉曾成为一时的风尚。

第三，指出了文艺运动和创作中出现的弊端，强调了生活和实践对于作家的重要作用。对于抗战文艺的缺陷，穆木天并不讳言，在综观文坛状况，特别是分析了一些诗人的创作现状后，他指出："我们在生活上和艺术上对于现实主义的接近不够，那是对于抗战诗歌的一个最大的缺点。"因而导致了"抗战文艺运动的展开不够"和"没有描写典型的形象的诗歌产生"。对于具有时代风貌的作品，他予以褒扬，对于"逃避现实的感伤主义的倾向"则迎头棒喝。他努力探讨产生问题的原因，并加以揭示："我认为，这是诗歌工作者的生活和工作的态度问题。我认为，诗人的观赏的态度，是抗战诗歌运动上的一个大的致命伤。""这一种观赏态度，也只有从抗战的实践中去克服"。他一再强调"生活的实践，是第一，是决定艺术的实践的先决条件"。他在多篇文章中提到的"抗战的实践"，指的就是作家要投身于抗战事业的行列，关心并深入到血火交汇的斗争生活中去。他把这一点强调到了至关重要的程度，他说："诗歌工作者的教育问题，理论批判问题，遗产接受问题，理论活动和创作活动的联系问题，也都是由于抗战的积极的实践，可以圆满地解决的。对于诗歌形式问题，对于诗歌的语言问题，也是一样。""目前我们诗歌运动中的一切问题，都是要从诗人的抗战的实践的问题上，去解决的。诗人们必须积极地战斗起来，一切的问题，才会得到圆满的解决。"

第四，除诗歌之外，这些论述广泛地涉及文艺界统一战线的建立，通俗文学的创作，旧形式的利用，文艺批评的开展，内容与形式的关系，题材与主题的关系，讽刺的运用等问题。如抗战初期，大鼓、小调、山歌、俚曲、演义故事、地方戏曲等五花八门的通俗制作，包罗万象，盛极一时。旧形式的利用，成为文艺通俗化讨论中的焦点，出现过针锋相对的两种观点。穆木天在《关于利用旧形式的认识》一文中发表了精彩而中肯的意见，他认为"利用旧形式，就是要征服旧形式，就是要扬弃旧形式。……必须把通俗文艺运动，从低级趣味的泥沼里拉了出来，把握住伟大的现实，而艺术地把它表现出来"。指出"通俗的文艺工作者，必须时时努力，要使自己成为伟大的现实主义者才能达到他的任务的完成"。对于抗战文艺出现的题材的狭窄和主题的单一，他说："一个作家要多方面去取得他的材料。但是，他必须透过民族解放斗争的神圣要求，才能完成他的主题的构成，才能做出他的典型的描写来。"这些观点的提出，都显示了作者认识的明晰和头脑的清醒。

第五，在这些论述中，表达了作者自己坚贞的信念和对文艺工作者的殷切希望。对于抗战文艺事业，穆木天满怀热情，在一系列论著中，他都情不自禁地表露了自己的诚挚的感情。到武汉不久，他就宣誓般地这样写道：“我们是文艺工作者，我们有我们自己的岗位，有我们自己的武器，我们的神圣任务，就是执着我们犀利的武器，站在我们的岗位，捍卫我们的祖国。我们要为民族革命的战争流尽了我们最后一滴血。”他对于诗人的希望是：“一个诗歌工作者的任务，就是要用他的歌声，去武装大众的心灵。这样在我们的时代里，诗歌必须有他的战斗性。”在保卫大武汉悲壮的气氛中，他要据守着“抗战文艺运动的据点”。他这样告诫别人和激励自己：“我们必须在生活实践上武装我们自己，在艺术实践上才能有力。那样，我们的这个伟大的目标，才可以达到，为着这一种完成，去努力吧！我们就是要在同抗战大众打成一片的战斗中实现，把抗战文艺运动完成起来。”字里行间，跳动着一颗忠于祖国、忠于民族、忠于艺术的滚烫的心！

处在风云变幻、动荡不定的战争初起的环境里，这些论述自然都显得零碎和肤浅、单调和浮泛，还不能说已经取得了令人满意的理论成果。但那是一个普列汉诺夫说过的思想内容压倒了艺术形式的时代，它毕竟标示了抗战诗歌理论与民族解放斗争任务相协调相统一的前进。

1938年夏天，武汉已处于日寇猛烈的炮火轰击之下，夫人彭慧于6月已携孩子先期去云南，受“全国文协”委托，他身负“负责筹备昆明文协分会”的任务，7月中旬，穆木天告别他生活战斗了一年的武汉，奔赴云南，开始了新的战斗。

抗战文艺运动的捍卫者

——孔罗荪

抗日战争时期，文艺理论家孔罗荪，辗转于东北、上海、武汉、重庆等地，业余从事杂文、短篇小说和文学评论的写作，先后使用过数十个笔名，例如鲁荪、叶知秋、宇文宙、野黎、毕端、周梵、罗衣寒、一寒、董代、孟丝蕉、周宓、黎等。

新中国成立后，他到南京市文联，专门从事文学工作，只使用一个名字：罗荪。

孔罗荪，出生于山东济南，在上海开始读书，在中学时即爱好文学，他说：“我在汇文读书的时候，来了一位语文老师向培良，后来从鲁迅的作品中知道他是五四时期的一位作家。由于他来担任语文课，倒是作了我的启蒙老师，从而引起我对新文学的兴趣。”正式开始写作却是在北方的哈尔滨，16 岁的罗荪，向《晨光报》和《国际协报》投稿，发表短篇小说和散文，也写一些文艺批评和研究论文。

这只是他文学上的“演习”阶段，开展的是“打靶练兵”活动，他的现实主义文学思想成熟于抗日战争时期。

抗战爆发前夕，他应朋友之邀到武汉，一边在邮局供职，一边业余时间到《大光报》主编文学副刊《紫线》。他大量写作杂文、短篇小说和散文。1936 年汉口一般出版社出版了他的第一个杂文集《野火集》，罗荪成为活跃在江汉文坛上的有影响的文学青年。

他仍然是一位业余作家。

抗战爆发后，武汉一度成为全国抗日的中心，他主编《战斗》旬刊，这是抗战烽火中在武汉最早出现的一个宣传抗战的综合杂志。不久，发起、筹备并参加“全国文协”，当选为理事，担任文协机关刊物《抗战文艺》的编委。他把自己的大部分精力，耗费在编辑的繁忙中，编委会由散居在全国各地的作家 33 人组成，日常主持编务的是罗荪、适夷、锡金和姚蓬子 4 人，他们要包揽“从组稿、编排、接洽印刷厂、到校对、发行等一切工作”。刊物自 1938 年 5 月武汉创刊至 1946 年 5 月重庆终刊，先后五易发行所，坚持八年之久，是和抗战相始终的唯一文艺刊物。在艰苦卓绝的抗日战争取得决定性胜利之后，“文协”负责人老舍在回顾《抗战文艺》的艰难历程后，满怀感慨地说：“它实在是一部值得重视的文献。它不单刊露了战时的文艺创作，也发表了战时文艺的一切意见与讨论，并且报告了许多文艺者的活动。它是文，也是史。它将成为将来文学史上一些最重要的资料。”对于罗荪等人的辛苦劳作难以忘

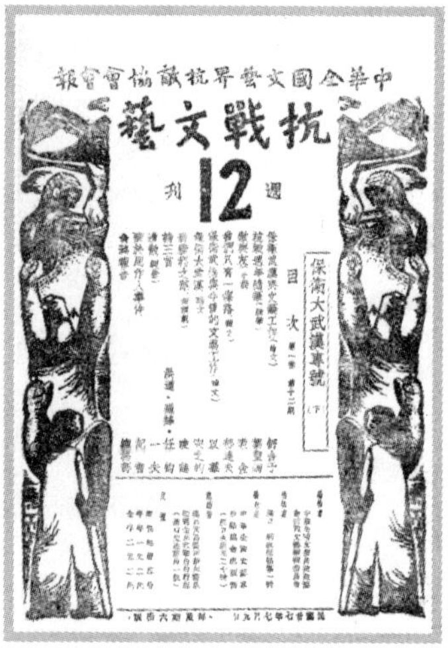

■ 特刊：《抗战文艺·保卫大武汉专号》

怀，他说："最热心的是姚蓬子、适夷、孔罗荪与锡金几位先生，他们昼夜的为它操作，奔忙……在武汉撤退的时候，有一部分会员，仍停留在那里，他们——像冯乃超和孔罗荪先生——决定非至万不得已的时候不离开武汉。"

在《抗战文艺》以及随后的《文艺阵地》和《文学月报》的编辑工作中，我们不单看到了一个勤勤恳恳编辑家的孔罗荪，也看到了一个才思敏捷文学批评家的孔罗荪。

在抗日战争时期，他除了和罗烽、萧红、舒群、锡金、适夷、王莹等集体创作了一个多幕剧《台儿庄》和一个短篇小说集《寂寞》之外，还出版了《文艺漫笔》（重庆读书生活出版社）、《小雨点》（桂林野草出版社）、《最后的旗帜》（重庆当今出版）三个论文集。此外，还有一大批长长短短的文艺评论如《武汉抗战四周年》、《孤岛上的文人与文坛》、《抗战前后的武汉文坛》、《关于鲁迅的〈明天〉》、《祝"全国文协"成立》、《要争取更大的胜利》、《哭泣文学种种》、《略论口号的滥用》、《略论文学》、《历史文体》、《谈人格》、《学习和研究》等散见于《新华日报》、《大公报》、《新蜀报》、《读书月报》、《文学月报》等刊物，用力之勤，写作之快，成绩之大，令人惊叹。不要忘了，他一直在武汉的一个邮局担任着职员，始终只是一个业余的编辑和作家。

纵览他那些积案盈尺的著述，我们看到的是罗荪现实主义文学思想的成熟和他对现实主义文学传统的坚持。罗荪的现实主义文学思想具体体现在世界观与创作方法、文艺与生活的关系和艺术典型的创造三个方面。

抗战开始后，曾经有人写过一首题为《焦土礼赞》的诗：

这是一片焦土——
没有了人烟，
没有了屋宇，
也没有了蓬草；
只是一堆一堆的碎砖瓦砾，
只是迤逦如带的断垣残壁，
这些烬余的废墟，
好似风化的岩石，在突兀不平的展伸着；

这些支离破碎的白骨骷髅，
暴露了尽让狂风暴雨去打击；
直径丈来阔的土坑，炸得像王家庄里的毛厕。
星罗棋布，满目皆是，
……钢皮，铁屑，片片儿的散在周遭的土泥里
仿佛是春天农家播种下去的种子。
一到黑的黄昏时节，
星星的磷火，炎夏的流萤那么地飞舞着，
惨惨的阴风，飒飒地在动荡，
这里一切全令人毛发凛凛，
尤其在风雨淋漓的午夜，
荒凉，萧索，鬼哭，神号，更搅，
人们心底的惨痛！
呵！幽灵啊！

这是一首什么样的诗？它表达了什么主题？在诗歌中体现着一种什么样的创作思想？在评价《焦土礼赞》时，罗荪批评了这首诗“客观主义”倾向，和一些肯定论者发生了很大的分歧。他写了《关于“现实主义”》一文，接着又写了一篇《关于现实主义》，从而引发了一场有关现实主义的论辩。

表现在这两篇同一题目文章中的看法和他一贯坚持的现实主义中生活与艺术相统一的观点是一致的。他说：“这类‘静物写生画’式的作品，绝非‘现实主义’的产物，因为现实主义并不解释作‘主义’，也不是以罗列现象，描绘静止不变的事物为原则的。”客观主义强调艺术对生活的“还原”，表面上看是在忠实地毫不走样地描摹生活，但那是对现实主义的一种普遍的曲解。出现在这样的作品中的，不过是现象的描写和材料的堆积。作家应该对现实生活加以考察和提炼，经过研究和分析，然后予以艺术的表现，不仅要反映社会生活的本质，还得看出它的发展，而不是成为现实停滞与凝固的一种具象。因此，他说过：“反映生活，并不是单纯的描写生活现象，而是要正确的描写生活的本质。”他还指出：“作家应该‘反映’现实，但不是把现实‘还原’。单是还原地将事件烦琐的、无剪裁的规程起来，那不是艺术的创造物，而是拙

劣的‘照像’，失掉了教育意义的‘照像’。”

《焦土礼赞》的失败就是一例。它是以纯客观主义反映论的面目出现，表现在文学上的是一种虚弱病症，是一种伪现实主义。

罗荪在《抗战文艺运动鸟瞰》、《现实主义的正确描写》等文中，对与客观主义患有同一种公式主义、摄影主义和概念化的倾向提出严肃的批评，把它们称作“妨碍着现实主义文学发展的固障”。他探讨了这些弊端产生的根由，分析了“预先设定”主题和将复杂事象直线化的“两种现象”，开出了医治的“处方”。他认为，产生这些问题有多方面的原因，是由于作家对现实生活认识得不够透彻，对题材把握得不够熟悉，对现实现象分析得不够明了，对事件发展及其相互关系及因果观察得不够深刻。因此一再强调要作家“真切的认识和理解生活”，“深入生活，熟悉生活，把握其间相互的联结，个人生活与社会生活的关系，及其事件的本质发展”，呼唤一切文艺工作者“突进战斗的生活的密林”！他说：“早就有人指出过了，公式主义并不在‘太热衷抗战’，倒恰恰是并没有‘太热衷’的原因。只看见了表面，只站在事件的外面了，那末，不是公式主义，就是客观主义。要‘正确地描写现实’，还是需要作家跨进一步，走进事件的里面去，混进自己的感情和血肉去，才能有真正的艺术创造。”

■ 孔罗荪主编的《战斗》

在现实主义的另一个理论问题，世界观与创作的关系上，他在《关于现实主义》和《文学批评与鉴赏》等论文中，着重论述了“创作方法和世界观仍然是统一的东西”。一方面，他坚持世界观与现实主义创作方法不可分割的关系，“如果把社会现象的客观性与作家的主观世界机械地割开来，那不是正确理解现实主义的方法”。正确的世界观固然能帮助作家认识现实，掘发真实，但“单凭感觉的认识来反映客观世界，并不能正确的创造艺术，描写现实”，艺术是一个从感觉到思维的运动的不可分离的过程，所以，另一方面，他也指出：“脱离了生活实践而单单把握了正确的世界观，也只能是架在空中的楼阁”。特别重要的是，他不仅指出了两者之间的辩证关系，而且论述了“世界观和现实生活同样是发展的，不是固定不变的东西”。在他看来，作家的世界观，是作家在社会阶层的生活中形成、变化与发展的，不能“把世界观当成一次成就的意识来理解”。正是如此，他反对用二元论的观点审视和评价巴尔扎克，以致将思想家的巴尔扎克和艺术家的巴尔扎克放在对立的两个方面，他认为巴尔扎克虽然在政治上是一个保皇党，但他却是一个小资产阶级意识的代表和艺术家，他能洞见旧的行将崩溃，新的正在成长，“巴尔扎克在事实之外，掘发了现实的真象”，“他才不能不违反了他阶级的同情，而描写了真实”，这种认识，今天看来，也不失理论家的深刻与明晰！

罗荪现实主义文学思想的第三个方面，是他注重艺术典型的创造，在《漫谈抗战文学》、《抗战三年来的创作活动》、《掘发人性》、《人和典型》中，作了充分的论述。在分析抗战初期文学的失误时，他认为一个突出的缺点便是“作家在初期过分地着重了英勇壮烈的事件，而忽略了在这英勇壮烈事件中的人——典型”。因此他强调创造艺术典型的重要。“要学习研究人。读人！所谓‘读人’！正是要求一个作家把‘人物’当分析和研究的基本对象，一如科学家分析和研究他的对象一样精细。”他在《人与典型》一文中，这样写道：

> 文艺作家的主要工作就是要怎样地来描写人，刻画人。文学的任务就是把现实的现象典型化，因为文学是通过具体形象来表现思维，来认识客观真理的。所以创造典型（写人）便成为文艺作家的工作中心了。

从这一点出发，他满腔热情地对待出现在抗战文艺作品中的“典型性格的雏形”，对黄钢的《开麦拉之前的汪精卫》、张天翼的《华威先生》、黄药的《张国瑞先生的一群》、老舍的《残雾》中出现的新的人民欺骗者，对姚雪垠的《差半车麦秸》、SM 的《从攻击到防御》、野蕻的《新垦地》、刘白羽的《五台山下》、荒煤的《只是一个人》、艾芜的《受难者》、碧野的《北方的原野》中出现的新的人民领导者的典型，喜形于色，大加赞赏。在人物的典型化问题上，罗荪推崇必须“写出人物的必然的发展，必须掘发从负到正这之间的矛盾斗争过程”，充分展示人物丰富多彩的感情世界，反对脸谱化和简单化。在他眼中，创造的典型应当是“比现实更为完全，更为凸出的形象”。罗荪不遗余力强调创造艺术典型，是现实主义“塑造典型环境中典型性格”的要求，也是他力图对当时文学创作倾斜的一种补偏救弊！

罗荪还是一位抗战文学的保卫者。

1938 年 12 月 1 日，梁实秋在他主编的《中央日报》副刊《平明》上发表了一篇《编者的话》，抛出了“与抗战无关论”，三天之后，罗荪在《大公报》上发表《“与抗战无关论”》一文，对梁实秋的文章提出批评。

文坛亮起了一颗批判脱离现实的错误倾向的信号弹。

此论一出，重庆、上海、香港各地引起了不小的反响，在《抗战文艺》、《文学月刊》、《大公报》、《新蜀报》等报刊上，陆续发表了郭沫若、宋之的、张天翼和陈白尘等的文章对梁文予以驳斥。罗荪又接着撰写了《再论“与抗战无关”》，再一次表明自己鲜明的态度，他说：“我再肯定的说一遍：中国是没有与抗战无关的地方的！”虽然 1939 年 4 月 1 日，梁实秋在《中央日报》发表《梁实秋告辞》一文，辞去《平明》副刊的主编，离开了重庆，可是对于这场批评，他却一直耿耿于怀。事隔三年之后，梁实秋在一篇《读〈骆驼祥子〉》的文章中借题发挥地写道：“《骆驼祥子》虽与抗战无关，但由于它的艺术成功，仍然值得我们推荐。”罗荪一笑之后，在他为《小雨点》写的一则《后记》中说：“老舍先生的《骆驼祥子》是抗战以前的作品，值得推荐与否，却并不在于‘与抗战无关’否，而在于作品本身的对于现实的贡献。进一步说，在今天要求抗战文艺，却并不抹煞抗战以前的优秀作品，同样也还更需要接受世界优良的文学作品，又何止于推荐呢？然而，却并不因此，而为‘与抗战无关’者作装饰，是极清楚的事情，正因为一个艺术家，必然反映现实，所以老舍先生自抗战以来所写的作品便很自然是‘与抗战有关’了。”给了梁实秋一记闷棍。对于文艺脱离现实、脱离政治的错误，罗荪一直坚持进行不懈斗争，在稍后写成的一篇文章中他更明确地指出：“现阶段的革命任务担负着引领民族精神、昂扬战斗情绪的伟大作用，因此，当前的文学运动便必然服务于抗战，这是毫无疑问的。”

十分有趣的是，围绕“与抗战无关”的一场论争过去了 40 年之后，1980 年 6 月在法国巴黎由国外汉学家召开的“中国抗战文学讨论会”上，香港大学代表梁佳萝旧事重提，认为当年对“与抗战无关”论的批评是“不公平”的，批评者是“政客”，是“可悲的”，对梁实秋“应当给予应有的历史地位”。恰巧当事人罗荪也应邀在座。他不同意梁佳萝的“平反”，在一篇题为《值得纪念的抗战文学运动》中，罗荪坚持他的观点说：“那一场关于‘与抗战无关’的争论，实际是坚持现实主义原则，还是脱离或否定现实主义的问题……所以梁实秋的提倡‘与抗战无关’正是贯彻他的始终不变的主张‘群众与文学是无缘的’。这样一来，他就把轰轰烈烈的抗战文艺从广大群众中拉了开去。”

看来，这场论争还得继续下去。

■ 武汉文化界的救亡化装游行

烽烟烈火中的文化斗士

——冯乃超

优秀的无产阶级战士、革命活动家、创造社著名诗人冯乃超同志，从1932年到1938年，曾在武汉度过了一段难忘的战斗岁月，为江城的革命和文化事业作出过重要贡献。

蛰居紫阳湖畔

冯乃超，原籍广东省南海县。1901年10月18日出生在日本横滨市一个华侨商人家庭。他在日本读完小学、中学和大学，早年曾加入日本革命组织马列主义研究会。1927年回国参加革命，是革命文学团体创造社的骨干之一。次年加入中国左翼作家联盟，是《左联理论纲领》的起草人，并任左联第一届党团书记，后又任文化总同盟党团书记和党刊《红旗报》编辑。1932年冬天，他化名冯子韬，和夫人李声韵一起潜来武汉，蛰居在武昌紫阳湖畔。李声韵的父亲李书城是国民党元老，当时正在湖北省建设厅厅长的任上。冯乃超便作为他的“帮办秘书”任职于建设厅。

不久，他又随李老先生调任民政厅的第三科选举股股长。到武汉后，冯乃超暂时收起纸笔，放弃写作，行动十分谨慎，但实际上他的革命工作并未停止。在冷静的观察中，他对武汉的革命形势和文坛现状作了细致调查和分析，对周围的社会团体和武汉文学青年作了周详的考察和识别。他把自己的精力主要放在对武汉文学青年的教育和培养上。他曾用谈论法国作家莫罗阿的《人生五大问题》一书的形式，对蒋锡金作过“思想测验”，从而相互间确立了同志般的信任。时过半个世纪，蒋锡金在东北师范大学担任教授。当我们采访已白发苍苍的这位老学者时，遥想当年，他深情地说：“冯乃超是带我走向革命的领路人，也是文学的指路人，是我人生的启蒙老师呀！”不久，武汉的李任子、沙蕾、伍禾等富有正义感的热血青年也会聚到冯乃超的身边。

抗战烽火中的文化斗士

1937年7月，卢沟桥反侵略的枪声打响，举国振奋，民意沸腾，抗日声浪席卷楚天。冯乃超无限兴奋，走出蛰居五年的小屋，以公开身份，投入了江城的抗战救亡运动。为了动员民众，他和孔罗荪、夏特伦、蒋锡金一起，自筹资金五十四元，在武昌胡林翼路（今民主路）办起了战斗书店，销售宣传抗战的进步书刊。每天来买书看书的读者络绎不绝，书店一直坚持到武汉沦陷才被迫关闭。接着，他们又突破政府当局设置的种种关卡，克服了纸张、印刷、发行等困难，于1937年9月18日出版了武汉最早的抗战综合杂志《战斗旬刊》，用他的话说，是“为大家垒起一座文化抗战的碉堡”。他还兴奋地说：“武汉一向为文化后方，在十年前，曾经一度做过各地文化青年心向往之的目标，而高喊‘到武汉去’，可是为了种种关系，终于没有把它培植成一个绿洲。现在呢？为了全面抗战的展开，平、津、京、沪的文化人，不但重喊口号而且实践着‘到武汉去’的口号了。”刊物旗帜鲜明地发表过桂涛声的《纪念十月革命与抗战的意义》、史沫特莱的《我来自伟大的战场》等一系列文章，为广大青年开辟了一块文化的阵地，产生过较大影响。

抗战初期，建立抗日民族统一战线是党的工作重心，为了迅速改变武汉文化界盲目和混乱的状况，必须使文艺界各派力量在抗日爱国的旗帜下团结起来。遵照安排，冯乃超全力以赴投入了组建文艺界统一战线团体的工作。1937年12月19日，他出席武汉文化界抗敌协会成立大会，当选为协会理事，担任该会文艺工作委员会委员。紧接着，他又四处奔波，为筹备全国文艺界统一战线组织而繁忙，发起成立中华全国文艺界抗敌协会，列名于《发起旨趣》中。他大声疾呼：“把中华民族文艺伟大的光芒，照彻全世界，照彻全人类，这任务在我们全中国文艺工作友人们的肩上，我们大声呼号：希望大家来树这面中华全国文艺界抗敌协会大旗！”他担任筹委会书记，起草了《文协简章》。1938年3月27日，在日机轰炸声中，他出席文协成立大会，担任大会秘书，并当选为理事。在第一次理事会上，他又被推举为常务理事，担任会刊《抗战文艺》编委。为了集中力量搞好文艺界的统战工作，他和罗荪主动停编已刊出了22期的《战斗旬刊》，一心致力于武汉抗战文艺运动的开展。

朗诵诗的出现，受到群众的欢迎，使这一形式成为了抗战诗歌的一支先锋队，它的成长和发展在武汉掀起了抗战文艺普适性的巨大浪潮。而冯乃超则是这场彪炳于新文学史册的朗诵诗运动的倡导者、组织者和参加者之一。1937年9月，他在《文艺》五卷三期上发表了《诗歌的宣言》，诗中写道：

拨动手中的竖琴，
我们整队作跋涉的游吟，
让大众的意志得到语言的表现，

让我们唤醒每颗睡着的心。

让诗歌的触手伸到街头，伸到穷乡，
让它吸收埋藏在土里未经发掘的营养，
让它哑了的嗓音润泽，断了的声带重张；
让我们用活的语言作民族解放的歌唱。
…………

这首诗被当时群众称为“听的诗”，在三镇广为传播，推动了武汉诗朗诵活动的开展。一个半月后，著名诗人穆木天创办《时调》，对冯乃超的这首诗珍爱不已，又改名为《宣言》，将原诗在创刊号篇首再次发表。在仅距四十六天这样短的时间内，同一首诗在武汉两家刊物先后在显要位置刊登，多次在群众集会上朗诵，并在电台广播，这种情况是很罕见的。在当时，它确实强烈地震动了抗战诗坛，惊动了不少在室内执笔凝思的诗人，同时还引起了文坛上一场关于诗歌与现实关系问题的讨论。因此，这首诗被文学史学家誉为“诗歌运动倡导的《宣言》”。

9月的一天，穆木天、蒋锡金、叶平林等诗人聚会于汉口德明饭店纵谈诗歌问题，吟诗言志。在大家的鼓掌声中，冯乃超手持原稿当着众多诗人的面，又满怀激情地朗诵《宣言》。看来，这首诗不但深受读者喜爱，还是诗人自己的得意之作哩。

■ 1938年冯乃超（左二）与阳翰笙（右一）杜国庠（右二）田汉（右四）在武汉

在保卫大武汉的斗争中奋进

1938年4月1日，国民政府军委会政治部第三厅成立，冯乃超奉命调任三厅对敌工作处第三科科长。为了把三厅“建设成为以共产党为核心，动员各民主党派、人民团体和民主人士来参加的抗日民族统一战线的机构”，必须保证党对三厅的组织领导。根据周恩来的指示在三厅内设立了中共特别支部，冯乃超担任特支书记，并负责和三厅隶属下的十个抗敌演剧队、四个抗敌宣传队中的地下支部保持联系。在及时传达党的指示，学习贯彻党的政策，整肃党的队伍方面，作为书记的冯乃超起过重要作用。

在三厅，他积极参加“扩大宣传周”、“雪耻和兵役宣传”、“七七周年纪念”等大型宣传活动。特别是“献金运动”中，他在武昌司门口的献金台上，组织、宣传和热情接待群众，整整坚守了五天。他用熬红的双眼看着川流不息的献金人流，心中充满了感动和喜悦。为了使这一爱国壮举能流传后世，昭示子孙，献金刚完，他又夜以继日地负责编印了巨册盈寸的献金报告《征信录》，真实而详尽地笔录了这次极其盛大的、自发的“献金狂潮”。在相隔了十年后，郭沫若谈及此书时，还无限深情地写道：“谁有这本书的，我希望不要轻视它，不要以为只是一些市井小民的零碎账目而任意把它扔掉。我希望把它当成一部大有神圣意味的圣经贤传看待——不，这样还说得太菲薄了。认真说，假如今天谁还保存这本书，我倒要奉劝他，把它当成国宝，子子孙孙永保。”

■ 战地招降敌军的漫画传单

作为对敌宣传科的负责人，冯乃超在对敌宣传和国际宣传方面也取得了很大成绩。他领导日本反战斗士鹿地亘、青山和绿川英子开展日语播

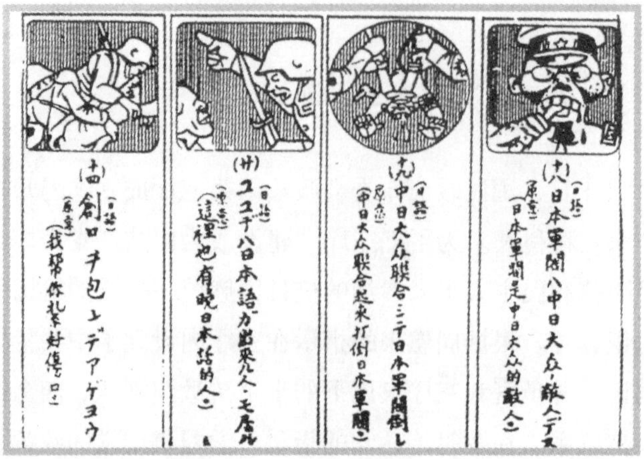

■ 三厅对敌工作处向日军散发的招降宣传品

音，向世界报道中国抗战的实况，编发《日寇暴行实录》画册，寄送英、美、加拿大、埃及、巴基斯坦等国，为中国抗战赢得国际同情。他负责编印的《国际反日援华大事记》、《郭厅长告日本将士书》等反战传单和大批战俘优待证，这些材料就和中国部队射向敌人的子弹一样，从空中、从陆地倾泻在日军阵地上，引起过敌人巨大的震骇。

在繁忙的社会活动之外，冯乃超还经常参加文艺界的各项活动，积极从事写作和编辑工作。1938 年 5 月 10 日，他在《给周作人的一封公开信》上签名，痛斥周作人的变节附逆行为；5 月 15 日，在武昌参加“通俗文艺座谈会”，参与研究士兵通俗读物的编写；6 月 5 日，在欢迎国际学生代表大会上，他满怀热情地说：“古老的中国，在敌人凶残炮火的洗礼之中净化了。新的中国在神圣的自卫战争中，在颓垣破瓦的废墟中，慢慢地建立起来。我们充分的有这个自信。”他无法遏制自己的激情，无论是在七月社召开的文艺座谈会，还是在“文协”主持的鲁迅逝世周年祭纪念会上，大家都能听到冯乃超激昂慷慨的发言。

1938 年 7 月以后，武汉已处在危急之中，“文协”总部迁往重庆，冯乃超在汉口三教街（今鄱阳街）九号的住所，成了留汉会员的会聚之地，大家在那里开会、写作编印刊物。不久，“文协”留汉出版部索性搬到他家里办公。当主持《抗战文艺》日常编务的姚蓬子、楼适夷、蒋锡金相继离汉后，9 月中旬，冯乃超临危受命，肩负起了编辑《抗战文艺・武汉特刊》的繁重任务。在武汉沦陷前不到一个月的时间里，他和罗荪、戈宝权、叶以群一起连

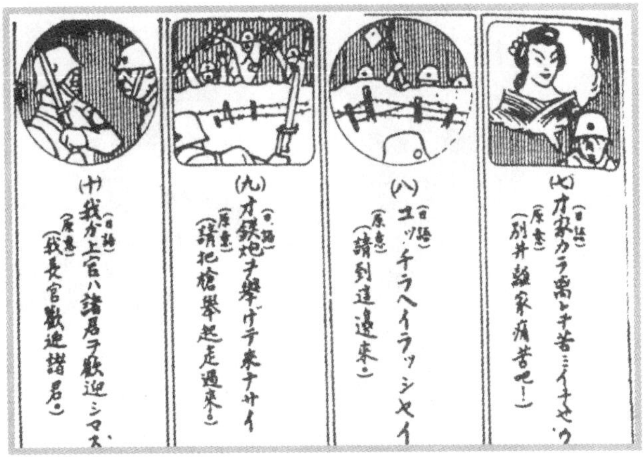

■ 三厅对敌工作处在战地散发的的招降传单

续编发了四期《武汉特刊》，在《发起“保卫大武汉的斗争”》（代发刊词）中他们充满自信地写道：“武汉现在不是处于无文化状态中，相反的，她的文化中心的地位并不因文化设备的大部后撤而失堕。这里还留着几家国内权威的报纸，留着不少战斗的团体及文化人，因为它是战斗的中心，热血沸腾的中心。”他还迎着弥漫的炮火，两次代表武汉文化界到鄂东前线慰问，向坚守在前沿阵地的战士散发墨迹未干的《抗战文艺·武汉特刊》。10 月 19 日，冯乃超还和周恩来、郭沫若、田汉等人一起出席武汉文化界纪念鲁迅逝世两周年大会，在轰炸声中纪念这位革命文艺的先驱。

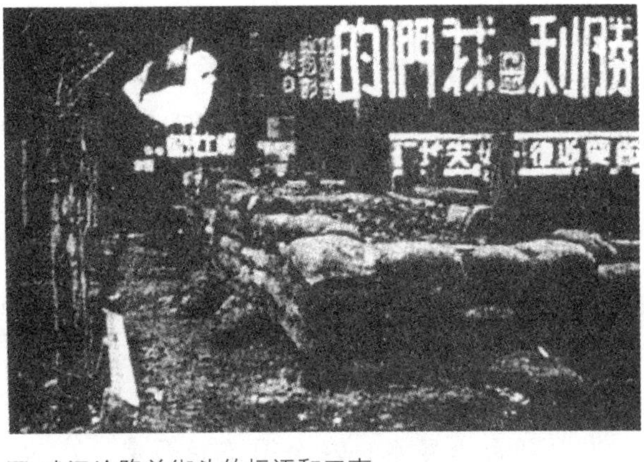

■ 武汉沦陷前街头的标语和工事

作为一名忠诚的文化斗士，冯乃超同志直到 10 月 21 日，即武汉沦陷前三天，才离开他战斗了七年多的三楚大地。

戏剧的抗争 诗歌的呐喊

——光未然

五月的鲜花，开遍了原野，
鲜花掩盖着志士的鲜血。
为了挽救这垂危的民族，
他们曾顽强地战斗不歇。

1935 年 8 月，抗日救亡歌曲《五月的鲜花》在汉口创作问世。就像长出了激情的翅膀，这支歌从扬子江畔飞向长城内外，飞到白山黑水，在全国不胫而走，广为传唱。在一二·九运动中，成为斗争的旗帜和号角，鼓舞着人民参加战斗。

这首著名歌曲的词作者，是当时年仅 22 岁的湖北青年光未然。

一二·九运动时期的抗日文艺活动

光未然，原名张文光，又名张光年。1913年出生在湖北光化县一个旧式钱庄职员的家庭里。大革命时期，他就参加了党领导的地下活动。1929年，十五六岁的张光年就加入了中国共产党，担任地下县委的联络员。1930年秋到武汉中华大学求学。他当时正在一家小书店当伙计，酷爱读书的他对文艺兴趣甚浓，立志学习创作并投身于革命文艺运动。到中华大学之前，他写了一首这样的诗：

少年涉江去，四海为家乡，
更名改习惯，江海两相忘。
汉江一掬水，注入长江水，
长江一朵浪，汇入黄河黄。

诗歌表达了自己与国家、民族同甘共苦的愿望和决心。他来到武汉后，那时的江城文坛是一片荒芜寂寞的沙漠，他决心冲破沉闷，亮起炬火，但又觉得任重道远，自己年少气盛，“尚未燃烧发光”，便起了个“光未然”的笔名来策励自己。他和几个志同道合的朋友一起讨论国家大事，阅读进步书籍，并深入到工厂和学校进行社会调查，探求拯救中国的道路和办法。为了广泛地进行民众宣传，发起组织戏剧团体秋声剧社，为武汉的话剧做拓荒工作。他既编写剧本，又临场执导，还登台献演。光未然领导的剧团多次进行义务宣传公演。一次，在汉口维多利亚纪念堂公演洪深的话剧《洪

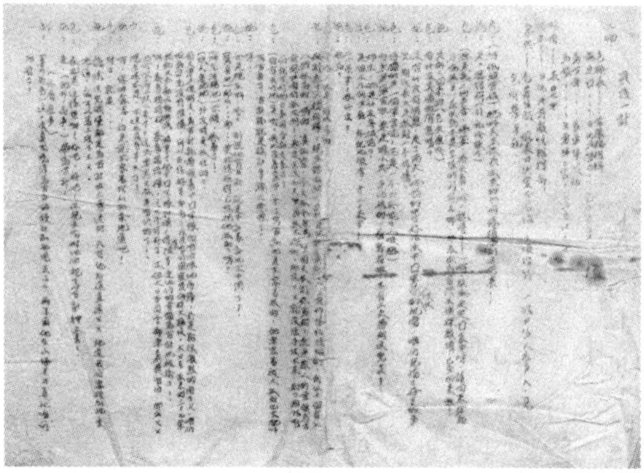

■ 演出的剧目之一《最后一计》

水》，他在剧中饰演主角，表演惟妙惟肖，获得成功，观众赞不绝口。他还主编《鄂北青年》和《艺术周刊》，写作和发表了许多讴歌真理的诗歌、反映现实的剧本和针砭时弊的批评文章。其中《一年来之中国出版界》、《在沙湖》和《戏剧的原始形态》等曾产生过较大的社会影响。

■ 烽火中的抗敌演剧队

日寇进犯华北后，举国震怒，群情激昂，光未然更是义愤填膺，为了激励民气，扩大宣传，他亲自到汉口十余所中学痛说国耻。一二·九运动爆发后，在何伟等的帮助下，他出面组织了汉口市数千人参加的全市第一次抗日大游行。数十所学校青年学生组成的庞大队伍，唱着歌曲，高呼口号，从大智门出发，浩浩荡荡穿过江汉路，当游行队伍来到三民路口时，光未然跳上孙中山铜像台座，发表讲演，他大声疾呼："从今以后，青年需团结起来，做民众的先锋，指导民众迈进抗日，同时我们将进行第二次、第三次大游行，唤起全国爱国青年的抗日意志和决心。"声势浩大的游行，显示了武汉青年的觉醒和力量，三镇为之震动。

在斗争的余暇，光未然从未停下手中的笔，他创作了揭露出版界黑暗的《诗人的受骗》，歌颂东北人民抗日锄奸斗争的《胜利的微笑》和描写东北人民苦难生活的《阿银姑娘》等剧本。

他的两个剧本《胜利的微笑》、《阿银姑娘》和田汉的《水银灯下》被武汉文艺界称为"国防戏剧三部曲"。

七七事变后在汉的抗战文化活动

1937年七七事变发生，伟大的抗日民族解放战争全面爆发。9月，光未然由上海回到武汉，此时的江城已是另一幅景象。中国共产党在卢沟桥事变的次日，向全国同胞发布《中共中央为日军进攻卢沟桥通电》，努力倡导并坚决实行抗日民族统一战线政策，举国上下，抗日救亡的声浪日益高涨。9 月 23 日蒋介石正式发表《对中国共产党宣言的谈话》，承认共产党的合法地位。9 月 24 日光未然在汉口寓所写成《新的形势与新的任务》一文，分析了抗战后的政治形势和文艺界的状况，论述抗日民族统一战线问题。文中他突出地强调了动员民众的重要意义，指出“把广大的中国大众组织起来，教育起来，使成为这一战线的基本支柱才是十分必要的”。在对这场将是旷日持久的战争作了分析与估量之后，清醒地写道：“日本帝国主义不是一年半载可以打倒的，所以这个联合也不是一年半载的事……可以说，联合统一是永久的事业。”对于文学青年在抗战中的任务，他也提出了自己的意见。在抗战初期的惶惑忙乱中，他的清醒明晰的认识是难能可贵的。不久，他投身于实际的抗战工作，为文艺界统一战线的建立奔走呼吁，倡导并组织街头剧运动和朗诵诗运动，为动员民众而繁忙工作着。

■ 率队演出的剧目之一《三江好》

作为全国性文艺界统一战线组织中华全国文艺界抗敌协会的发起人之一，他在《全国文协发起旨趣》上签名。他参加发起中华全国戏剧界抗敌协会，担任常务理事和编译组组长。

1937 年 10 月，拓荒剧团经过整顿后，他担任团长，又一次打出抗战戏剧火红的旗帜，领导剧团参加劳军慰问，举行募捐公演，组织街头宣传，演出过《沦亡以后》、《最后胜利》、《亲善》等一大批锄奸抗日的剧目，被人们称为抗战初期“一枝迎着硝烟烈火怒放的抗战戏剧之花”。在拓荒剧团的基础上，他又从集中到武汉的热血青年中吸收了上海、北京等地流亡来汉的学生，组织了更大规模的中华全国戏剧界抗敌协会话剧移动第七队，其实当时协会中仅有这一支戏剧演出队伍，他们有意将第一队称为第七队，以显示抗日力量的壮大。1938 年 1 月 1 日，他和 28 人整齐列队，打着旗帜，高喊着“到农村去！”的口号从武汉出发，先后到湖北应城、天门、钟祥等地，演出了《放下你的鞭子》、《九一八以来》、《打鬼子去》、《东北一角》、《八杯茶》、《小英雄》、《抗敌演剧队的家乡》等众多剧目，受到群众的极大欢迎。在应城时，由于剧本《从军记》是从当地民歌曲调改编创作而成，群众十分亲切，一些青年受到鼓舞，当场要求参军入伍。在钟祥时，他们演出了《三江好》、《自卫》等剧目，观众反响强烈。一次在给县里的地方武装进行慰问演出时，一支三百人的地方武装竟提出要求将自己改编为抗日队伍的意愿，使演员们深受感动。从湖北辗转到延安后，他带领抗敌救亡演剧第三队辗转于晋西一带，从事抗日宣传活动。

■《黄河大合唱》油印本

在担任“文协”一个诗歌朗诵队的队长时，他还致力于朗诵诗的创作和倡导，推行“诗歌的语言，主要地不是诉诸于视觉，而是诸于听觉的主张”，他在武汉的群众大会上朗诵富有鼓动性的短诗。到重庆后，他发起建立中国诗人节，并在第一届诗人节上朗诵自己的长篇叙事诗《屈原》。为朗诵运动的开展架桥铺路，鸣锣开道，被诗人臧云远称为“无形的艺术指导，朗诵示范”。

在火热的斗争生活中，光未然找到了自己的亲密的伙伴和事业的知音，第三厅工作的日子里，在武昌昙华林，他和冼星海同居一室，朝夕相处，写词编曲，珠联璧合，配合默契，创作了《新时代的歌手》、《戏剧抗战》、《新中国》、《纪念五一节》、《拓荒歌》等深受群众欢迎的歌曲。其后在延安，他们再度合作，完成了伟大民族精神的颂歌《黄河大合唱》。光未然和冼星海的名字，成为闪烁在中国音乐史上耀眼的双星。

在伟大的民族解放斗争中，他取得了创作生涯中最丰厚的果实：

剧本：《火把》、《沦亡之路》、《难民曲》、《亲善》。1938年汉口扬子江出版社出版了他的《街头剧创作集》。

诗歌：短诗《为独立自由的新中国而奋斗》、《拓荒之歌》、《战时的歌手》、《烦躁》、《眼睛》、《细菌》、《去你的》，组诗《黄河大合唱》，长篇叙事诗《屈原》，长诗《绿色的伊拉瓦底》，讽刺诗《市侩颂》、《我嘲笑》等，出版过诗集《雷》。

在全民抗战的宏大背景下，光未然的家乡老河口是第五战区司令部所在地，也是抗战文化宣传最活跃的地区之一，这与光未然的积极促成是分不开的。他与伍禾、臧克家、姚雪垠等人组织了抗日文化宣传队，常常带领大批文艺工作者深入群众中去开展宣传活动，这一时期是老河口文化活动最繁忙最活跃的时期。

文艺思想和评论活动

在抗战文坛上，光未然是诗人、剧作家，也是一位活跃的文艺批评家和文艺活动家。针对抗战时期剧坛上一度出现过脱离现实的软性戏剧和剧业人的某些恶习，他写了《庸俗的戏剧运动批判》，批评了存在于戏剧运动中的庸俗化现象，号召广大戏剧工作者认清形势，摒弃旧习，投身于民族解放的伟大斗争。他的《论战时文艺总动员》和《战时戏剧引论》两文，对正在兴起的抗战文艺运动提出了自己的看法和较完整的主张。他认为，文艺应该成为抗战中的一种武器，担负起动员民众，宣传抗战的时代使命。而要做到这一点，首先是要缩短文艺与人民大众的距离。他呼吁战时的文艺到街头上去，到广场上去，到群众中去，提出建立“文艺轻骑队”的主张，并以创作歌词、街头剧和朗诵诗的实践身体力行。

对街头剧的创作和演出，光未然进行了较系统的研究，提出了一系列的理论主张。在《论街头剧》、《街头剧和朗诵方法》、《街头剧创作集前记》等文中对街头剧的产生、性质、特质、创作方法和演出实践作了全面的探讨。他认为街头剧是一种大众剧，是“能以最便捷的方式，用最简单的设备，传达最通俗的剧情，而能在街头或旷野上实地演出”的戏剧形式。强调街头剧的本质特征是简便、自然、真实，提出这类剧应充分考虑在演出时“没有布景”、“打破幕限”、“不用灯光”、“避免化妆”、“不用音响效果”的特殊要求，剧情应单纯、明了，情节集中。对话应通俗，口语化，打破了既往戏剧中演员和观众、台上和台下、布景与自然不可逾越的三大界限。以“能流动演出”和“实地演出”为原则。这种理论适应了急剧变化的战争形式对文艺的要求，很快被运用和推广开来。光未然街头剧理论在实践中的成功，使话剧在形式上突破了大舞台和现代化设备的束缚，使戏剧在一定程度上走向了通俗化和大众化。

光未然以他的街头剧创作及他所领导过的拓荒剧团和抗敌救亡演剧第三队的演出，实践着上述主张。著名的抗战街头剧《难民曲》是他根据自己在上海难民收容所工作的真实感受创作而成的。剧本描写上海遭到日军炮轰后，两个失业的纱厂女工唐阿英和李阿珍，在工厂胡老板的带领下踏上流亡之路，成了沿途卖唱度日的难民。某日来到一地，在卖唱时，被当地劣绅赵大爷看中，欲纳为妾，老板和赵大爷串通一气，将二人出卖，但遭到拒绝，引起争执，在大街上激起民愤。来处理纠纷的警察，恰巧是战乱中失散了三年的李阿珍的大哥，兄妹相见，悲喜交集，各自讲述自己的遭遇，诉说他们家破人亡、亲人离散的痛苦，控诉日寇犯下的罪行，围观的群众气愤填膺，高呼打倒日本帝国主义的口号，胡、赵二恶，受到人们的鄙视与惩罚。剧作独具慧眼，既描绘了民族矛盾，又反映了阶级斗争，给悲剧以喜剧的结尾，惩恶扬善，大快人心。剧情集中，人物较少，穿插着小曲和口号，活泼多趣，富于变化。故事就发生在大街上，群众演员隐藏在观众中推波助澜，很自然地引起观众感情的交流和共鸣。全剧无幕限，不用化妆，不设布景，实感强，演出效果很好。

他的另一个街头剧《亲善》以演剧车作为舞台，移动灵活，适于街头、前线、农村等各种场合演出。这些剧本被各剧团竞相上演，成为抗战初期很受欢迎的群众剧目。曾经刊载《难民曲》的《大公报》给予该剧很高评价，在一则《编者的话》中编辑高兴地写道：“普及一月，编者陈纪滢先生接到各地演出报告的信已达二三十封，同时来函催问单行本的，日必数起。”受到欢迎的情况，由此可见一斑。

■《街头剧》书影

《抗战时期的戏剧运动》是代表了他对一个时期戏剧总体看法的一篇论文，文章从戏剧与时代的关系着眼展开论述，作者写道：“中国的戏剧运动自来便和民族解放运动有着不可分解的关系，可以说，戏剧运动是整个民族解放运动中之一环。中国戏剧界一开始便在这个运动中担负了神圣的战斗任务”。从这里出发，文章分析了抗战戏剧运动的几个特征，即“戏剧运动在抗战中路线的统一”，“戏剧从都市移到内地及乡村”，“戏剧运动战时的移动方式”；“新的更大的戏剧队伍在抗战中的产生”；“戏剧不再为戏剧界所私有”；“街头剧成为战时戏剧的主要形式”。这几个特点较准确地概括了抗战戏剧运动所显现的外部特征，对话剧的突变与演进作了乐观的估量。对于抗战戏剧运动的进一步展开，光未然提出了“目前戏剧界应该进行的工作”，这些意见的提出是适合当时戏剧运动现状的，对抗战戏剧的进一步发展起了推动和促进作用。

1938年8月，他随一支抗敌宣传队奔赴吕梁山区，又一次离开故乡，此后一直辗转于延安、重庆等地从事抗战文化活动。

他在从事文学创作时，多用“光未然”的笔名，撰写文学评论时大都署名“张光年”，以致常常被人误为两人。

■ 武汉街头的抗战宣传演出

长江风云录

——范长江

1936年5月，一位《大公报》记者从上海出发，沿长江而上，经江油、松潘、兰州、岷县、敦煌、玉门、西宁、五原等西北及西南地区，纵横六千多里，历时半年有余，考察采访，完成了他的中国西部之行。他以一个记者的敏锐，预感到日本觊觎既久，中日之战必开，西部将成为我们持久抗战的大后方。他将此行的记录在报刊陆续发表后，又结集为《中国的西北角》一书出版。这些文字用犀利的笔锋挑开了笼罩在西部地区的神秘面纱，描绘了该地区尖锐的民族问题和复杂的宗教纠纷，将人民的苦难和贫困的现实第一次全面地披露在全国人民面前，并真实记载了红军长征艰难险阻的足迹。此书的出版使社会震动，中外注目，在几个月内，连续7次再版，仍被抢购一空。这本在中国新闻史上占有重要地位著作的作者，是当时年仅26岁的青年记者范长江。

1927 年，在第一次国内革命战争轰轰烈烈的日子里，18 岁的范长江抱着革命的决心，一腔热血，辞别家人，越巴山，穿夔门，顺江直下，第一次来到武汉，加入二十军学生营，课文习武，东征西讨，在大革命的洪流中经受锻炼。

1937 年 11 月中旬，当范长江踏着遍地响起的抗战歌声，第二次来到武汉时，他已是一位闻名报界的新闻记者了。

随着上海、南京、太原的相继沦陷，全国性的重要报纸《大公报》、《申报》都迁到汉口，中国共产党的《新华日报》1938 年 1 月 11 日在汉口创刊，作为国民党喉舌的《扫荡报》和《武汉日报》一直坐镇江城，武汉一度成为全国新闻事业的中心。世界各国和全国各地的记者，无论是从战场归来，还是奔赴前线，都在武汉聚散。

为了团结广大记者，将力量集中到抗日救亡宣传上，范长江肩负起组建中国青年记者学会(简称“青记”)的任务，开始了在江城的繁忙工作。白天，联络会员，办理手续，他四处奔走；灯下，他草拟宣言，编制计划，彻夜不眠。决心要使新闻记者以崭新的面貌出现在抗日的宣传阵地上。

范长江力摒旧记者和官办协会的种种陋习和弊端，锐意革故鼎新，他和同志们商量，不用一般通常的“协会”名称，认为那“对我们的教育工作的意义，表达得不鲜明”而定名为“中国青年记者学会”，保证这支队伍的年轻化，以适应战时的需要。而把新闻界的前辈邵力子、于右任、邹韬奋、郭沫若、王亚明等聘请为名誉理事，求得他们的指导。在经费开支上，以自筹为主，争取社会的捐助。经过范长江和陆诒、恽逸群等人的通力合作，1938 年 3 月 30 日下午 2 时，中国青年新闻记者学会成立暨第一届全国代表大会在汉口青年会二楼礼堂隆重召开。来自上海、长沙、西安、香港和南洋等地的代表济济一堂。范长江担任大会主席，看到代表们克服种种困难，身披战火硝烟，从前沿阵地、从沦陷区、从大后方情绪饱满地汇聚在扬子江边，齐集在民族解放斗争的大旗下，他热情澎湃，慷慨致辞，号召记者们紧握手中之笔，加强自我教育，把一腔热血献给抗战的事业，把战时的消息送到全国民众的手中。

会上，28 岁的范长江被大家推选为“青记”的常务理事。他走马上任就将各项工作全面铺开。1938 年 4 月 1 日“青记”机关刊物《新闻记者》冲破重重

■ 在台儿庄战壕，范长江（右一）、陆诒（右四）与关麟征军长（右二）合影

困难，创刊问世。在范长江主持下，刊物旗帜鲜明，纵谈局势，广察民情，抨击时弊，对鼓舞士气起了良好的作用。范长江对旧报界同行相嫉、文人相轻的恶习十分反感，努力创造一种互相帮助、团结协作的新局面。根据抗日民族统一战线的原则，他在会上常常讲团结的重要，把一切可以团结的青年同行团结起来，共同为抗战宣传服务。

为了扩大新闻战士的队伍，范长江专门在汉口民生里租赁了一幢房子接待流亡武汉的文化青年，量才录用，把他们安排到合适的岗位上去。知名记者彭世桢就是当年范长江慧眼识人挑选出来的佼佼者。后来彭世桢出生入死，深入战地，写下了不少有价值的战地通讯，受到读者的欢迎和报界的注目。为了给来往的记者提供方便，范长江等还在汉口宁波里 12 号办起了一个汉口记者宿舍，为过往的记者提供食宿。由于宁波里位于闹市，许多途经武汉的新闻同行宁可不住宾馆、饭店，也要来此下榻。因为这里既可休息，又能交换情报，切磋问题，陆诒、徐易、胡耐秋等人都曾经住过这个简陋的宿舍，大家不受拘束，亲切地把它称为“记者之家”。范长江不但注意团结国内同志，也善于团结国际同行，他接待过美国合众社的爱泼斯坦、法国《人道报》的黎蒙、苏联塔斯社的罗果夫、澳洲海瑞德通讯社的华伦等人。这些外国记者，初来中国，情况不熟，人地两生，范长江热情给这些外国同行提供材料，选择路线，经常和他们一起冒着炮火亲临前线采访，通过他们，把中国人民反侵略的伟大斗争业绩传播到世界各地。

当时由于战事激烈，交通阻塞，前线兵士渴求精神食粮，“青记”专门设立了战地报纸供应部，由赴战地采访的记者将大批报刊带到部队散发。有一次范长江和陆诒到南昌采访，两人就带去了 2000 份报纸。当他们看到战士们如饥似渴地读着那些早已过期的旧报时，禁不住辛酸地流泪了。

“青记”称为“学会”，正是强调新闻记者的自身修养，范长江十分注重对会员的教育。组织“学会”的目的，第一就是通过“学会”“进行自我教育”。在会员信条中明文写道：“努力自我修养，健全本身人格，巩固共同意志，促进新闻事业，维护大众利益，发扬民族精神”，要求大家严谨恪守。范长江还在《新闻记者》上连续发表了《记协组织的必要和前途》、《战时新闻工作的意义》、《建立新闻记者的正确作风》等文章，论述记者自我教育的重要意义，他严肃指出：“有了健全高尚的人格，才可以配做新闻记者。有了健全的人格，才可以谈到其他技术问题。新闻记者应当是社会所敬重的人物，如果在人格上有了根本的缺点，就不能算作新闻记者。”范长江严于律己，品格纯正，一些对他心怀不满的人时时窥探，妄图伺机加以攻击，但竟得不到一点发难的“把柄”，只好瞠目以对，无计可施。

范长江虚怀若谷，从善如流。一次，收到一位叫唐觉民的读者的来信，尖锐批评他的作品“没有重心，好像一个方方正正的人，无凹凸，无曲线，久看使人乏味”。没过半月，在《新闻记者》第一卷第四期上，全文发表了唐觉民的批评，而且，范长江在刊物上公开作答，他真诚地写道：“唐觉民先生写信直接批评我的缺点，我衷心表示感激与欢迎……青记的首要任务是要造成中国新闻记者学习的环境和风气，自我批判是最有效的求进步的方法。”他把读者的这种直接批评说成是“我们整个学会，也当认为重大可贵的事件”。这件事对许多青年记者教育甚大，在报界内外，一时传为美谈。

作为记者，范长江战斗的位置不在机关，也不在“记者学会”，他把发扬自己火力的阵地选择在烽火弥漫的前线。枪声召唤他身背挎包，冒着炮火出入战地，活跃在战场和抗敌的士兵中间，他的许多通讯都是在枪林弹雨中伏在壕沟中写成的。1938 年 5 月，中日双方集结重兵，会战徐州，范长江和一批青年记者，置生死于不顾，深入前沿，采写了大量通讯。当徐州被困后，他历尽艰辛，率队突围。回到武汉后，又不顾劳顿，一连几夜不曾合眼，搜集材料，编出《徐州突围》一书交由生活出版社出版，及时报告了民众急需了解的战争情况。对于战争中暴露的种种问题，加以揭示并向社会发出呼吁。为了解决“青记”的活动经费，他把稿费四百元全数交给学会，这笔钱成为“青记”的第一笔比较大的个人捐赠。他曾主编《抗战中的中国》丛书，这套丛书有对沦陷区的记录，流亡生活的叙述，也有对敌寇罪行的暴露和对人民反抗的赞颂，是“一页严峻历史的实录”。他写作的《忆小方》、《徐州中外记者座谈会记事》、《建立积极的新闻领导政策》、《战时新闻工作的意义》等理论文章，对于抗战中的新闻事业建设起过积极作用。

■ 范长江的作品书影

当武汉处于日军包围的严峻时刻，范长江仍和武汉人民战斗在一道，9 月 1 日，他主持召开了“记者节纪念会”，在强寇压境时，面对中外记者，他大声呼吁：“我们要以更坚实巨大的力量，来回答敌人对大武汉的围攻！”这次纪念会弥漫着中国人民与侵略者誓死血战的悲壮气氛，使许多到会的中外记者深受感动。日本著名反战作家鹿地亘从严肃里透出火一样的感情，他感慨系之：“在今日保卫大武汉运动中有如此之会，日本新闻界是没有的，当日本进攻武汉的今日，日本人民的反战斗争已经逐渐配合了中国抗战的策略。”塔斯社的罗果夫和法国《人道报》的黎蒙都激动不已，在会上发表了热情洋溢的演说，表达了携起手来共同反抗侵略的决心。

积极的工作和出色的文笔，使范长江在新闻界声誉斐然，他所领导的“青记”，成为抗战时期广泛团结青年记者的活动中心。此后，范长江和胡愈之、孟秋江等一起又创办了国际新闻社。年轻的范长江，自武汉扎实起步，走上了一条更加宽阔的革命之路。

■ 救亡歌声响彻祖国大地

汉口：出版事业的巅峰

——邹韬奋

邹韬奋在中国现代文化史上，是一位杰出的出版家、著名的政论家和伟大的爱国者。本名邹恩润，在其职业生涯中，曾用过谷僧、春风、愚公、思退、心水、孤峰、谷曾等众多的笔名。从1928年11月18日发表《喂！阿二哥吃饭！》一文首次使用“韬奋”署名后，“邹韬奋”便成为他日常用得最多、读者也最熟悉的一个名字。他说过：“‘韬’是韬光养晦的韬，‘奋’是奋斗不懈的奋。一面要韬光养晦，一面要奋斗不止。”这个意在激励、自勉的笔名，几乎成为了所有读者对他永远的记忆。

他一生经历了太多的艰难曲折和不停息的追求奋斗。无论是海外流亡，还是铁窗之灾，都不能改变邹韬奋对民主政治和民族解放的追求，都不能摧毁他的精神、信念和意志。

九·一八事变发生后，邹韬奋就全力投身于抗日救亡的宣传活动，他主编的《生活周刊》受到广大读者的欢迎，是飘扬在媒体圈内的一面旗帜。上海沦陷后，尽管兵荒马乱，人心惶惶，但他没有马上离开，此前，他就一直在考虑来汉口发展书业，思索如何拓展期刊的宣传，并已着手期刊的复办与合并准备，筹划各项制度的制定及管理的改革等事宜。他曾在一篇文章中写道："以极大的热情固守文化的岗位，作为一个鼓动前进的小小号兵，以号召全民族的儿女支持抗战，参加抗战，为自己特殊的职责。"这是他心底的誓言。由于筹谋在前，由于他的努力，生活书店在各地分店的建立及各种刊物、书籍的出版，都在汉口有了出人意外的巨大发展。

1937 年 11 月 11 日上海沦陷，邹韬奋是在 27 日与何香凝、郭沫若、金仲华等人同船到达香港的。12 月 2 日，他就同钱俊瑞、张仲实、沈兹九等人结伴，经由梧州、桂林、长沙抵达汉口，生活书店总管理处也随之迁来武汉。

1938 年，在民族危亡的关键时刻，邹韬奋在汉口江边度过了战斗的十个月。当时生活书店汉口分店虽已成立，但因困难重重，面对着复杂的政治局面和出版工作中的种种阻力，在文化战线上他坚持进步的出版方向，以改革的姿态，迎接着各种挑战，并且大刀阔斧地进行管理上的一系列变革。他强调突出出版的"个性"，实施灵活多样的发行方式，开展各种方式的门市服务，制定职工规范，讲究工作效率，实行公开招考职员等等，终于使生活书店汉口分店获得了空前的大发展，成为抗战时

■ 邹韬奋（左）与亲友在武汉合影

期文化战线上一块坚强阵地。

在各种期刊纷纷停刊和脱期，许多出版机构先后关闭的时候，韬奋领导的生活书店，砥柱中流，克服重重困难，积极开展抗日救亡宣传。在武汉近一年里，各地分店由两个增加到五十五个，遍及全国十四省，职工由六十人增加到近三百人。韬奋到汉不及半月，他所主编的《抗战》三日刊便在汉口出版，并编辑了《抗战画报》周刊向广大民众发行，其后又陆续出版了《新知识》半月刊，《新学识》半月刊、《妇女生活》月刊、《国民公论》旬刊等多种杂志，大量出版动员民众宣传抗日的书籍，仅通俗抗战读物就出版了五百余万册。韬奋主编的《抗战》三日刊和《全民抗战》三日刊，是抗战时期在各阶层读者中广泛流传的宣传爱国、矢志抗日的杂志。在当时发生过很大影响。生活书店在抗战时期作出过重大贡献。

事业的发展急需各种人才，邹韬奋锐意革故鼎新，坚决摒弃了当时流行的“保荐制度”，大胆采用公开招考和试用制度。1936 年 4 月，韬奋亲自主持在汉口公开招考文书和练习生，当场宣布不需推荐人，不纳保证金，举贤任能，择优录用。对应考者进行思想、学业、体格的全面考核，除进行语言、数学和时事、常识等学科笔试外，还作珠算实测和口试。报名应试者有一百多人，经初式合格的二十二人，复试后仅录取六人，宁缺勿滥。录取后，试用一年，经民主鉴定后才能改为正式职工。由于韬奋破除陈规，不循旧章，大胆改革用人制度，保证了生活书店有一支精干的职工队伍。

全民抗戰

全民抗戰的使命

■ 邹韬奋主编的《全民抗战》

韬奋在自己管理的出版事业中，十分重视效率，讲求效果，自己也身体力行，亲作表率。他住在汉口交通路“金城文具公司”楼上，除必要的社会公务外，整天坐在一间斗室中写作、编稿，每天都有几十封读者来信，由他亲作答复，十余青年来访，由他亲自接谈。在武汉短短的十个月中，他手不停挥，先后写作了不少文章，并出版了论文集《激变》。他所写的许多时事短评，观察深刻，分析细致，说理透辟，文字尖锐泼辣，简短明快，受到广泛读者群的喜爱。面对繁忙的事务和积案盈尺的文稿，他高兴地把自己的劳绩称作“有效率的乐观主义”。

在生活书店工作过的同志，都听到过韬奋经常说的一句口头禅：“对工作要认真，多负责。”1938 年 1 月 22 日在汉口他主持创办了内部刊物《书店通讯》，人手一份，交流思想、沟通情况，每期上他都写一篇“每周谈话”，对许多问题及时提出解决意见。这份油印刊物在当时分店增多、人员分散的情况下，起了良好的指导作用。他经常坚持和大家一室办公，遇到问题，不“研究”拖延、议而不决，能解决就当场拍板，立即施行。韬奋事事都要求严格，他曾愤激地说过：“如果怕麻烦，拆拆烂污、简单马虎、聊以塞责，都是本店事业上的罪人！”有一次，宣传科的一位同事在《新华日报》刊登刊物目录时，将一篇文章题目中“团”字，错成了“图书馆”三字的缩写单字“圕”。这是一篇揭露当局官员玩弄政治手腕，评述“三青团”成立内幕的文章。轻易不起火的韬奋，看了以后，非常生气，对那位同事提出批评，又连续三天在《新华日报》上重登了广告，纠正错误，挽回影响。出版界的同行们都知道，生活书店的声誉，在韬奋眼里比什么都重要。在韬奋的主持下，生活书店的高效率是全国著名的。他们出版的刊物如《文学》、《世界知识》、《生活教育》等，都只有两个人负责。书店总计不到三百职工，管理着全国 50 家分店的出版发行工作。据 1938 年上半年汉口总管理处的统计，生活书店内迁后，共出版发行刊物六 69 种，57 万册。汉口出版的《抗战》三日刊和《全民抗战》三日刊，时间紧，周期短，但从未脱期，为许多同行所叹服。

抗戰
三日刊
緊急加強抗戰力量

■ 主编刊物之一：《抗战》

韬奋把取得这些成绩的原因，归结为：“一曰坚定，二曰虚心，三曰公正，四曰负责，五曰刻苦，六曰耐劳，七曰服务精神，八曰同志爱。”在当时的出版界，生活书店以纪律严明、管理民主、效率卓著而著称。

■ 主编刊物之一：《大众生活》

作为一个著名的记者和评论家，一个杰出的编辑和出版工作者，韬奋在颠沛流离和艰苦探求之中，逐步找到了党，认识了马列主义真理。他不以“文化人”的身份超然度外，而是努力置身于火热斗争的漩流之中。1938 年 7 月，当国民党政府在汉口召开国民参政会第一次大会时，韬奋以救国会领导人的身份被聘为参政员，面对国民党顽固派扼杀人民民主权利，发布限制出版自由的《战时图书杂志原稿审查办法》时，韬奋利用自己的合法身份，与他们的倒行逆施展开了针锋相对的斗争，在大会上，他大义凛然，慷慨陈词，先后提出《调整民众团体以发挥民力案》、《具体规定检查书报标准并统一执行案》等六项提案，揭露反动分子强奸民意，实行专制独裁的罪恶，呼吁给予人民民主、言论自由和组织民众运动的合法权益；在报刊上，他奋笔疾书，措词尖锐，连续发表了《审查书报原稿的严重性》、《再论审查书报原稿的严重性》等文章，又联合商务印书馆、中华书局等十多家出版机关发表宣言，猛烈评击顽固派的一意孤行。这年 8 月 9 日，审查机构制造口实，以“内容叙述失实”的借口，横蛮阻挠《抗战一周年》和《近六十年来的中日关系》两本书的出版，激起生活书店同仁们的愤慨，韬奋据理力争，挫败群顽。在这场反抗国民党顽固派迫害文化人士、摧残文化事业的斗争中，韬奋置个人安危荣辱于度外，为捍卫民权而英勇斗争，直至他到重庆后，还因他坚持这些提案的贯彻而屡遭迫害，最后只好愤然辞去参政员的职务，第五次流亡海外，表现了一个正直的文化人、一个追求真理的爱国知识分子的凛然正气。

■ 生活书店汉口旧址

一个无畏的『给予者』

——丘东平

你把心里仇恨燃烧起来了
投给了敌人！
你把心里的爱情升华起来了
献给了人民。
——胡风《安魂曲》

1941年是中国现代史上一个用鲜血写成的严峻年头，当七月燥热的风挟裹着沙尘吹过干枯的苏北平原时，日本侵略者集中了十五师团、十七师团的兵力，纠集伪军，企图一举消灭刚从血泊中重建的新四军，开始了惨绝人寰的“盐阜大扫荡”。7月24日，日寇从东、南、西三面包抄了驻扎在盐城北泰庄的鲁迅艺术学院华中分院师生，机关枪、步枪、掷弹筒封锁了唯一的通道，原野上弹如雨下，腥风扑面。地上横陈着乐器、道具、尸体，战斗正在激烈进行。

“往北撤，突出去就是胜利！”浓烟中闪现出一个年轻、瘦削的身影，手中挥动着驳壳枪，镇定地掩护着战友并指挥着鲁艺学生突围。一百多个学员刚从桥上突奔出去，一声枪响，这个瘦削的身影猝然栽下，扑倒在他保卫过的饱经忧患的苏北大地上。

战斗的硝烟刚刚飘散，人们怀着悲痛清理战场时，在他身边的一个深褐色皮包中，发现了一部未完成的长篇小说《茅山下》的手稿，第一页上是一个清晰的签名：丘东平。

在中国现代史上，丘东平是一个英勇无畏的无产阶级革命战士，《新四军抗日战争史·团级以上烈士英名录》上，庄重地印有他的姓名和经历，他牺牲时年仅 31 岁。在中国现代文学史上，丘东平又是一位成绩斐然，颇有声望的左翼作家。在为中国人民谋求民族解放的伟大斗争中，这个一腔热血，两袖风寒，肩枪执笔，英勇奋斗了短促一生的人民先烈，是不应该被人们轻易遗忘的。

■ 战地作家——丘东平（国画）

在暴风雨中成长

1910 年 5 月 16 日，丘东平出生于广东省海丰县梅陇镇马福兰村，这个濒临南海的小县是中国近代农民革命开展得最早，也是最活跃的地区之一。在贫困和苦难中成长起来的丘东平，很早就参加了儿童团，从小受到革命思想的熏陶。当国民革命军第一次东征，彭湃同志率领的东征军驻扎海丰时，十五岁的丘东平，就迈着雄健的步伐，走进革命行列了。

1925年4月1日，中国共产主义青年团海丰特支成立，海陆丰的农民革命运动更加汹涌澎湃，满怀热情的东平，在自卫军中站岗放哨、送信、传话，在总农会里，刷写标语，刻印传单。5月，便被大家推举为共青团海丰特支秘书。随着运动的迅猛发展，特支扩编为共青团海陆丰地委，东平又担任了地委秘书长的职务，负责宣传和《海丰青年》、《红旗杂志》的编辑出版工作，繁琐的事务，忙碌的工作，使丘东平的眼睛里总是布满了红红的血丝。由于他坚定的立场和出色的工作，这年冬天，中共东江特委“破例”吸收年仅十六岁的丘东平为共产党员，从此他便把自己一切都交给了党的事业。

1927年，他和全五哥三次参加海陆丰武装起义，经历了战斗、流血、失败、逃亡和奋起的艰难考验，终于迎来中国历史上第一个农村革命根据地——海陆丰苏维埃的建立。

丘东平担任苏维埃主席彭湃同志的秘书，和同志们投入了保卫新生红色政权的英勇斗争。后来他根据这段生活，写成小说《红花地之守御》，真实地记录了这场惊天动地的英雄业绩。

可是在帝国主义、反动军阀和绅士、土匪的夹击下，不到半年，海陆丰苏维埃政权就被绞杀在血泊之中。清剿民团洗劫了丘东平的家，打伤了他的父亲。他在村外一个草垛中躲了整整一个月，才死里逃生。后来他在大嫂的掩护下，化装成一个走亲戚的童养媳，躲过盘查，转移到住在海边的渔民丘宗智家里隐蔽。

在一个寒风凄雨的夜晚，丘东平终于登上了一只破旧的渔船，亡命到了香港。

香港流亡的岁月是凄苦的寂寞的，丘东平人地生疏，囊空如洗。在车水马龙的街头，他当过叫卖的小贩；在波涛汹涌的海上，他当过撒网的渔夫；在天主堂的排字房里，他当过校对；在资本家洋行仓库里，他做过杂工。就在这段期间，由于一个偶然的机会，他接触到一些志同道合的朋友，得以阅读高尔基的大量作品，在万籁俱寂中，对着如豆小灯，他如饥似渴地读了《在人间》、《我的大学》等名作。他兴奋地说：“高尔基的作品，给我显示了多么美丽的远景啊！他唤起了我的理想和力量，它使我们那几个逃亡者傲慢地生活在脏污的渔夫宿舍里，忘却了蚊虫吮吸，忘却了疾病，忘却了饥饿煎熬。”他后来不无骄傲地把香港颠沛流离的生活，叫做“我的大学”。

在淞沪血战中

1931年，“九·一八”事变爆发，丘东平再也无法在远离火线的香港住下去了，他历经艰辛，长途跋涉奔赴南昌，加入力主抗日的十九路军七十八师一五六旅，勇敢地走上了为民族解放斗争的最前列。

在“一·二八”上海抗战中，他亲率部队，打响了沪战反击的第一枪；在死守吴淞的战斗中，身先士卒，亲历了血战洗礼，并且就像拿枪一样拿起了笔，加入了在文学战线上的战斗，1932年11月15日他在“左联”机关刊物《文学月刊》上发表了表现战争中农民思想变化的小说《通讯员》，引起了文学界的重视。鲁迅先生在编辑向国外推荐的中国作品集《草鞋脚》时收入了该篇，并在《简介》中写道：“东平是笔名，他是一个共产党员，曾在苏维埃区域内做工作……在所有的现代中国描写苏区生活的小说中，这篇是直接得来的题材，而且写得很好。”由于丘东平揭露了十九路军中的某些顽固分子迫害进步知识分子的行为，他愤然离开了部队，然后辗转于上海、香港、日本等地。创办《新亚西亚月刊》，编辑《杂文》，开办半岛书店，参预东京“左联”的活动，从事统一战线的组织工作，同时致力于文学创作，先后

■ 丘东平纪念馆的雕像

写作了短篇小说《骡子》、《投宿去》、《哑哥》、《慈善家》和《火灾》，出版了作品集《长夏城之战》、《沉郁的海岭城》，活跃在20世纪30年代的左翼文坛。

当时远在海外流亡的郭沫若读了他的作品后，兴奋地说："我在他的作品中发现了一个新的时代的先影，我觉得中国的作家中似乎还不曾有这样的人。"因此，他和萧军、萧红、叶紫、张天翼等人一起，被称为30年代左翼文坛的"一代新人"。

文学创作的高峰

1937年七七事变后，全面抗战爆发，丘东平十分振奋，他像一只搏风击浪的海燕，又一次跃身于血肉横飞的前沿阵地，他亲历了"八·一三"保卫上海血与火的战斗。为了轻装上阵，他送走了自己的妻子和女儿，只身北上济南，西去南昌，追踪着部队的足迹。

1935年夏天，丘东平曾在香港深水通菜街一间小屋里，结识了风尘仆仆归来的叶挺将军。因此在1937年10月，丘东平和叶挺一起来到抗战中心武汉。当时叶挺正肩负着党的重托和人民的希望，会聚八省游击健儿，组织新编第四军，并由他出任军长。这次丘东平和他一道来汉口，就是为了正式组建汉口新四军办事处。

■ 丘东平《第七连》书影

一日，他们来到早已人去楼空的日租界，站在太和街26号门前，一把撕去封条，破门而入。于是新四军办事机构就在那里成立了。丘东平白天起草公文，处理函件，参加会议，忙于各种事务。晚上在宁静的灯光下，他就在办事处二楼的一间小屋里，将日本机（tsukue）的四条脚加长后当成书桌，聚精会神写作他和欧阳山、于逢、邵子南、草明合作的中篇小说《给予者》。他完全沉浸在创作的灵感中了，据同仁回忆说："他住在那里专心地写着，不但文学运动、文坛现状好像和他无关系，甚至这伟大的战争也好像和他无关似的。”11月21日，这部由他执笔的近20万字的中篇小说终于在武汉写成了。这时离上海“八·一三”抗战仅仅只有三个月，在这样短促的时间里，他向人民献出了再现这一重大历史事件的艺术品，成为最早直接描绘了中国人民在正面战场反抗日本侵略这一伟大斗争的史诗。他通过一个普通老百姓黄伯祥走上抗日前线的惨痛而又曲折的经历，及时而又清晰地反映了群情思战、奋起抗倭的民族意志，同时也深刻地烛照了抗战现实中的种种污浊现象。可以毫不夸张地说，它是抗战文艺的先声之作（可惜这部作品很少被人注意，就像一颗珍珠被蒙上灰尘一样）。丘东平写完《给予者》后不久便正式参加了新四军。

逗留武汉时期，是丘东平创作最活跃、最有成绩的时期。他不仅创作小说，而且大量写作通讯、特写和报告文学。小说《暴风雨的一天》，塑造了在暴风雨中忠于职守的少年游击队员的感人形象。《一个连长的战斗遭遇》以刚健有力的笔调描绘了连长林青史浴血奋战、置生死于度外的英雄主义和爱国精神。他所写的报告文学，正如人们所说，“把‘报告’提升到了极高的完成度”，《第七连》、《我认识了这样的敌人》、《我们在这里打了败仗》等作品，都是以亲身感受，描绘军民一心、团结抗日的历史画卷，并且尖锐抨击了抗战洪波中存在的浊波逆流。值得一提的是他的“抗战英雄特写”《叶挺将军印象记》，以生动的笔触描摹了叶挺将军坚毅、朴质、热情、稳重的性格，在中国报告文学史上较早地再现了无产阶级革命家的战斗风貌。总之，丘东平这一时期的作品，无论是小说，还是“报告”都带着战地的烟尘，不仅具有生活的实感，富于时代气息，并且还弥漫着一种悲壮冷峻的气氛，因此具有震撼人心的艺术力量。

一个耿直而又敏锐的人

丘东平的性格是耿直、爽快的。他明镜似的心上，留不得半点虚假、犹豫和疑虑。最初他对鲁迅曾有些误解，但他知错必改，毫不掩饰。在国难当头、大敌当前，文艺界需要紧密团结的时候，他捐弃前嫌，化误会为信赖，迎着如磐的夜气，挺身站立在鲁迅所高举的革命文艺大旗下，毅然表示：“一种伟大悲壮的抗战摆在我们面前的现在，我们绝不屈服不畏惧，更不彷徨、犹豫，我将保持我们各自固有的立场，本着原来坚定的信仰，沿着过去的路线，加紧我们从事文艺以来就早开始了的争取民族自由的工作。”鲁迅溘然长逝后，他痛悔自己对导师的误解和不尊重，悲痛至极，于是买了一段白布，写上“丧失导师”四个大字，敬献到鲁迅先生的灵前，垂着泪，默默走进送殡的行列。他还曾对当时革命文艺刊物《中流》进行攻击，口出秽言，由于这一鲁莽行为和意气用事在客观上招致了不良后果，也使他追悔莫及，见人就低头表示羞愧。对他很了解的胡风曾这样说过：“对于文坛善于观察形势，随声附和，善于做遵守秩序的客厅交际，对自己和朋友善看风驶舵，口头上表示积极，善于做取得信任的私室交际，这样相互为用，才是无往不通的路，有的是从那时一直得意到现在的例子，但丘东平却正是反其道而行之的。”因此，他的率直的性格，终于为朋友所理解，并受到尊重。

陸軍新編第四軍司令部用箋

■ 丘东平信札手迹

丘东平的眼光是敏锐的，抗战爆发后，他虽已投身战斗，但仍然时刻关注着武汉抗战文艺的建设和发展。在扬子江边短暂的驻留，他尽可能参加当时的文艺活动，1937 年 10 月中旬，他出席七月社召开的抗战以后的文艺活动展望座谈会，就战时文艺新形式的产生、作家与生活相结合等问题多次发言，直抒己见；当武汉文艺界讨论“中国在抗日民族革命高潮中为什么没有伟大的作品产生”时，他和苏联塔斯社驻中国分社社长罗果夫交换看法，提出自己真诚的建设性意见。他随队开赴前线后，虽然远离武汉，仍然十分关心着日寇炮火封锁下的江城。

当武汉危在旦夕的时候，他在写给友人的一封信中说：“武汉在风雨的飘摇中了。中国人民不断的在和敌人的残酷决斗中把自己教育着，使自己长大，这条路线诚然是艰苦得很，然而这才是正确的路，伟大的新中国是从这条路去

■ 江汉路上的民众抗日大游行

开拓的。”这种真挚的情怀和美好的憧憬显示出他对胜利的坚强信念。

1938 年春天，由于斗争的需要，丘东平告别江城，和叶挺将军一起奔赴南昌新四军军部，不久又参加战地服务团，挺进皖南。胡风以诗称赞道：“你把心里仇恨燃烧起来了，投给了敌人！你把心里的爱情升华起来了，献给了人民。”面对穷凶极恶的日寇，顽强战斗，最后扑倒在他所热爱的祖国大地上。

《抗日三字经》：撒向全国的特大传单

——老向

“人之初，性忠坚，爱国家，出自然。

国不保，家不安，卫祖国，务当先。”

在中华民族经历着屈辱与抗争的抗战时期，一部雅俗共赏、充满爱国之情的读本，在全国各地不胫而走，广泛传诵。这本被称为“华夏大地广大军民争相传诵的理想教材”的作品，题为《抗日三字经》，1938 年诞生在抗战初期的武汉，其作者为来汉参加抗日的作家王向辰。可是，我们不无遗憾地看到，在抗战文学的话语中，这个笔名为“老向”的人，似乎被人淡漠以至遗忘了。

抗战热潮中出现的《抗日三字经》

大敌当前，民族危亡，抗战动员和宣传的急需，成为一个时期文化迫切的功利和目标，大众精神食粮的匮乏和受众文化水平低下的矛盾，突现了通俗读物特有的价值取向。一般民众的文化读物成了广大作家和民间艺人们动员民众的重要武器之一。

1938年，通俗刊物《抗到底》在武汉创刊（其刊名蕴含着“抗战到底，建国必成”的寓意），该刊在第五期卷首发表了老向的《抗日三字经》，作者机巧地选用一种在民间流行极广的体式，注入崭新的时代内容，让传统文化以雄赳赳气昂昂的姿态走进了抗战宣传的行列。作品发表后受到广大民众的喜爱，在社会上引起巨大而热烈的反响。在通俗读物编刊社、通俗文艺工作委员会等举行的座谈会、讨论会上，大家对这部作品的问世表示欢迎和肯定，随后报刊上相继发表了沙雁的《评抗日三字经》等文章，对这一“旧瓶装新酒”而“翻旧出新”的文化现象给予高度关注和赞扬。不久，《抗日三字经》的单行本，由在汉的湖北三户图书社出版，此书在纷乱的战争环境中竟大受欢迎，“初版印刷15000册，三天内销售一空，再版又印了15000册，五天内又再度告罄”。“打破了一切著作的记录”，受欢迎的盛况可见一斑。随后，铅字的、油印的、手抄的和石印的多种版本的《抗日三字经》在重庆、延安、江苏、广西等地不断出现，风靡全国。销售堪称火爆，一时洛阳纸贵，“在一年多的时间里，先后在西安、汉口等地连印7版，成为华夏大地广大军民争相传诵的理想教材”，收到了很好的社会宣传效果。老向的“抗日三字经”和老舍的套曲、穆木天的大鼓词、冯玉祥的“丘八诗”、何容的“抗日故事”等均为群众所喜闻乐见，成为传统文化形式为抗战服务结出的最早一批丰硕果实。这批作品的横空出世，犹如一颗凌空升起的

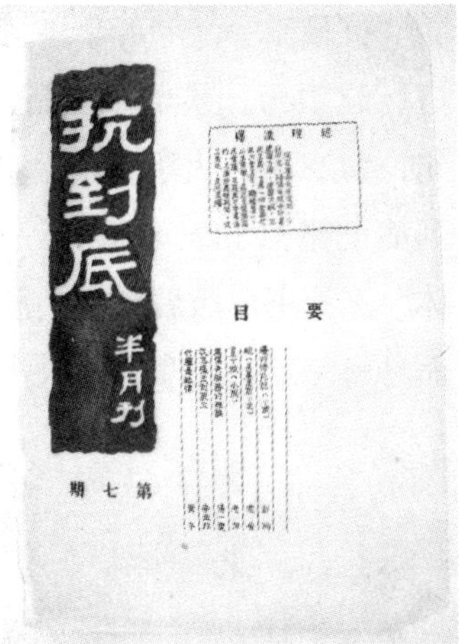

■ 老向主编刊物的书影

信号弹，引发了勃然兴起的通俗文化潮的第一股汹涌浪头。大批通俗文化社团和报刊在各地相继成立和出现，西安成立了老百姓编刊社，编辑《老百姓报》，广东的文学大众化委员会主办《人人看》，延安的西北战地文工团出版《杂耍和杂技》通俗读物集，桂林的《新道理》、武汉的《大家看》、浙江的《老百姓》、成都的《通俗文艺五日刊》都大量登载通俗文化作品，通俗文化运动以历史上从未有过的气势与规模声势浩大地开展起来，在抗战初期教育民众、宣传抗日、鼓舞士气上起了很大很好的作用。

■ 老向所著《抗日三字经》的另一版本

现在能见到的湖北三户图书社出版的《抗日三字经》，封面为冯玉祥题写的“抗日三字经”五个隶书大字，并钤有印章一枚，标明老向所著，由老舍作序，赵望云、侯子步、高龙生、张文元、汪子美、黄秋农等配画。正文 476 句，1428 字，大字竖排铅印，1938 年 4 月在汉口出版发行。这是该作品在《抗到底》半月刊发表后第一个公开出版的单行本，也是后来各种版本的“母体”。该书出版后受到空前未有之欢迎，当时的报刊称：“是书通而不俗，浅而易解。士兵民众，人人宜读，人人能读，初版一万五千余册三日售罄，再版

■ 《抗到底》杂志编辑、办公、居住地旧址

一万五千册，五日售罄。”不到十日该社又加印彩色封面并改善纸张和插图，发行第三版。原价经销，仍门庭若市，大受青睐。

此书出版后，即被各种宣传机构大量翻印，爱好者辗转传抄，各地书店竞相出版。难以数计的各种增补、翻新和仿制本相继在全国各地出现，许多部队和团体几乎人手一册。有研究者指出：《抗日三字经》在武汉正式出版后“随即由成都商务印书馆、西安大东书局等出版发行，一个月竟销售了 5 万册。在一年多的时间里，先后在各地发现了几十个版本”。由于雅俗共赏，它受到社会各阶层人士的欢迎，发挥了巨大的宣传教育功能，被当时的教育部门列为“非常时期民众丛书之一”向社会推荐。就翻检能见到的部分版本来看，其中大多根据时局的发展和地域的不同情况，在初版基础上，都作了较大的增删，如广西隆安县编印的《抗战三字经》除照录上述内容外，还增添了部分近代历史事件如“太平军　倒满清　兴中华　即帝位　都南京　称天国　号太平……孙总理　唱革命　倒清室　大业成　行三民　国之幸”，并对七七事变的前后情势作了详细描述：“三省亡　热河陷　彼倭寇　喜洋洋　东三省　好地方　有大豆　有高粱……好山河　一夜亡　恨如海　仇如山”，揭露日本侵略者图谋既久的野心，灌注着强烈的民族意识，充满大义凛然的正气。

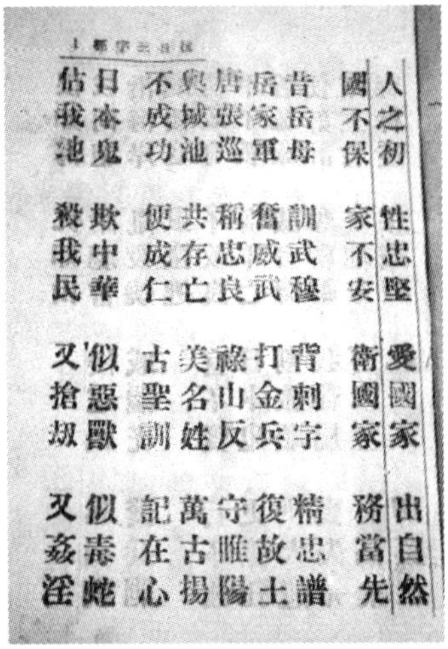
人之初　性忠堅　愛國家　出自然
國不保　家不安　衛國家　務當先
昔岳母　訓武穆　背刺字　精忠譜
岳家軍　奮威武　打金兵　復故土
唐張巡　稱忠良　祿山反　守睢陽
與城池　共存亡　美名姓　萬古揚
不成功　便成仁　古聖訓　記在心
日本鬼　欺中華　似惡獸　似毒蛇
佔我池　殺我民　又搶刼　又姦淫

■《三字经》翻印本内页

还有必要提及的一点是未署出版单位和作者姓名的油印本（或手抄本）。《抗日三字经》虽最初为老向所作，但在传播中，多种版本都在原著基础上有所增删，其中有一种流传极广的简编油印（或手抄）本，就是以老向的初版本压缩而成，全文不长，118 句，仅 354 字，但取舍精当，概括了全书的主要内容，易学易记，很受群众欢迎。20 世纪 80 年代末我在武汉分别采访耄耋老人王紫平和李曼农时，他们都能几近完全地背诵这个本子，可见在抗战时期的影响之大。为保存资料兹照录如下：

人之初，性忠坚，爱国家，出自然。
国不保，家不安，卫祖国，务当先。

昔岳母，训武穆，背刺字，精忠谱。
岳家军，奋威武，打金兵，复故土。
唐张巡，守睢阳，奋战死，称忠良。
文天祥，骂元兵，伸正气，留英名。
郑成功，守台湾，抗清兵，美名传。
刘永福，黑旗军，打法兵，英名存。
七月七，卢沟桥，日本鬼，开了炮。
佟麟阁，赵登禹，两将军，把兵举。
守南苑，攻丰台，身虽死，有荣哀。
姚子清，守宝山，一营士，只余三。
段云青，一等兵，身体健，国术精。
遇敌舟，跃身上，一挡三，是猛将。
左一拳，右扫腿，两倭寇，齐落水。
余一寇，逃船尾，刺刀下，立见鬼。
阎海文，是空军，打敌机，八架焚。
掷炸弹，炸敌轮，轰一声，三舰沉。
身受伤，落敌方，从容中，举手枪，
先杀敌，后自戕。不屈辱，真叫棒。
此数将，军人魂。青史上，美名存。
我军民，须自励，前者仆，后者继，
抗到底，必胜利。

撰写、增补《抗日三字经》的风习一直延及至今，近年来网上传播甚广的一种新《抗日三字经》较全面地叙述了十四年抗战的全貌，除正面战场外，大量描写了敌后根据地的战斗和西安事变、狼牙山五壮士及百团大战等重要事件，直至“万莫学，小燕子，损国格，寡廉耻”等涉及当今中日关系的内容，作者不详（有作者为华丹一说，待确），似为群众性创作的传抄本。

我们之所以用极大的篇幅对《抗日三字经》作了如此详尽的介绍，就是因为它在抗战宣传中，起到了难以估量的巨大作用，这是老向在通俗文学创作中的最大贡献。

《抗日三字经》的原创作者王向辰

《抗日三字经》的原创作者为老向，即20世纪30年代著名的通俗文艺作家王向辰。他是河北省束鹿县人，原名王焕斗，老向是他的笔名，因文风谈吐幽默诙谐，与老舍、老谈（何容）并称为“幽默三老”。

老向1898年出生于一个普通农民的家庭，因经济拮据连小学也不能上，在他六岁时，地方初办新学，守旧的乡人不敢就读，只好摊派名额，他伯父的儿子被指派而不愿去，便出钱请他顶替入学，这样王向辰才有机会读到小学毕业。后来又考进一所师范学校，毕业后担任小学校长，后因一次化学试验引发火灾，遭到辞退。便时而在家务农，时或教书自学，数年后考入北京大学国文系读书。1919年，他参加国民党。“五四”运动时，作为热血青年参加游行集会和火烧赵家楼，被当局下令通缉，逃出北京，辗转教书为生。1926年，在大革命的高潮中，王向辰投笔从戎，南下参军。北伐军攻陷武昌后在汉就任第十一军第十

■ 1939年9月10日，中华全国文艺界抗敌协会北碚联谊会成立时，与会代表在北碚王家花园的合影。前排左起端木蕻良、方白、王洁之、陈子展、阜东、萧红、靳以、魏猛克、胡风。后排左起马宗融、老向、胡绍轩、方令孺、何容。这是迄今能找到有老向的唯一照片

师政治部指导员。1928年，随军赴南京，在司法行政部任职课员。后复返北大继续求学，毕业后在青岛大学等校任教，后定居北平，1932年参加中华平民教育促进会，从事平民教育工作，并致力于创作。他开始创作时，曾一心要写高雅的文字，但写作并发表了初期的《绣花绢》、《茶话会》等“趋雅”作品后，连自己也感到汗颜，自知只是“乡下人”并无法“脱俗”。在从事平民教育工作中，专心通俗文艺的写作，将北方泥土的芳香带进幽默文学之中，相继发表了数十部小说，并以《庶务日记》的影响奠定了他在文坛的地位。

1937年秋，老向来到武汉，应冯玉祥将军之邀在武昌千家街主编《抗到底》，从事抗战文化宣传，并参加发起筹备中华全国文艺界抗敌协会，签名《文协发起旨趣》，执笔起草文件，做过许多繁琐工作。大会成立时老向担任司仪，代表“文协”宣读《给前线将士慰问电》，被选为文协理事并出任出版部主任，是“文协”的骨干人物之一。为推进通俗文艺运动的开展，“文协”组建了通俗文艺工作委员会，老向担任委员，又是通俗文艺讲习会的主讲人之一，与老舍合编《通俗文艺五讲》作为教材。从事创作更是一位高手，仅在武汉就写作发表了鼓词《七七献金》、《募寒衣》、《抗战将军李宗仁》、《模范伤兵李德荣》、《你不是麻木的》；小曲有小调《女兵选夫》、《灾童哭五更》等；快板《油炸汪精卫》、《汉奸悔过》；相声《汉奸象》等；通俗小说《江晓凤舍身诱敌》、《周建章独守三山峰》、《周营长打济南》、《李小姐巧计杀倭寇》、《光儿亭》等大量作品，题材广泛，形式多样，深受读者喜爱。

武汉沦陷前，他与老舍带着中华全国文艺界抗敌协会印鉴等重要物品，离汉赴川，继续致力于通俗文学的创作、编辑和研究工作。后在重庆任国立编译馆副总编纂。抗战胜利后，随馆迁移南京，同时兼任国民党河北省党部委员、省议员和中央监察委员。新中国成立后，在重庆市文化局从事戏曲改革工作，1958年被划为右派，1968年8月2日病逝于重庆。十一届三中全会后平反。

《抗到底》：通俗文学的一面旗帜

抗日战争的爆发改变了一切。战争的一声怒吼抖落了长期捆绑在通俗文学身上的枷锁。

王向辰抗战中的另一大贡献是主编《抗到底》，在烽烟中高高扬起了一面通俗文学的旗帜。在我国，通俗文学这个名称还没有产生以前，它就实际地存在并流行着。“五四”文学革命以后，更有人多次倡导过，但并没有引起社会的广泛关注。因此，它的能量始终未能完全地释放出来，发展是缓慢的。

在热火朝天的民族解放斗争中，人民大众的或是壮烈的行动，或是蒙昧的思想，都刺激和催促作家们在文学中加以表现。抗战动员和宣传的急需，也是一个时期文学迫切的功利和目标。抗战初期，几乎所有的文艺运动和创作都不同程度地带有宣传的印记。大众精神食粮的匮乏和接受对象文化水准的低下，使通俗文学的价值被社会所发现，它很快受到文艺界乃至整个社会前所未有的关注与重视。茅盾就曾说过：“抗战文艺中如果没有民间文艺形式的作品，那就决不能深入民间。”凡此种种，都成为抗战时期通俗文学一度繁荣的契机。

1938 年元旦，在冯玉祥将军的支持下，《抗到底》在武汉创刊，老向被委以主编的重任。他尽心竭力，深孚众望。在《发刊词》中他宣称：“抗到底这个名称，充分代表着本刊的特征，我们要根绝妥协，永不屈服，抗战到底。我们不说大话，但绝对不说软话，不说与抗战无益的话，更不为谁造消闲趣话。我们愿以血为墨，使文字化为武器，赠与全国的同胞。”《抗到底》还在刊物封面上盖上“赠抗敌战士”的图章，大量免费寄送到各个战区和前线的战士手中，此举充分表达出编者与作者对抗日将士的一片深情厚谊。他这样强调自己的方针：“我们自第四、五期后，略为偏重通俗文艺，不，偏重还有语病，应当说，由事实的演变，自然的走上此路来，我们的立场既是协力同心打日本鬼子，我们当然要顾及宣传的普遍性。政治及其他理论我们是欢迎的，可是我们不能因维持文章水准而忽略了士兵与老百姓。我们最大的努力处还是在通俗文艺上！”刊物大量发表大鼓词、数来宝、山歌、小曲、快板、相声、对联、评书、诗配画、通俗小说、演义故事、地方戏曲、韵文等，可谓五花八门，包罗万象。民间广为

■《抗日三字经》的油印本之一

流传的各种文艺形式，几乎都被采用过来反映抗日救亡的新内容。《抗到底》经常编发“抗日通俗文艺专号”，而且在士兵与民众中组稿，出了“抗日负伤将士作品专号”，发表各战场负伤战士的作品、评论、书信手迹及照片等。这在当时的杂志中是绝无仅有的。由于它以普通老百姓与士兵为读者对象，文字通俗易懂，形式采自民间，因而受到了广大群众的欢迎，成为当时最畅销的大众刊物之一。它在武汉一共发行了14期共12本（其中第12期脱刊，第13、14期合刊，包括“抗日负伤将士作品专号”、“抗日通俗文艺专号”等特辑）。可以说，《抗到底》是武汉乃至全国最受士兵和百姓欢迎的通俗文艺刊物之一。

老向不仅主掌编辑大计，自己更是通俗文艺创作的好手和快手。台儿庄大捷的消息刚刚传到武汉，他连夜提笔写出了大鼓词《抗战将军李宗仁》，歌颂了这一振奋人心的大捷。士兵李德荣受伤捐款的事迹甫见报端，他跟踪采访，命笔成篇，写成大鼓词《模范伤兵李德荣》予以传扬；在纪念抗战周年的“献金狂潮”中，他于7月7日的当天写出鼓词《七七献金》：

英勇抗战周年到　全国纪念热情传
武汉三镇把金献　热烈情形听我言

创作冲动，溢于言表。接着通过各色各样的典型人物和典型细节，将武汉人民支援抗战的情景描绘得活灵活现：老汉挖出埋在地下60年的银元宝，老媪摘下戴在头上一生的金耳环，挂彩伤兵拿来染血的抚恤金，盲人摸出了卖唱的零碎钱，乞丐献上了绝食的一日粮……

各行业，各团体
各党部，各机关
不分官兵都来到
献金台上齐争先
拥拥挤挤五天整
献上金银千万元
爱国热忱人人有
齐心抗战团结坚

这是“令人感激得流泪的纪录”，它记录了中华民族的团结与信心。

在完成《抗日三字经》大获成功后，他又致力于《抗日千字文》的创作，伏案一月有余，易稿百次之多，初稿写成后，又请邵力子、于右任和老舍等人修改加工。此文要用1000个不同的字连缀成篇，必须押韵合辙，上心顺口，难度极大。他冥思苦索，昼夜不息，深宵偶得一句便划亮火柴，记在纸上，他感慨地说：“一生心血都用尽，千字文章作不通。”（不够通俗之谓也）但刚写完，来不及发表，他就奉命和老舍入川。出版后被教育部指定为抗战民众读物。对于有些非议通俗文艺的言论，他一笑置之，曾写诗一首，予以回应：

文艺下乡热腾腾，化解万民怀似冰。
由其市上讥与捧，作家努力具真诚。

可见老向对通俗文艺的感情之深。

老向还善于对传统的形式加以改造，推陈出新，如将窑调《妓女叹十声》改为《日本叹十声》、《寡妇哭五更》改为《灾童哭五更》，让人耳目一新。“通俗小说”的说法首见于茅盾编辑的《文艺阵地》。这类作品是新小说的通俗化，它以“让粗识文字的人一看就懂，不识文字的人一听就懂”为原则，篇幅短小，情节单一，语言浅近，常常截取现实生活的一个断面加以表现。老向勇于尝试，就写过多篇。如《光儿亭》、《李小姐计杀倭寇》、《周建章独守三山峰》、《周营长打济南》等，故事中夹杂着韵语，说说唱唱，叫人别开生面。他用口语土调、方言、俚语创作，简明畅达，朗朗上口，富有乡土味，极富生活感，作家的价值取向、审美情趣、内容形式与时代同步，和民众和谐，难能可贵。

除以上所提及的之外，在武汉近一年的时间，老向还写作了韵文《抗日富贵词》、《贤母训女》；小调《画十城》、《审俘虏》；鼓词《忍辱报仇》、《江晓凤舍身诱敌》、《募寒衣》；抗战歌曲《叫同胞》；论文《论瓶与酒》；随笔、札记等各种体裁的《你是不是麻木的》、《我们的抗敌力量》、《好样的游击队》、《反攻吧，中国》、《惨痛的北平》、《赔了本儿》、《火烧好汉庄》、《两月习商记》、《遗失之稿》、《武昌被炸轻描记》、《义勇军的母亲》数十个作品。说老向勤奋高产、成绩丰饶，一点也不过分。

江汉烈火铸诗魂

——臧克家

在中国现代两次卷起的革命风暴中，臧克家像扑火的飞蛾，怀着满腔豪情千里迢迢来到扬子江边。他，从士兵到诗人，从诗人到士兵，度过了一段肩枪执笔的不平凡日子。

1995年秋天，当我们对他采访谈起武汉时，年已九旬的老诗人臧克家动情地说：“武汉，这两个字，对我有擂鼓的声响，烈火的红焰。她锻炼了我，她教育了我，使我的思想有了指南金针，使我认识了人生和革命的伟大意义，奠定了我前进的道路，终生而不渝……”

从士兵到诗人

1926年秋，21岁的山东青年臧克家，风尘仆仆，从青岛来到大革命风暴的中心武汉。两次应试，考进了国共合作时期国民政府创办的中央军校。军校紧张的生活，严格的军事训练，繁忙的文化学习，排满了每周的日程表。一切都使这个山东汉子感到心满意足的喜悦，唯一使他恼火的只是整理内务：他无法把这个住有60人的大寝室打扫得一尘不染，总是忐忑不安地等待着检查。他不会把被子叠得方方正正，有棱有角，常常心中冒火，急得满头大汗。尽管如此，战斗的生活仍然在紧张和繁忙之中渗透出丝丝的甜味来。

一次夜间放哨，月光如水，树影婆娑，臧克家扛着一杆钢枪，用警觉的眼睛守卫着1000多位战友，心中充满了诗情画意。他在武汉写下了第一行诗句：

星星用冷眼看人，
月亮给我一个壮影，
托起枪来闲拔着正步，
要用步子的尺从黑夜量到天明。

1927年，形势陡然起了变化，"四·一二"政变像一阵阴风袭来。5月中旬，武汉的形势急转直下，夏斗寅乘北伐军北上，武汉防务空虚，对革命者举起了屠刀，中央军校的学生受命编为"中央独立师"，全副武装，开赴前线，参加讨伐夏斗寅和杨森叛逆者的战斗。

那是5月的一个黄昏，一列敞篷火车把全师官兵运到武昌纸坊，刚停车，双方就接上了火。臧克家激动而惶惑，他平生第一次置身于硝烟弥漫的阵地。"同志们，冲呵，现在是考验我们的时候了！"学生军战士高举步枪，呼喊着冲在前面，使士气陡增。战士们在激烈的枪声中勇往直前，经过了一整夜的战斗，这些第一次冲锋陷阵的学生军取得了作战的胜利。部队马不停蹄，翻山涉水，乘胜追击，从纸坊直趋咸宁，由咸宁西进嘉鱼，直到通海口。掌灯时分，欢呼胜利的人群像一堵堵的人墙，口号声、鞭炮声、锣鼓声汇成了一个万众欢腾的海洋！“打倒列强”的歌声振奋人心，唱得不少战士热泪滚滚。

农村高涨的革命气氛，使他们深深感到人民的伟大力量。夜间，臧克家又被派到洪湖边去站岗。战斗的风尘渐渐洗去了他的“学生腔”，他的诗句再不是“托起枪来闲拔着正步”了，而是：

大江岸上我深夜去守卫，
说是对岸就伏着敌人，
眼前的黑暗凝成了一块，
一伸手就可以扣出声来。
眼盯住对岸，手扳着枪机，
闪亮的萤光有意来逗你，
一鼻孔麦香烧起了饥火，
大江无形有声地吼着！

7月中旬，他们从前线回到武汉。一切都变了，街上冷冷清清，再也看不到几个月前那些激动人心的场面。女生队被迫解散，没有几天，男生队又奉令东移，几十条木船，载着臧克家和他的战友们，顺流而下。臧克家依在桅杆边上望着渐渐模糊的江城，心潮逐浪。江风掠过，他不禁想起几天前的一个清晨，教官恽代英老师的一次讲话来：“同志们，今天是我们的最后一次聚会，明天早晨，打倒恽代英的标语就会出现在武昌城头上了！现在政治形势逆转，但我敢说，最后革命必然成功，胜利一定会属于我们。我们分散以后，希望每一位同志，就是一粒革命种子，不论撒到什么地方，就让它在哪里开花，结实……”

是啊，不管到哪里，都要做一粒革命种子，开花结实。在扬子江边，他拨响了诗歌之琴的第一个音符，从江汉大地上迈开了走向中国诗坛的第一步。臧克家决心以诗歌为武器投身于战斗，他陡然站立到船头，坚定地注视着宽阔的前方。

从诗人到士兵

1937年7月抗战风暴骤起，遍地号角声声。次年3月，臧克家从河南潢川来到武汉，第二次踏上荆楚大地时，他已是名满文苑的著名诗人了。

故地重来，有一种特别的亲切感。使他感到高兴的是，在武汉，他见到了多年未见的好友于黑丁，离乱重逢，感慨无限；又结识了田涛、碧野、曾克等一批新知，相识恨晚，情重谊厚。他们挤住在武昌的一家小旅舍中，谈世界局势，谈抗战前途，谈文学创作，常常夜半难眠。此时的臧克家兴奋而又繁忙。他拜访郭沫若同志，听他谈文艺界的情况；到汉口青年会参加邓颖超大姐的演讲会，听她分析抗战的形势；和老舍在酒店聚首，听他谈“文协”的筹备，为他分忧解难；还经常参加文艺界举办的诗歌朗诵会、座谈会，活跃于文苑诗坛。他兴奋地说：“抗战的号声一响，我疯狂了，一肚子淤积得到了倾倒，一腔子热情无遮拦地流泻，看到什么写什么，听到什么写什么。”

■ 1938年6月臧克家（左）与于黑丁在武汉

这年4月1日，他在武昌写成了八十一行的《武汉，我重见到你》，诗中既谴责了后方某些权贵纸醉金迷的生活，也表达了诗人对中原重镇的殷殷希望：

武汉
抖一抖身子站起来！
振去你身上的腐臭和颓废

…… ……

放开你的喉咙，

唤起救亡的热情，

大时代的洪流

已盈近了你，

…… ……

起来，

给祖国再造一个新生！

在血火交织的抗战中，臧克家已不仅是一位诗人，他更是一名辗转于前线后方的抗日战士。抗战时期的前4年，他以武汉为基地，出入战地、后方和游击区，江城是他戎马倥偬生活的一个“中继站”。徐州会战前后，他亲赴台儿庄前线作战地采访，直接接触了包括李宗仁、白崇禧在内的高级指挥官和许多下层士兵。为了迅速地将“在前方眼看耳闻的一些惊心动魄的事实向大家来个忠实的报告”，他放下诗的竖琴，拿起政论家的笔杆，在前线一间小屋昏黄的烛光下，用了整整7天时间，赶写了一本约7万字的报告《津浦北线血战记》。初稿完成的翌晨，他又乘车赶回武汉，在生活书店组织编发，绘制地图，安排出版。不过一个月时间，印刷精美的《津浦北线血战记》就出现在武汉街头，

■ 1938年臧克家（站者右六）率领的五战区文工团与河南战教团联合演出后合影

送到了抗战前线。这种写、编、印、发的高速度在战时都是少有的。

“把我们意外捡来的生命，/ 再投到枪林弹雨中”，为了更好地为战地服务，更广地开展民众宣传，臧克家发起组织了第五战区文化工作团。参加这支队伍的是邹荻帆、田涛、田一文、伍禾等 14 位颇有名气的诗人和作家，臧克家和于黑丁担任正副团长。这个团体被人们亲切地称为“十四个”。文化团直属第五战区司令长官部管辖，随长官部作战地宣传，但更多的时候是独立行动。在臧克家的率领下，这支队伍驰骋在鄂东前线，活跃于大别山区，他们出墙报，朗诵诗歌，刷写标语，教唱《大刀进行曲》等救亡歌曲，编演《新小放牛》等抗战戏剧，将抗日救亡的爱国精神传播到各地。

“凭一张口，凭一双手，手下的铁笔，是我们的武器。从白昼到黑天，把心血，把大汗，灌在每一刻的时间，我们在苦斗里，拉紧了生命的弓弦……”1938 年 8 月 27 日臧克家在“六安战事正急，耳边机枪成串”时写的《我们这十四个》一诗，记载了那一段真实的生活。

诗人与士兵的交响

诗人啊，
请放开你们的喉咙，
除了高唱战歌
你们的诗句将哑然无声。

1938 年 6 月臧克家的抗战诗歌集《从军行》由汉口生活书店出版，他在诗集的扉页上写道：“这是诗的誓言。”认为只有诗人的眼睛和心灵，被真切的血肉现实牵动所写出的抗战诗句，才是真正的诗。

抗战时期，他不仅努力于抗日文化活动，而且仍然坚守着诗歌的战斗阵地，写下过许多饱含激情又富有鼓动性的诗行。臧克家是武汉诗坛上创作力最旺盛的诗人之一，在扬子江边，他写作发表了数量相当可观的诗篇。武汉出版的数十种文艺报刊几乎都发表过他的作品。在诗集《从军行》中收入《我们要抗战》等短诗 14 首。七七事变的炮声刚刚打响，诗人就在诗中欢呼民族解放之战的开

■ 臧克家（右二）与姚雪垠（左一）田涛（左二）、碧野（右一）于五战区

始："活，要立起身子来带响的活；死后尸体也要交横在一起！我们爱和平，然而今天，我们却欢迎战争！"《兵车向前方开》描绘了一幅志士入伍、奔向战场的壮丽图画：

耕破黑暗，
又驰去白日，
赴敌千里外，
兵车向前方开。
兵车向前方开，
炮口在笑，
壮士在高歌，
风萧萧，
鬃影在风里飘。

战马嘶鸣，列车飞奔，豪情壮志；像绝句又似小令，诗短而情长。《血的春天》痛斥了日寇践踏我国大好河山的罪行：

在北国
在中原
敌人脚踏的地方
已经没有了春天!
泰岱锁起了眉峰
大河板直了黄脸
一把复仇的火苗追起东风
燃烧在原野
燃烧在黄帝子孙的心间。

传诵一时的《别潢川》写欢送青年入伍的壮别，也宣布了自己荐血轩辕的誓言：

为了祖国，
把生活浸在苦辛中，
为了抗战，
甘愿把身子供作牺牲。

出语铿锵，掷地有声。《为斗争我们分手》是对战士的叮嘱，也是对自己的期勉：“我们把意外捡来的生命，再投到枪林弹雨中”。正像诗人自己所说的那样，这个时期“心里充满了热情、幻想和光明。这心境反映到诗上显得粗

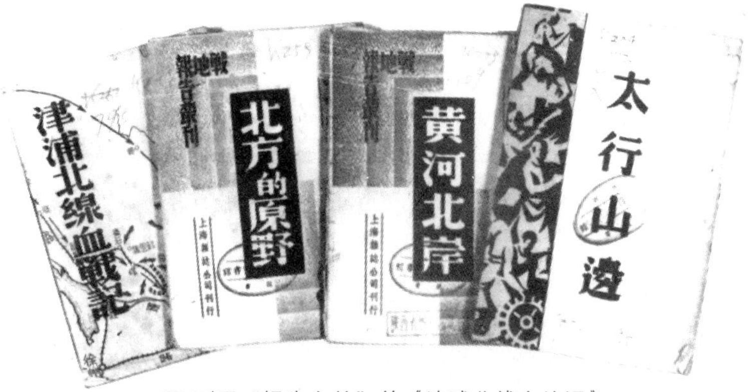

■ 列于“报告文丛”的《津浦北线血战记》

糙、躁厉、虚浮”。集子里有些诗只是廉价乐观的宣泄，有的诗只是慷慨的调子和口号的喊叫。如“中华的好男儿，有口都狂喊，敌人的罪恶吧！中华的好男儿，我们要下上所有的生命，和敌人赌这次最后的输赢！”他的另一诗集《泥淖集》收录诗歌 12 首，都是辗转湖北境内的作品。《送战士》写送亲人走上杀敌战场的壮别，没有悲戚的哀叹，但听坚贞的誓言：“送行的队伍，锁住了大街，掌声把一串眼泪，拍落下来……没有拦道索夫的泪痕，不须可笑的千人针，我们也有份礼物相赠：那便是千万颗要爆炸的心！”《大别山》写雄伟壮丽的山川风物，人民艰难的生活和不屈的意志；《匕首颂——赠鲁夫》是写战斗的武器，也是写战斗的人：“它在饥饿中哭泣，它需要红的血水，它要试一下自己的锋锐，当敌人在五步之内。”当他在行军途中，从一张几天前的报纸上看到闻一多先生徒步南下的消息，欣喜异常，写《晴天里一个霹雳》相寄，赞扬闻先生“重新拿起了艺术的武器，烽火点燃了你死去的热情”。这些诗虽多是战斗间隙的急就章，但许多诗句仍经过锤炼，读者能从反复吟咏和咀嚼的回味中体味到诗人深沉的情感。如《九·一八在冷雨中》：“冷雨浇着黄花，冷水打着战地，雨丝拉长了，不死的记忆”。意境凄寒，语句新颖，恰好配合着屈辱历史的纪念。

这一时期臧克家除了上述诗集中的作品外，尚有《伟大的空军》、《从军去》等大批诗作散见于各种报刊，还发表过《诗歌朗诵运动展开在前方》等论文。对于抗战时期的创作和生活，臧克家以一言而蔽之：“高唱战歌赴疆场。”

1942 年 8 月，臧克家离开战斗、工作了 4 年的湖北，徒步千里，历时 1 月，抵达重庆。

高擎起通红的『火把』

——艾青

我们来了举着火把高呼着
用霹雳巨响惊醒沉睡的世界
我们是火的队伍
我们是光的队伍

抗战中期一个“五四”青年节的前夕，在万里跋涉的长途中，艾青完成了著名长诗《火把》。那熊熊燃烧的火炬，寄托着亿万人民对新时代的渴望，是一代青年追求光明、奔向革命的诗歌具象。

这“火把”是在大武汉点燃的，将他对武汉人民英勇抗战的忆念化作滚滚的诗潮融汇在自己的诗行之中。

1937年冬天，卢沟桥反侵略的烽火已在全国熊熊燃烧，正在杭州蕙兰中学执教的青年诗人艾青，怒火满腔，胸中回荡着战斗者沸腾的血液，再也无法安于讲坛了。他对已经成为全国抗战救亡中心的武汉，日思夜想，渴望到那里列身戎行，为国效命。就在不久前，艾青接到并未谋面的胡风的来信，邀请他赴汉参加编辑杂志《七月》。他在回信中说“面对抗战……我依然用热情来创造艺术”，“武汉是我极欲到的地方”。于是，下定决心辞职就道，这年隆冬的一天，他挈妇将雏，历尽艰辛，风尘仆仆，从美丽的西子湖畔来到沸腾的扬子江边。

艾青来到武汉后，带着家眷居住在武昌艺术专科学校收发室内，那是内外两间低矮、简陋而狭窄的临时性用房。当他偶然在街头遇见刚到武汉、还无所驻足的年轻同行田间时，便热情地邀请他来一同居住。在烽烟滚滚的战斗岁月，两位诗友朝夕相处，切磋诗艺，结下了真挚而淳厚的友谊。其时从祖国各地来江城的作家、诗人络绎不绝。艾青不久就结识了舒群、萧军、萧红、端木蕻良、罗烽等从东北流亡来的一群作家，又遇见了由各地会聚在一起的孙钿、阿垅、绿原、侯唯动等新老诗人。恰巧这时胡风复办的大型文艺杂志《七月》的筹备正在进行，申请报批核准、张罗印刷出版，组稿和编辑等诸多事务，大家群策群力地参与了各项工作，并都成为刊物的重要撰稿人和主要编辑者。簇拥在胡风身边的这群年轻人大多是刚刚走上文学之路的爱好者，个个心怀宏愿，士气高昂。作为已在诗坛上颇负盛名的“老大哥”诗人艾青，无论在诗歌创作实践上，还是在诗歌理论研究上，都给了他们不同程度的影响和帮助。这支在烽烟烈火中逐渐成长起来的诗歌劲旅，他们怀着“突进生活的密林”的一致目标，肩枪执笔，投身抗战的实际工作。在他们的诗中情真意切地歌唱战斗着的人民，淋漓尽致地揭露凶恶残暴的敌寇。正如一位诗评家所说，他们是从“生活的搏击里面生出创作的欲求和创作的形式”，由于思想倾向、生活态度、艺术追求的共同性，他们的诗，逐渐形成了相近或相似的艺术风格，被现代文学史称为“七月诗派”。虽然整体艺术风格一致，但作者的个人风貌又异彩纷呈：有的情热如火，有的冷峻似冰，有的刚毅卓绝，有的气势磅礴，但都激荡着沸腾的诗情。艾青被作为组成这一强劲诗歌阵容的“排头兵”，他与高兰、庄涌、田间、孙钿、苏金伞、冀汸、邹荻帆等诗人都在江城激情地写下或发表过他们创作生涯中闪光的诗行，不仅为抗战的诗歌创作奉献了激情的诗歌，而且为中国新诗的发展，起过积极的推动作用，产生了广泛而深远的巨大影响。在为中华民族反抗侵略、争取解放的斗争中，“七月诗派”的诗以急风暴雨般的时代呐喊，庄严而深刻地记录了那个血火交织的年代。

到武汉后，虽然居住和生活条件甚差，但艾青勤奋的笔从未放下。他到武汉不久，南京失陷，血流成河；杭州沦落，山水失色。在江边的小屋里，他怀着悲愤的心情写出了到汉后的第一篇文章《忆杭州》。其中写道：

> 敌人残暴的脚步，很快踏启遍了整个杭州城，或许敌人的铁蹄会摧毁西湖的一切，或许，西湖的水会染成紫红的颜色……今天，我想念杭州，我想念着，眼前就浮出她的凄凉，我是极度地悲伤着，但我却不再流泪了。

在群情激愤的战斗中，他渐渐抹去了往昔诗文中“感伤的忧郁”，变得刚强和坚韧了。

举凡对抗战文化有益的工作，艾青从不拒绝。当“武汉抗战木刻展览会”筹备时，早年学过美术的他也跻身其中，他和同志们搜集了数百作品参展，并写作了《略谈中国的木刻画》一文，对抗战美术加以宣传和提倡。

艾青在繁忙的事务之余，仍然手不停挥从事着诗歌创作。1938 年 1 月 16 日，在《新华日报》显著的版面上，发表了他的《我们要战斗，一直到我们自由了》，诗作哀叹旧中国的懦弱和落后，咒诅它的死亡：

> 让古老的中国，
> 穿上寿衣。
> 让古老的中国，
> 躺进棺木。
> 让古老的中国，
> 埋到地底去！

祖国凤凰涅槃，烈火再生。诗里已没有了过去低沉、灰暗的情愫，呼唤中华民族在同倭寇的决死一战中重生，以自信的调子为民族斗争而歌唱，表达了誓死与敌人拼搏的坚强决心。这是他在武汉发表的第一首诗歌。此后，他又连续在武汉发表了《他起来了》、《雪落在中国的土地上》、《这是我们的——给空军战士们》、《黄昏》、《反侵略！》、《革命的哀歌》、《为被难者控诉》等富有鼓动性的诗篇。

在江城参加救亡运动日日夜夜，他目睹民众的奋起和参与，予以诗的欢呼：

他起来了
从几十年的屈辱里
从敌人为他掘好的深坑边

他的额上淋着血
他的胸上也淋着血
但他却在笑
——他从来不曾如此地笑过

一幅诗的雕像。武汉民众和全国人民一样从历史的屈辱和现实的血泊中雄起了，巍然屹立，刚毅、顽强、充满力量。这正是抗战初期“全民族的潜力跃动了”的诗的形象。

在流离中，他看到了太多的轰炸和屠杀，日寇给人民造成了巨大的灾难，他的满腔怒火无法抑制，援笔写成《反侵略——给日本的士兵大众》，向日寇发出了厉声责问：

为什么
你们从东京
从大阪
从名古屋
背了枪
装满了子弹
到中国来?

为什么
你们在上海
在南京
在北平
拔出刺刀
戮杀了
无罪的中国人民？

急促的字句、跳跃的短行，是诗人怒吼的宣泄。

用密集的枪火，
扫射
哀叫着的
奔逃着的中国人民
你们
能否想一想
他们和你们
有什么仇恨？

一声声诘问是一颗颗子弹，倾泻到敌人的心上。在揭露了日本侵略者的险恶目的后，诗歌进一步指出战争的不义性质，谴责了玩火者。

武汉的抗日怒潮如扬子江水波涛汹涌，群情激奋，但也有贪官污吏祸国殃民，汉奸走狗通敌卖国，不法分子投机发财，这些社会生活中的负面，让诗人忧心如焚，“在战争中看见阴影，看见危机”，他深感自己的祖国如同冰封雪裹的大地。

1937 年 12 月 28 日，武汉的冬夜，北风呼啸，严寒袭人。艾青寄居的斗室，灯色昏黄。他望着窗外无边的黑暗，思绪万千：千万人民在日寇铁蹄下惨遭蹂躏，大好河山被敌人屠刀任意宰割，中华民族正处在生死存亡的严峻关头，苦难的大地似冰封雪裹……诗人感兴遄飞，强烈感触到民族经历的苦痛、屈辱的历史，心中律动着沉郁、悲愤的感情，焦思无限，不能自已，他摊开稿纸，抓过笔写道：

中国的路。
是如此的崎岖
是如此的泥泞呀！
…… ……
中国的苦痛与灾难
像这雪夜一样广阔而又漫长
寒冷在封锁着中国呀……

诗人坚信，浴血奋斗的人民“会真正走到战争的尽头”。尽管他不喜欢忧郁，“愿忧郁早些终结吧！”但他的忧郁充满心中，因为这忧郁来自中国人民的苦难。

东方既白，艾青终于完成了著名抒情诗《雪落在中国的土地上》，他临窗伫望，一阵北风吹过，天空忽然扬起鹅毛大雪来，对着漫天飘舞的雪花，诗人惊喜交集，手持诗稿，长歌高吟，深有感慨地说：啊，这场雪是为我这首诗下的。一场瑞雪为一首名诗平添了几分情趣，每每提起，艾青都不禁莞尔。

1938 年 1 月，艾青应山西民族革命大学李公朴先生之邀，同聂绀弩、田间等人同行，离开武汉去临汾任职。到临汾后不久，学校转移，艾青又到西安，在陕西抗日艺术宣传队担任队长，他曾带队到许多县乡作过救亡宣传并有过一段北方之行。

这次远行，曾以美术留学法国的艾青除临时挥毫作画外，并在一本记账的折子上沿途写了不少诗篇，完稿后即寄到武汉的各种报刊发表。在风陵渡，他听端木蕻良说过“北方是悲哀的”，觉得此话虽然悲凉但却含有几份诗意，似乎在撞击着他创作的机杼。一路上诗人便佳作迭出，礼赞“庄严地守卫着祖国的平安”的潼关，写了《风陵渡》；歌唱黄土精神的《手推车》和《北方》，倾吐了诗人的爱乡爱国情思；在铁路边的一个小站，为靠缝补艰难度日的老妇写下《补衣妇》；在野外，看到掩儿带女、成群结队的流浪人群，写下“伸着永不缩回的”乞讨之手的《乞丐》。尤其要提到的是，一日，他们路过遭到日寇虐杀的一个村子时，看见树上高挂着七、八张鲜血淋漓的人皮，其中一张是被日军奸污后，从妇女身上被活剥下来的。有人随即用相机拍下了这惨绝人寰的场面。回到武汉，看着这帧血淋淋的记录着中国人民屈辱的照片，诗人愤怒满腔，写下了读后令人心灵震颤、怒火满腔的诗篇《人皮》。诗人用颤抖的笔触再现了日寇屠戮村民、目不忍睹的惨状，带泪哭喊：

中国人呵
今天你必须把这人皮当作旗帜
悬挂着，悬挂着
永远地在你最鲜明的记忆里。

这首诗在武汉的《七月》第三卷第五期刊出后，激起全国人民烈火般的愤怒，产生过深远而持久的影响。

艾青从陕西返回武汉后，又满怀激情地参与了轰轰烈烈的武汉抗战文化运动。其时，正值中华全国文艺界抗敌协会酝酿筹备之际，他和老舍、郭沫若、茅盾等 97 人联名发布《中华全国文艺界抗敌协会发起旨趣》，是全国文协的发起人之一。会刊《抗战文艺》出版社后，他又担任刊物的的常年撰稿人。茅盾来武汉筹办《文艺阵地》，艾青应邀担任该刊编委，负责刊物诗稿的审阅，里里外外做了不少实际工作。

1938 年 4 月，艾青在汉完成了著名抒情长诗《向太阳》的写作，这是继《太阳》后的又一篇重要作品。它的出现，曾经轰动了全国诗坛。诗中作者写道：

我的身上
酸痛的身上
深刻地留着
风雨的昨夜的
长途奔走的疲劳
但
我终于起来了

写作这部长篇抒情诗时，艾青难以抑制汹涌的感情，诗行奔腾而出。诗歌以武汉轰轰烈烈开展的全民抗战为背景，描绘了抗战初期国共合作、誓雪国耻、同仇敌忾的壮阔群众场面：

太阳照在
城市的上空
…………
太阳照着他们的脸
照着他们的
光洁的、年轻的脸
发皱的、年老的脸
红润的、少女的脸
善良的、老妇的脸
和那一切的
昨天还在惨愁着但今天却笑着的脸
他们都匆忙地
摆动着四肢
在太阳下来来去去地走着

诗中讴歌了“背着募捐袋”的少女、“为抗战流汗”的工人和“等待着那及时号令”的士兵，表达了自己对战斗的歌唱和胜利的信心。诗人驱驰想象，将深刻的寓意渗透在浓郁的抒情之中。

诗歌在描绘了“我起来”、“街上”、“昨天”、“日出”、“太阳之歌”、“太阳照在”、“在太阳下”、“今天”八个章节后，进入最后一章“我向太阳”后又热情洋溢地歌唱道：

我用嘶哑的声音
歌唱了：
“于是，我的心胸
被火焰之手撕开

陈腐的灵魂
搁弃在河畔……”
这时候
我对我所看见所听见
感到了从未有过的宽怀与热爱
我甚至想在这光明的际会中死去……

这里似乎也有“战斗的呻吟”和“战士的叹息”，但它已是诗人兴奋的、高昂的、怀着沉稳情感直面现实所作的深沉思考，是一种生长出的力量了。作者说写这首诗是“作为对抗战的颂歌，对一个觉醒民族的欢呼”，被称为“艾青抗战时期创作道路上的里程碑”。

艾青在武汉的日子里，受到江城人民的爱国精神的感染和激励，火热的斗争生活逐渐磨去了他旧时的忧郁，激越的战歌代替了从欧罗巴带回的“芦笛”。他吹响号角、高擎“火把”，扑向太阳，在抗战的武汉走上了奔向太阳“吹号者”的征途。

5月，北平传来周作人卖身事敌、堕落成千夫所指的民族罪人时，艾青满腔愤恨，义愤填膺，写下了《忏悔吧，周作人》：

■（左起）艾青、林钢与峻青在汉口

…… ……

周作人
你能忘掉自己
是这被流血的种族的儿子么?

周作人
你记不起自己
是生长在这被践踏着的土地上的么?

用愤怒无比的诗歌语言痛斥了周作人认敌作父的肮脏灵魂。

在武汉两次往返和数月的驻留中，艾青除辛勤笔耕之外，更以主人公的身份出席江城各种抗日救亡的群众活动。他提倡诗歌的大众化，让诗歌离开书斋，走向民众，他呼吁“诗在广场和群众中”，曾在三镇多次参加“街头诗”、“诗朗诵”的民众性诗歌活动。结合着诗歌写作和刊物编辑的实际，艾青也十分关心武汉抗战文艺的理论建设，他积极参加文艺界举办和召开的各种讨论会和座谈会，和大家就抗战诗歌问题开展讨论。写了不少关于诗歌方面的笔记，并整理、发表和出版过《诗歌的道路》、《诗人论》、《诗与宣传》、《诗的散文美》、《诗论》等论文。

1938年7月，艾青离开武汉，经湖南奔赴广西桂林。我们高兴地看到：当年那个被胡风称为“吹芦笛的诗人”，在江城热火朝天的战斗中，放下了彩色的欧罗巴芦笛正成为奔向太阳的号手。

战旗：用鲜血书写诗的誓言

——覃子豪

在大陆诗坛，熟悉覃子豪这个名字的人为数不多，但其诗作对台湾和东南亚现代诗有过极大的影响，覃子豪和纪弦、钟鼎文齐名，一同被誉为台湾“诗坛三老”。

抗战时期，他在武汉从事抗战文化活动与诗歌创作，为日后在诗坛大展身手奠定了坚实的基础。

覃子豪(1917—1963)原名覃基，四川广汉人。1931 年在北平中法大学读书，1935 年到日本留学，七七事变后即从日本归国来到武汉，在政治部第三厅担任干事，投身于抗日文化运动。编辑报刊、从事宣传工作之余，醉心于诗歌写作。他是一位“把一生完全注灌于诗的诗人”。在三厅任职期间，他先后创作了《北方的军号》、《伟大的响应》、《战士的爱》、《战争中的歌人》、《水雷》、《欢迎中国的友人》等诗作，结集为《自由的旗》出版。他说：“这几页诗是属于脱离了窒息的时代，开始战斗时代最初的歌唱，这是意志和情热的表现，是一种个人、群众和时代之间的情绪综合的集体，是被侵略者踏碎了国土上生活着的悲痛青年的呼吁，是一种单纯的、复杂的、悲痛而激昂的声音，是从肺腑里喊出而同战争的喇叭吹出的声音混成的一个交响，一个合奏。”诗集中的作品多种多样，异彩纷呈，如《渡漳河》写战士月夜渡河的乡思，冷峻、苍凉；《北方的军号》写东三省人民的奋起抗争，刚劲、粗犷：“这是视死如归的战争，/我们宁愿早一刻和仇敌决斗，/不愿多享受一刻屈辱的宁静。”展示了人民觉醒、群起抗倭的一个侧影。面对强寇，人民没有别的选择：

用鲜血在战旗上写着神圣的誓言
“抗争！抗争！不是光荣战死
便是完成抗战的使命！”

《给我一杆来福枪》是诗人请缨赴征的一纸请战书。情真意切，表达了洒血疆场的心愿：“我们要珍惜眼泪，/不要珍惜血流……/快给我一杆来福枪，/一套戎装，/一匹战马。”《废墟之外》描绘了惨遭敌人蹂躏的田园；《战争的春天》歌颂了人民重整山河的斗争；《土壤》一诗用动人的嗓音倾诉了大地的儿子对母亲的深情：

在六月的太阳下
我的跣足踏着灼热的土壤，
汗水滴在土壤的裂缝里，
心里是多么愉快地看见，

土壤和高粱叶子发光……

诗人并没有沉湎于往昔温馨生活的回忆里，也没有单纯抒写人民的深重苦难，反抗、复仇、激励人民起来斗争才是这首诗要表达的最终主题：

在那葱郁的树林里，
有曾经使我儿童时陶醉的美丽新乡，
纵然，土壤里有我妻子的骨，儿女的肉，
是流泪的地方。
然而，我却不能离开祖父遗留下来的
土壤，
让我，在肥沃的土壤上播着仇恨的种子，
向敌人发出仇恨的枪。

覃子豪用平直的口语入诗，以白描见长，率真地表达自己的感情，显露出

■ 覃子豪留学日本与朋友合影

■ 覃子豪作品书影之一

■ 覃子豪作品书影之二

抗战诗歌情感直奔的缺点，对于这，作者是心有所悟的，他说过："那时候，我的苦心是想将这微弱的歌调藉着动员号令声的旋律表现出人民迫切的任务来，所以我写了号声般的犷野的、重复的、粗率的《北方军号》。"这是较为确切的自评。而后来的诗作，就日见深沉和细致了。

覃子豪先后主编过《扫荡简报》、《新时代》和《前线日报》副刊，创办了《东方周报》和《太平洋日报》，出版过描述敌机轰炸后人民不屈意志的诗集《永安劫后》，受到广泛好评。

抗战胜利后，覃子豪为谋生去台湾，先后在台湾省物资调节委员会、粮食局和函授学校任职，坚持诗歌创作不辍。1951年主编《新诗周刊》，并与钟鼎文创办蓝星诗社，出版诗刊《蓝星》。他先后出版了《海洋诗抄》、《向日葵》、《画廊》、《未名集》等诗集及诗论《论现代诗》、《诗的解剖》、《论现代诗》、《诗的创作与欣赏》、《诗的表现方法》、《世界名诗欣赏》等。

"蓝星诗社"在台湾诗坛占有重要地位，曾出版诗集、散文集和评论集达50余种，诗刊327期，为中国诗歌的繁荣作出了贡献。因此，覃子豪被誉为台湾"诗的播种者"、"蓝星象征"，是20世纪东南亚最著名的"海洋诗人"。

诗的鼓音："战斗与冲锋"

——田间

"数十年前，武汉的烈火熊熊，那烈火呵，是否平息？一枝挨着一枝，一篷接着一篷。火呵花呵，你永远开在我的胸中。……"

"武昌，武昌呵，你是我生活中的又一个起点。"

数十个年头过去了，皓首回忆往事，1984年春天，当六十八岁的老诗人田间在我们面前回忆起抗战时期他在武汉的短暂岁月，仍然一往情深，激动不已。烽火中的武汉，在他创作的编年谱上，曾刻画过多么辉煌的一笔。

霜叶染红了山岭，炮声震撼着大地，1937年初秋，年仅21岁的田间，作为文坛上一个“战斗的小伙伴”，从上海来到武汉。

江城沉浸在全民抗战的兴奋中，到处是熙来攘往、宣传抗日救亡的队伍。人地两生的田间踌躇街头，无所驻足，只好投宿到武昌江边的一家小客栈里。

战时的武汉，也是一座诗歌之城。高兰、穆木天、光未然、冯乃超、艾青、臧克家等大批诗人辗转来汉；《时调》、《五月》等一批诗歌刊物应运而生，武汉诗坛出现了未曾有过的多姿多彩的局面。从1937年底起，一个以诗朗诵为主潮的群众性活动蔚然兴起。武汉三镇的车站上、码头边、广播电台和各种集会上，经常可以看到朗诵诗的节目，正如当时一个名叫《诗》的刊物所说：“凡是战斗的角落，居住着不愿做奴隶的人们的地方都有诗；凡有青年人的地方，凡有油印机的地方，凡有纸笔的地方，也都有诗！”朗诵诗使诗歌长出了激情的翅膀，从书斋、从讲台、从文艺的沙龙中奔突而出，“跑到街头，和群众在一起”成为了动员民众、鼓舞士气的有力武器。

作为诗人的田间深深地被感动了，他沉重地感到了诗为抗战而歌唱的责任，更直感地认识到了诗在抗战中的力量。他激动地说：“我们应该更热烈地歌颂呵！要歌颂卑污的、黑暗的、受奴役的、不自由的中国和它的人民的奋起。”在旅舍打开木窗时，他感到：“从这小小的窗外我望见一座辽阔的战场。祖国，你将给我们什么命令？”诗浪在他胸中涌动。

1937年12月14日深夜，听着窗外长江起伏的涛声，想着风雨纵横的祖国，“心灵在燃烧，血液在沸腾”，他诗情澎湃，抓起笔来，伏在桌上，“一气呵成，一句未改”写成了长篇抒情诗《给战斗者》。在扬子江边，又一次擂响了诗的战鼓。诗作以深沉的感情，急促跳跃的诗句，描绘了祖国惨遭敌寇践踏的痛楚，歌颂了人民奋起反抗的战斗精神：

■ 田间抗战初期小照

我们
必须
拔出敌人的刀刃
从自己的
血管。
我们
人民的
呼吸
不能停止；
血肉的
行列
不能拆散；
复仇的
枪，
不能扭断
因为
我们
不能屈辱地活着
也不能屈辱地死去啊……

诗人发出激情的号召：“举起我们被火烤的，被暴风雨淋的，被鞭子抽打的劳动者的双手，斗争吧”，在我们面前只有一种选择：“在斗争里胜利，或者死……”

这首诗是他诗歌创作中一个突起的高峰，诗人自己把这首诗称为“奋然的盟誓”和“生命的诺言”。他说：“这里并没有什么细腻的闪句，并没有什么花草也并没有什么弦外之音，等等。这是心灵的申诉，这是一个中国人的呼唤……是我们这个古老而且胆大的民族未亡的一个纪念。”

诗成之后，已是东方既白，田间马上跑到艾青那里请他过目。艾青看过后大加赞赏，要他立即送到《七月》编辑部，不久这首诗就在该杂志第一卷第六期上头条全部刊出。

艾青仿佛是重新认识了田间，读过《给战斗者》后就立即盛情邀约他到自己住的武昌艺术专科学校收发室一同居住。艾青的住处也很紧张，一张拉起的布帘隔开了田间和艾青一家。两人同住陋室，切磋诗艺，互相砥砺，一同参加文艺界的活动，一同出席《七月》社召开的座谈会，一同参与中华文艺界抗敌协会的发起工作，同时列名于《文协发起旨趣》，在火热的斗争中结下了深情厚谊。

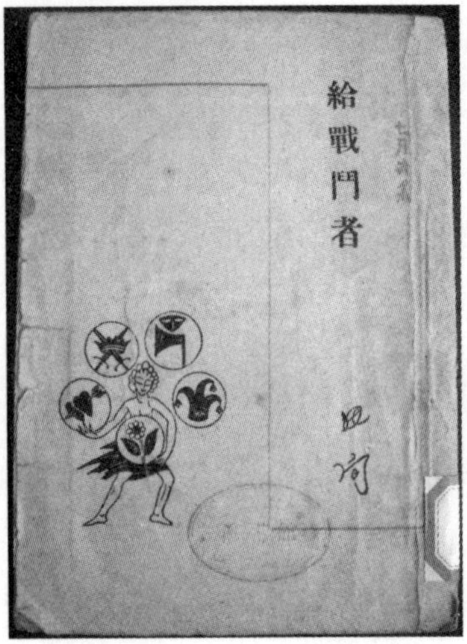

■ “七月诗丛”：《给战斗者》诗集

“诗的出路，就是为生活而战斗，因此诗也要使更多的人理解自己的声音。在生活的激流之中，一定会产生诗的。”这是田间创作的座右铭。他勤奋地挥动着手中的笔，在武汉还相继写了《中国的春天在号召着全人类》、《向国民宣战》、《战斗的抒情诗》、《晚会》、《给V.M》、《儿童节》等。在这些诗中充满着与战友同生死共患难的拳拳友情，洋溢着投向斗争难以抑制的喜悦和激动，描画了人民觉醒与奋起的形象：

人民的
肩膀，
在倚着
壕沟，
人民的
手，
在抚着
枪口，
…… ……
中国的春天生长在战斗里，
在战斗里鼓舞着全人类。

田间这一时期在斗争中锤炼的诗句，具有鲜明的时代特色，斗志高昂，情热滚烫，简洁有力的诗句正和全民奋起的精神相和谐。他的诗“是一片沉着的鼓声，鼓舞你爱，鼓动你恨，鼓励你活着，用最高限度的热与力活着，在这大地上”。1938 年 7 月在汉口又出版了诗集《呈在大风砂里奔走的岗卫们》，集中收诗二十五首，有对战友的怀念与期勉，有对战地服务生活的描绘。如《同志们联队般地走在大街》记述服务队公演归来，诗中写道：

我们
唱起歌
像大风雨，像铁流
倾向
——店铺
涌向
——路口
和着刚强的脚步摩擦在砂土上的交响
联队般地
从大街上
走过！

豪迈、热烈、自信，脚步踏踏，显示着青春的力量和工作的愉悦。但从整个诗集看来，其中一些诗只是简略、粗糙地表现生活画面的片断，缺乏深刻感人的力量。

1938 年 1 月 29 日，应山西民族革命大学李公朴先生之邀，田间和艾青、聂绀弩、萧军、萧红、端木蕻良一起离开武汉前往山西临汾。踏上新的征程，他忽然想起的却是艾青的两句诗：

人问：春从何处来？
我答：来自郊外的墓窟。

“湖南新到女儿兵”

——谢冰莹

重重关山隔不断游子的乡思，滚滚波涛洗不去赤子的深情。著名女作家谢冰莹，89岁高龄时，虽身在异域，仍神飞故国。

她在美国写的一篇怀念故乡的《还乡梦》中，曾深情地写道：“我多愿意回去，永远投在故乡的怀抱，嗅着泥土的芬芳。可爱的故乡呀，我永远记着你四季如画的风光！”她忘不了曾经在武汉度过的艰难的岁月……

谢冰莹（1906—1996）是北伐时期的著名“女兵”，中国现代文学史上的一位多产女作家，她一生写作出版了小说、传记、散文和报告文学等多种体裁的著作70余部，其中最著名的是她第一次革命战争时期在武汉写作发表的长篇报告文学《从军日记》。

她原名谢鸣冈，又名谢彬，字凤宝。1906年9月5日出生于湖南省新化县大同镇一个叫谢铎山的乡村里，她是兄妹6人中最小的一个。

谢家是个有着浓厚封建主义思想的大家庭。还在3岁时，家里就给谢冰莹订了“终身”，把她许给一个她并不认识的男人。母亲希望她成为一个贤妻良母型的女子，认为“女子无才便是德”，反对她读书，要她学女红，穿耳环，裹小脚。但谢冰莹却是这个封建家庭的叛逆者，她从小就喜欢认字、读书和讲故事。4岁的时候，就缠着父亲教她识字，五六岁就已经能背诵不少《唐诗三百首》和《随园女弟子诗集》中的诗句。十来岁时就自读古典名著了。大人给她穿耳环时，她大吵大闹，始终无法穿成，给她包了脚后就在夜里偷偷拆开来，并将裹脚布撕成一条条的，至终保住了一双天足。为了上学，谢冰莹曾绝食三天三夜，迫于无奈，家里只好把她送进私塾。后来，在哥哥的支持下，她相继考进了大同女子学校和信益女子中学。在那里，谢冰莹受到新文化的洗礼，她阅读了大批进步的书籍和文学作品，思想和知识都有了很大的进步。这个桀骜不驯的女子，从小就崇拜英雄好汉，她渴望着一种新的生活……

母亲并没有忘记那件婚事，在谢冰莹快20岁时，母亲强迫她出嫁，没有一丝可以商量的余地。1926年冬天，为了反对封建包办婚姻，谢冰莹只身孤影，逃离家庭，从湖南来到武汉，考入国共合作后创办的中央军校武汉分校，列身戎行。北伐高潮中的武汉，热气腾腾，一片革命气象，军校门上“党纪似铁，军令如山”的对联，字大如斗。校园内号声嘹亮，脚步杂踏，生机勃勃。在这里，她读书、军训，受着严格的军事和政治教育。1927年她随革命军西征，沐风浴血，为保卫革命果实而战斗，经受了大革命风暴的洗礼。在行军与作战的间隙中，她把自己戎马倥偬的生活记录下来，陆续发表在武

■ 谢冰莹作品书影

汉 1927 年 5 月 14 日至 6 月 22 日的《中央日报》副刊上。

副刊主笔林语堂又将其译成英文在《中央日报》英文版上连载。这部题为《从军日记》的作品真实记录了一个普通女子在大革命的召唤下，冲破封建家庭的束缚，经受痛苦、困惑、挣扎，而“和男子站在一条战线上来共同献身革命”的过程，反映了觉醒青年的爱国热情，留下了历史风暴的一个侧影，让读者耳目一新，受到欢迎。不久便有中、法、俄、日等版本的《从军日记》问世。谢冰莹因此蜚声中外，步上文坛。

但是她美好的憧憬很快破灭了，“四・一二”事变发生后，风云突变，北伐战争终遭失败，女兵队被强令解散。谢冰莹痛苦而困顿，四处漂泊，卖文为生，过了多年动荡不安的生活。

1937 年，抗日战争的号角又一次将“女兵”唤醒，她在长沙筹备组织湖南妇女战地服务团，领着 17 名少女，身着戎装，再次来到抗战中心的武汉，投身于抗日救亡的火热斗争。

在奔赴前线的前夜，她给自己的恋人留下一张身穿军装的照片，并在上面题写了“不灭倭寇，誓不生还”八个大字，表达她荐血轩辕的决心。在烽火硝烟中，谢冰莹带领“妇战团”，奔走在大江南北的前沿阵地，开展宣传，组织募捐，救护伤病员，做过不少切实的工作。她曾在辗转中多次驻留武汉，旧地重返，看到江城在民族革命中再次奋起，她思绪纷纭，惊喜交集，激动地说：“我不知用什么来形容我的快乐，解除武装整整十年了！……真想不到，今天我又实现十年前的美梦了。十年了！时间是多么悠长，但终于在艰难险阻的环境中挨过去了！在这十年中，我没有一天忘记兵的生活，没有一天忘记兵的使命，可是一直苦苦地等到今天，我才有机会重上征途，与我们中华民族最大的敌人日本帝国主义者拼命去，今天，该是多么值得纪念的日子，该是多么值得我，而感到光荣、痛快的日子！”

她在汉口作过“前线归来”的讲演，到汉阳伤兵医院慰问伤员，在宜昌主办救护人员训练班。纷繁多姿的生活又一次激荡着“女兵”的心，在武汉谢冰莹又一次拿起笔来，在她步上文坛的地方，又写作和出版了两部报告文学集《在火线上》和《新从军日记》。前者是战后三个月东战场血战的速写，后者是谢冰莹 1937 年 9 月 14 日至 11 月底的八十五则日记，1938 年 7 月由汉口天马书店出版，作品描写了 17 名女兵从长沙誓师出发，顺江而下，在沪宁的东战场救护伤兵，宣传民众的过程。战士的英勇，伤兵的苦难，人民的觉醒都有不同程度的反映，对那些远离家乡和亲人，勇赴战地的热情少女的描绘，真实而又生动。文字热情洋溢，感情奔放，对“我”的心情的描绘尤其细腻而真切。被评论为“这一部作品是不避炮火，深入枪林弹雨中去得来最准确的材料，运用最忠实的笔尖暴露了敌人的狰狞面目，描绘着我军的英勇精神，尤其是关于战地民众组织的重要，服务团工作努力的方针，都有相当的发挥。确是东战场上一部忠实的抗战史料”。再一次引起文艺界的注目。此外在武汉的《抗到底》、《抗战文艺》等报刊上还发表了《忆太仓》、《一个热烈的集会》和《战地巡礼》等散文和特写，真实记录了东战场上军民一心，痛击日寇的斗争生活，得到读者好评。其时担任国民政府军委会政治部第三厅第六处处长的田汉，曾欣然赋诗赞曰：

谢家才女经纵横，屡向枪林策杖行。
应向江南添壮气，湖南新到女儿兵。

1938 年夏，在隆隆的炮声中，谢冰莹离开武汉，奔赴重庆。

在江汉文坛拉响了一枚“炸弹”

——姚雪垠

迁居北京多年后，姚雪垠在一篇题为《我的心仍在武汉》的文章中还深情地写道：“我这一生住过好多地方，但住得最久的地方是武汉。我在武汉的年月大大超过我在故乡的年月。武汉可以说是我的第二故乡。我在武汉受过教育，得到了锻炼，经了风，见了雨，也在风雨中做出了一点点成绩。如果在我所有的作品后面写上创作地点，武汉和湖北将占有突出地位。”

新中国成立后，姚雪垠在武汉历数十年之久，含辛茹苦创作了彪炳当代文坛的多卷本长篇小说《李自成》，但他与武汉的情缘却远在烽火连天的抗战时期……

出手不凡　才惊文坛

1937 年 7 月，抗日的枪声响起，姚雪垠就投身于抗战的洪流。他辗转北平、济南后回到开封，在河南共产党地下组织的领导下，编辑出版“鼓吹抗日救亡”的周刊《风雨》。

1938 年春天来到武汉，住在武昌的两湖客舍。这里先后住过臧克家、田间、于黑丁、田涛、碧野等人，他们一起从事抗战的群众工作和文学活动。一天，一位正在筹办刊物的朋友请他写篇小说，其时他正热衷于创作并在对运用大众口语创作进行探讨。凭着对乡村生活的熟悉，姚雪垠很快写出了一个短篇，题为《差半车麦秸》。那位朋友看了却不满意，未予发表，他只好投寄给在香港出版的《文艺阵地》编辑部，随后便忘记了。

又有一天，他在报纸上看到一篇关于中国空军抗战的报导，触发了创作的灵感，花了几天时间，写了小说《白龙港》，送给了刚在武汉创刊的《自由中国》杂志，不久就公开发表了。4 月 7 日中国军队在台儿庄作战获胜，各地记者云集，姚雪垠以全民通讯社特约记者和《风雨》周刊主编身份赶到徐州采访。连续几个昼夜，他和部队官兵、游击战士、铁路工人长谈，获取了不少材料。他急匆匆赶回武汉，又是几个日夜的辛勤笔耕，写出了数万字的报告文学《战地书简》，把它交给文艺工作者叶以群同志后，5 月初，悄然离开武汉北上。

■ 左起：姚雪垠、田涛、臧克家、原野合影于第五战区司令部

■ 均县抗日文化讲习班全体人员合影（二排左一为姚雪垠）

连姚雪垠自己也没有想到，他在武汉创作的小说竟是投放在文坛的一枚“炸弹”，在抗战文艺界引起了巨大反响。

1938 年 5 月 16 日，由茅盾主编、在香港出版的《文艺阵地》第一卷第三期卷首发表了姚雪垠的短篇小说《差半车麦秸》，作品一问世就受到广泛注目，评论界赞誉纷起。茅盾撰写题为《八月的感想》的文章，认为这篇作品“是目前抗战文艺的优秀作品”，小说以生动的笔触描绘了一个在抗战烽火中成长的农民英雄，这个形象是“肩负着这个时代的阿脱拉斯型的人民的雄姿”。张天翼阅读后十分激动，他写信给编者说：“《差半车麦秸》写得真好，也可以说是抗战以来的最优秀的一篇文艺作品。在文抗会的文艺座谈会中，我提议每人把这篇读一读，预备下次开会时讨论。看到这样的文章真是愉快。……我们前方的英雄，是从各种生活而加入抗战部队的各种典型人物，只有这样的作品才能真的表现出来。这与访问记那种报道不同，我认为我们现在需要的正是这种创作。”郭沫若也高兴地指出：“新作家姚雪垠的出现和他的《差半车麦秸》，是值得我们提起的。”许多作家和评论家如孔罗荪、齐同、叶以群、魏东明、楼适夷等都纷纷发表文章予以赞扬，并誉之为中国现代文学史上有影响的“性格小说”。

《差半车麦秸》以通俗的语言、艺术的细节，成功地描绘了一个农民觉醒的过程。“差半车麦秸”是一个老实农民的绰号，意为“不够数儿”。他被抗日游击队误作汉奸抓获，全民抗战风起云涌，他却连什么是日本人也不知道，经过教育，认识有了提高，他把膏药旗撕成孩子的尿布并参加了游击队。但他不习惯集体生活，为了不浪费，他偷偷吹灭了值勤的油灯，弄得营房内人踩伤，枪走火，一片慌乱；队长派他去侦察，他却顺手偷走一条牛绳；还把一些旧称呼、旧习气照搬到部队来，闹了不少笑话。但在同志们的帮助和斗争的锻炼中，他逐渐觉醒进步了，学文化，学军事，成了一名勇敢的民族战士。不久，这篇作品被叶君健译为英文、罗果夫译为俄文留传到国外，姚雪垠以一个出色的短篇而名扬中外。

同月，姚雪垠的另一篇小说《白龙港》在武汉的《自由中国》第二期上发表。作品开篇以屈原《国殇》中的“诚既勇兮又以武，终刚强兮不可凌，身既死兮神以灵，子魂魄兮为鬼魂”昭明主题，歌颂了为国献身的英烈。小说描写组建不久的中国空军某支队，在副队长沈崇诲的率领下执行轰炸敌舰的任务，返航途中，沈的飞机被敌炮击伤，在紧急迫降失败后，为了保护战友，消灭白龙港外的敌舰，他毅然驾驶残机与日舰相撞，以自己的牺牲换回了战斗的胜利。作品弥漫着刚劲悲壮的氛围，高扬激昂的爱国主义精神，受到读者的欢迎。

■ 成名作初版书影

一个月后，汉口上海杂志公司又出版了他的报告文学集《战地书简》，这部由 11 封书信构成的中篇报告，以纪实的手法叙述一支封建性非常浓厚的游击队“组成、发展、斗争和分裂的过程，反映了青年学生投向抗日军队的思想、工作和生活，展示了他们面临的种种矛盾，提出了抗日游击队如何健全整肃自己的队伍，如何开展民众宣传教育等抗战初期的迫在眉睫需要解决的问题”，以纪实小说的形式，显示出作者对社会问题敏锐的洞察力。

在武汉短短的两个月，姚雪垠以惊人的勤奋和杰出的才能，赢得了人们的尊敬。

再接再厉　又创佳绩

斗争在召唤。1938年冬天，姚雪垠又来到湖北，此时武汉已经沦陷，他参加了曹荻秋、钱俊瑞率领的第五战区文化工作委员会，在鄂西北从事基层工作。他和同志们一起到各地筹办文化站，组织宣传队开展群众的教育、宣传和组织工作。他曾多次到七七军训团和国立六中作关于唯物辩证法的报告。1939年，文化工作委员会被撤销，他到李宗仁的第五战区长官司令部任秘书，辗转襄樊、老河口、均县一带开展抗战救亡宣传。

尽管当时环境动荡，姚雪垠在戎马倥偬中仍然坚持创作。这年秋天，他在老河口有过一段较长时间的逗留，便着手一部长篇小说的写作，当时正值日寇对鄂西北狂轰滥炸，每天空袭不断，一拉警报，思绪就被打断了。他只好每天一吃过早饭就带一把椅子跑到郊外，坐在一棵树下以椅代桌，伏在上面写起来，写得很苦但进度并不慢，写完一节就寄到胡绳主编的《读书月报》上去连载。这部题为《春暖花开的时候》的长篇，以三个女性为中心，描写抗战中一群青年男女在大别山开展救亡工作的情形，发表后又一次引起轰动。姚雪垠自

■ 姚雪垠（前排中）与朋友在第五战区文化队

己很重视这部作品，他后来说过：“这部小说代表我学写长篇小说的一个重要阶段，也可以说是我一生文学道路的一个重要阶段。”可惜的是，由于处在动荡的战争环境中，这部小说未能写完，发表和出版的仅是三部中的第一部，是文坛一个遗憾的未竟篇。在此期间，他还写作发表了论文《论现阶段的文学主题》、《通俗文学短论》、报告文学《界首集》、散文《母子篇》等，值得一提的是《论现阶段的文学主题》，是“一篇试图用辩证唯物主义的哲学观点解释文学创作原理的论文”，针对抗战文学的现状，提出了一些建设性意见。

民族解放斗争的烽火燃起了姚雪垠旺盛的创作热情，从1940年起，他着手又一部长篇小说《牛全德与红萝卜》的创作。这部作品不仅描写了具有农村流氓无产者性格的牛全德的独特经历，塑造了个性鲜明的人物形象，还着力于语言特色和风格的探索，取得了很大的成绩。在公务的繁忙中，他写写停停差不多花了一年时间，稿子寄到重庆后，在一次印刷厂被敌人飞机炸毁后散失，清理废墟时才找到了部分残篇，经过增补后，终于得以在《抗战文艺》上面世，并相继出版了单行本。这部作品真算得上是“历经劫难”了。

湖北和武汉对姚雪垠是难忘的。1985年初夏，我们在通山参加“李自成归宿问题学术研讨会”，会中间隙，我们拿着将付梓的《武汉抗战文艺史稿》去请他写序，他看到我们带去的他40多年前多份作品的复印件时，十分激动，感慨地说：“哎呀，真是难得，有的作品我几乎都记不得了。大多数人只知道我解放后在湖北，其实，我与武汉的情缘远在烽火连天的抗战时期。”当听到我们请他写序时，他谦逊地说：“那时我只是一个20出头的小伙子，对武汉抗战文艺最了解的阳翰笙，我介绍他给你们写吧。”（后来阳翰笙老为拙作题写了书名）后来，我们又几次在学术研讨会时和他一起聊天，谈到这里的土地和人民，姚老动情地说：“我所能说的是，我不敢耽误时间，要尽自己的力量抓紧创作，以报答武汉、湖北以及全国读者对我的期望。”

此话不虚，一言九鼎，姚雪垠以煌煌五大卷的《李自成》巨著给我们留下了永远的忆念。

熊熊燃烧的荒原之煤
——陈荒煤

我这个穷孩子一无所有，
只有一颗纯洁鲜红的心灵，
我把它献给革命，
让它在革命的风暴里翻腾，前进……

这首诗是在1927年大革命汹涌澎湃的日子里，刊登在汉口一所小学的墙报上的。它虽然是稚嫩的，但展露了作者最初的才华，直率而朴实的诗行里，跳动着一颗追求革命的心。诗作当时署名为陈光美，也就是曾任新中国文化部顾问的著名文艺理论家陈荒煤。

踏上文艺之路

陈荒煤，湖北襄阳县人，原名陈光美，1913 年 12 月 23 日出生在一个革命家庭。他的父亲陈伯超早年加入同盟会，曾追随孙中山参加过辛亥革命，后来又参加过讨伐袁世凯的活动，父亲的革命思想在荒煤幼小的心灵里留下了种子。

当大革命的狂潮卷来时，陈光美正读高小，“打倒列强，除军阀”的歌声惊天动地，民主共和的曙光燃起他心中的火种，他满心欢喜，热血沸腾，办墙报，贴标语，参加宣传队、歌咏队，终日奔忙。在火热的斗争中，荒煤加入了共产主义青年团。不久，风云突变，轰轰烈烈的大革命被埋葬在血泊之中，只有 15 岁的荒煤陷入了无限的痛苦和迷惘，他苦闷地思索着，焦急地期待着，盼望新的革命浪潮的到来。他沉浸在文学书籍中，阅读了大量的“普罗文学”和经典翻译作品，对郭沫若翻译的辛克莱的《石炭王》爱不释手，顽强地读书和练习写作。

1931 年武汉遭受水灾，百里城乡一片汪洋，民不聊生。因为家境贫寒，荒煤中断了学业。这年秋天，他结识了进步文艺青年吕骥、盛家伦、丽尼、张庚等人。在他们的热情鼓励和帮助下，开始了革命文艺活动。他在鸽的艺术社公演的话剧《卡门》中担任角色，在丽尼主编的刊物《煤坑》上发表文章，并加入了武汉左翼戏剧家联盟和武汉反帝大同盟。

这段时间，他还担任《时代日报》副刊“时代前”的编辑工作，表现了激进的思想倾向。当苏联影片《生路》第一次在武汉上映时，他邀约几个朋友化名撰写一批文章，编了整整三个专刊，给予高度评价和热情赞扬，引起了很大的反响。30 年代初期，在中国文化界，展开了长达两年之久的关于中国社会性质的大论战，为了批驳托派的谬论，茅盾出版了著名小说《子夜》，荒煤立即组织了一组评论，予以推荐和肯定，表现了超人的胆识。1933 年 8 月法国著名作家巴比塞率领国际保卫文化大同盟反战调查团来到中国，受到社会各界的热情欢迎。上海文化界举行了规模盛大的欢迎大会和示威游行，影响很大。当一组反映这次活动的消息和照片寄到武汉的荒煤手上时，他毫不犹豫在第二天的报纸上予以刊登，当时的武汉报纸没有一家发表此类消息。正在兴奋中的陈荒煤却受到了报社总编的严厉指责，他据理力争，第二天愤然辞职而去。

文坛初展锋芒

在艰难的生活中，陈荒煤走上了文学的道路。他说："我爱好文学，走上文学的道路，并不是因为我有一种特别爱好文学的天性。我爱好文学，主要是由于生活的贫困，经常感到精神上的压抑。我那在被贫穷、忧愁、孤独、屈辱蹂躏得枯萎的心苗，又从丰富的文学世界里，吸取了各种各样的善良的心灵的温暖，真挚的感情、友谊、爱情的雨露和阳光，终于苏醒和茁壮起来。"

■ 1938 年陈荒煤与张瑞芳在移动剧团

他的第一篇短篇小说《灾难中的人群》1934 年在北平的大型文学刊物《文学季刊》上发表，作品以细腻的笔触，深沉的感情，真实地再现了武汉 1931 年大水灾时人民的悲惨生活，对造成这场灾难的黑暗社会，提出了愤怒的抗议，获得了读者的好评。接着又在《水星》杂志上发表了小说《刘麻木》，这两篇以武汉为题材的作品都以"荒煤"署名。他曾用"漪萍"、"漪之"作为笔名，表明自己如同涟漪之中飘荡不定的无根浮萍。但在党的教育和同志们的帮助下，陈荒煤开始找到了自己的归宿，日益成熟起来。他说："取名荒煤，则是与光美谐音，另一方面，也是意味着一块荒野中的煤石，尚未发光，但最终将燃烧起来。"在严峻的现实生活中，他要求自己做一块在荒原中熊熊燃烧的煤，把所有的光和热都贡献给祖国的新生和人民的解放。从此，他带着火焰般的激情，认真创作，相继写作并出版了《忧郁的歌》、《长江上》、《刘麻木》三个短篇小说集，这些作品，赞美了劳动人民和下层知识分子的优秀品格，反映了他们的生活，也流露出作者的苦闷情怀。

1932年秋天，荒煤作为武汉反帝大同盟的代表赴苏区参加全国反帝大同盟代表大会，途中因交通阻隔，在滞留上海的两个多月里，他积极投身那里的左翼文艺运动并加入了中国共产党。后来他又参加上海剧联的工作，成为一名活跃的左翼文艺工作者。不久，荒煤带着全新的思想武装由上海返回武汉。

剧本创作的丰收期

1937年抗日战争全面爆发后，24岁的荒煤与荣高棠、张瑞芳带领北平学生移动剧团在山东、江苏、河南一带宣传演出，几经辗转，回到武汉。

其时，武汉抗日的声浪席卷楚天，故乡的大好形势使他深受鼓舞，他满心喜悦地投身于江城的救亡宣传活动。为了扩大文艺的影响，他和杨朔、聂绀弩、丽尼一起创办了文艺半月刊《哨岗》，于1937年10月16日在汉口出版，是抗战烽火中出现较早的文艺杂志。该刊发表了报告文学《虎门之战》，特写《记天照应》等一批有影响的抗战文艺作品，表明了要以文艺作为抗日哨岗的历史责任。刊物鲜明的态度，引起当局的不满，仅出一期便被查禁。作为早期武汉话剧运动的推动者，荒煤十分注意抗战戏剧在江汉舞台上的发展，认为那理所当然地是剧团的“主角”。著名的《好一计鞭子》和他创作的剧本《小白龙》、《打鬼子去》便是剧团常演的剧目。面对初起的纷纭复杂的文艺运动，他善于准确及时地发现问题、提出问题并以自己的实践提供解决问题的途径。当他得知各剧团普遍缺乏有现实意义的剧本

■ 荒煤编剧的《打鬼子去》演出照

可供上演时，他写作发表了《常感到剧本的恐慌》一文，分析了在救亡宣传中戏剧蓬勃发展的形势，指出大量创作剧本是推进抗战戏剧运动前进的一个关键，呼吁作家们写出更多的时代需要的剧作来。刚到武汉，他就和宋之的、舒群、罗锋一起合写了多幕话剧《全民总动员》，与丽尼合作街头剧《七·二八之夜》，前者为大型舞台剧，后者是小型独幕剧，以解决剧本荒的燃眉之急。

在武汉短暂的逗留中，他身体力行，放下熟悉的小说创作，连续写作和发表了独幕剧《七·二八之夜》、《打鬼子去》、《小白龙》，多幕剧《全民总动员》（与宋之的等合作），这是他剧本创作最多的一个时期。这年秋天，荒煤因工作需要，离开武汉到达延安。忙里偷闲中相继创作发表了报告文学《陈赓将军印象记》、《刘伯承将军会见记》、《一个厨子的出身及其它》、《模范党员申长林》，写作出版了短篇小说集《一个人的觉醒》、《在教堂里歌唱的人》，剧本《粮食》、《我们的指挥部》等，成为文艺界颇有影响的作家和社会活动家。

终生难忘故乡情

1949 年 5 月，在解放全中国的隆隆炮声中，陈荒煤随第四野战军南下，满身戎装又一次回到武汉。武汉解放后，陈荒煤担任市军管会文教接管部副部长兼文艺处处长，积极进行地方文化的重建和发展。在一篇题为《纪念高尔基的希望和努力的方向》的文章中，提出了自己的设想并着手推行。他非常重视和支持《长江文艺》的工作，曾在百忙中参加该社举办的“文艺通讯员运动”纪念会，在会上作《加强政治教育提高文艺通讯员思想水平》的报告，对文艺工作提出了指导性意见。又主持了中南军区和四野首届戏剧歌咏观摩大会演，这是一次军队文艺的大会师和大检阅，他在总结会上所作的报告《向创造革命英雄主义的典型更前进一步》在《长江日报》、《长江文艺》、《文艺战士》上同时发表。这一时期，工作极为繁忙，他曾作为新华社记者和宋之的、刘白羽一起到前线采访写作，在《长江日报》发表了《宋希濂的一场恶梦》、《万水千山只等闲——记解放军某部在暴风雨中翻越荆山的进军》等战地通讯；期间还应邀出席第一届全国政协会议，并参加了开国大典；他曾担任中国作家代表团副团长赴苏联参加十月革命纪念活动。他未忘笔耕，又相继写作发表了《推荐〈钢骨铁筋〉》、《〈桥〉的成功》、《为创造新的英雄的典型而努力》、《丰富我们的创作内容》等大批文章，仅在《长江日报》上就有 15 篇之多，还出版了报告文学集《新的一代》、论文集《为创造新的英雄典型而努力》。1952 年 5 月第四野战军政治部迁到广州，荒煤调任中南局宣传部副部长和中南军政委员会文化部副部长离开武汉。此后一直在国家文化部门担任文化部副部长、中国作家协会副主席等领导职务。

陈荒煤始终没有忘记故乡，他在一篇文章中写道："我作为故乡的人任何时候也不会忘记武汉的故乡情。我在武汉亲耳听到参加辛亥革命老人的回忆，听到过国民革命军攻克武昌城的炮声，随时响起的国际歌和共青团的歌声；亲眼看到遍地红旗飞舞革命高潮中的种种动人景象，也亲身体验到进步青年在血腥镇压的白色恐怖中挣扎奋斗的情况，也亲身经历了 1931 年大水淹了武汉三镇的悲惨遭遇，并且在 1932 年开始自己的文学道路。……我希望今后尽可能写些回忆录来酬谢武汉这座城市给我哺育的恩情，为武汉市这个革命丰碑铺垫一点点沙砾或薄土，抒发一点真挚的故乡情。"

向世界发出抗倭的战声

——叶君健

湖北东部，大别山麓的红安县，在近现代出过200多位赫赫战将，被人称为“将军县”。

1958年3月，担任中共中央监委书记的董必武回故里视察，曾对人风趣地说：“我们这个县专门出武将。而秀才却只有两个，一个是我，另一个是叶君健。”

叶君健是国际上公认的“东方唯一用世界语直接写文学作品的作家”，他的名字和作品早已为欧美读者所熟知。家乡的人们亲切地把他称为“将军县里的文曲星”。

走上独特的创作之路

1914年12月，叶君健出生在红安八里湾一个叫叶家河的偏僻山村，在那里度过了贫穷的童年。1926年，他到武汉投靠在商店帮工的哥哥。其时大革命轰轰烈烈，江城热浪灼人。12岁的叶君健高唱着“打倒列强除军阀”的歌曲走进群众游行的队伍。不久，大革命被淹没在血泊中。哥哥亡命上海，他又回到故乡，但大风暴中武汉雄壮的革命场面永远印在叶君健的心上。

1933年，叶君健以优异成绩考入武汉大学。他把自己沉浸到世界的弱小民族国家的作品中，那些在生活中挣扎的小人物的命运与他声息相通，震撼着他年轻的心，仿佛突然开了一扇通向世界的窗口，他由此接触并爱上世界语，决心用笔来倾诉自己和故乡人民的苦难与不平。他说：“我决心搞文学创作。我觉得我们这个国家和他广大的人民，特别是农民，早就被人遗忘，给全世界的人遗忘了。我觉得我应该让世界的人民，特别是被压迫的人民，听到他们的呼声……世界语是弱小民族文学交流的一种工具。于是我决心用世界语来创作。”在大学二年级时他就以“马耳”等笔名在武汉《大光报》发表翻译作品，并用世界语创作了小说《岁暮》。1937年叶君健出版了世界语短篇小说集《被遗忘的人们》。这是东方第一部用世界语创作的文学作品集，生动地再现了旧中国山乡人民的痛苦生活，从此他踏上了一条用外文直接从事写作的独特道路。

珞珈山上的生活并不平静。叶君健的热情与激进早已为“蓝衣社”所注意。他的文章更为某些人恼怒。他常常彻夜难眠提防特务的突然“来访”，因而患上了神经衰弱症。在凄冷的生活中，世界语、英语是他精神上的唯一安慰。他与武汉的世界语者联系密切，经常阅读《国际无产阶级通讯》，用世界语这种独特武器同暗探特务斗争。三年的大学生活使他与武汉亲近了，他说：“武汉可以说是我的第二故乡……我最容易接受外部印象的青少年时代基本上就是在这个地方度过的。我在这个地方的所见所闻和亲身经历的生活，一直是我后来创作的灵感的源泉。”

搏击在抗战洪流中

1935 年，叶君健在外国友人资助下负笈东瀛。他用三个月时间学会了日语，在东京以教授英语和世界语谋生。同时他在日本《学艺新闻》上撰文，参加日本世界语运动，并结识了日本著名作家秋田雨雀。

1937 年底，叶君健由日本归国，再一次来到武汉。他参加了全国文协的筹备，投身于抗战洪流。第三厅成立后，作为宝贵的外语人才，他应邀在国际宣传处任职，他“里里外外，笔译、口译，有时加上英语广播，整天忙得不亦乐乎”。汉口市电台给三厅安排的英语播音，由叶君健自撰文稿，亲自播出，只有在离开麦克风后，精疲力竭的他才能长长地舒一口气。

叶君健接待了大批来华的文化界人士，每次都是他担任翻译。安排接待并向他们宣传中国的抗战，周到服务，不厌其烦。1938 年 4 月 21 日，武汉文艺界集会欢迎英国作家奥登和伊粟伍德，便由他担任了口译。他当场译诵的著名诗歌《一位年经的中国士兵》使曾受到作者的首肯，得到在场听众的阵阵掌声。

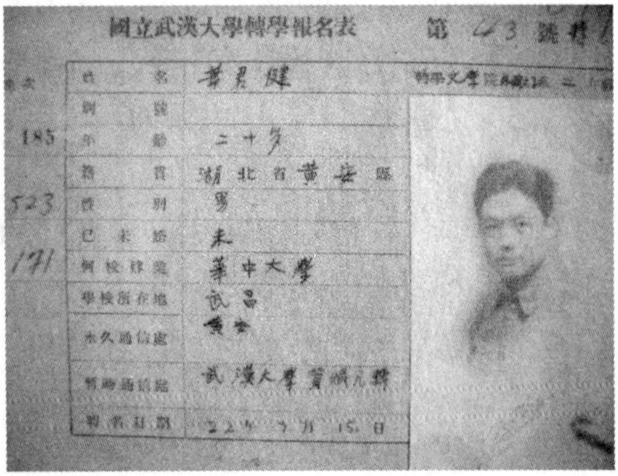
國立武漢大學轉學報名表
湖北省黃安縣
華中大學
武昌

■ 武汉大学的报名表

除了口译之外，这位勤奋的多产作家还用世界语翻译了中国抗战小说选集《新任务》，用英语翻译了《中国战时短篇小说集》等作品；并长期担任着抗敌文协对外刊物《中国作家》主编。用多种外语为英国的《新作品》、美国的《小说》和苏联的《国际文学》等刊物撰稿，世界人民从他的笔下看到了浴血抵抗的中华民族形象。他在《中国作家》上用英文写作的《二十年（1919—1939）的中国文学》一文，相继被苏联和美国刊物在显著位置转载，国际影响甚大。

在当时武汉出版的众多抗战文艺刊物上，“马耳”是一个出现频率甚高的名字。由其翻译的法国巴贝斯・瓦诺伏的《哀悼》等诗歌、菲迪南・吉伦的

《在特努尔前线》、巴利欧的《巴塞罗那上空的“黑鸟”》、《近代的中国艺术家是一个政治家》等报告文学以及他执笔写作的诗歌《怀念》、报告《抗战中来华的英国新兴作家》都是人们所熟悉和欢迎的。但知道那是叶君健在抗战时的笔名的读者却并不多。

世界抛给他的花环

正义的声音越过了关山阻隔，超越了国界。第二次世界大战期间，叶君健应英国战时宣传部之邀赴英作巡回演讲，他走遍英伦三岛，先后作了六百多次大小演讲，激情澎湃地呼吁人们投入反法西斯的战斗，号召世界人民团结起来互相支援。流畅的具有鼓动性的英语演说，给英国人民极大的鼓舞。他还用英语创作了一篇篇描写中国人民生活和斗争的小说，让英国人民认识了一个真实的中国。大洋彼岸的读者被古老黄土地上的故事深深吸引了，被作者作品语言的魅力折服了。

1947 年，叶君健用英文写作的长篇小说《山村》由伦敦西尔文出版社出版，这部描写大别山人民命运和英勇斗争的作品很快风靡欧美，问世不久即被英国书会评为该月“最佳文学作品”。时仅数月，纽约普地特南又出了美国版，接着瑞典、冰岛、荷兰、意大利、西班牙、南斯拉夫等 20 多个国家的译本相继问世，古老中国的故事在欧美大陆不胫而走。近 50 年来，《山村》以生动的故事，优美的文笔打动了亿万读者的心，一版再版，历久不衰。1985 年荷兰茂伦霍夫出版社又一次重版此书，1986 年《山村》日语本问世。不久，印度、印度尼西亚等亚洲国家也抢译出版此书，1980 年，英国《泰晤士报·文学增刊》惊叹：“英国文学史上的一个章节在叶君健身上浮现出来了。”

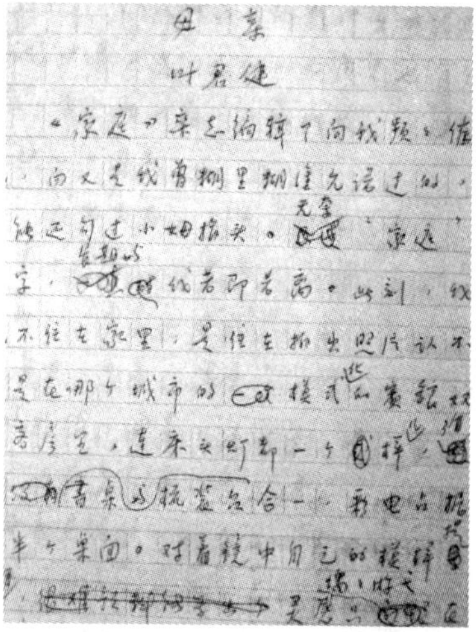

■ 叶君健手稿

叶君健从中国的一个小山村走向了世界，也让世界了解了中国的山村。

『抗战文化中的马前卒』

——赵清阁

豪气千盅酒，锦心一弹花。

缙云存古寺，曾与共甘茶。

抗战时期，郭沫若同志曾写了这样一首五绝，题赠给知名剧作家赵清阁女士。诗中亲切回忆了他与田汉、俞珊、应云卫、左明、赵清阁同游古寺，共品甘茶的动人情谊，热情赞扬了赵清阁在武汉艰难创办《弹花》文艺月刊，努力宣传抗日的雄心壮举。

谈到郭沫若的赠诗，赵清阁总是深情地说道：“郭老以‘锦心’之句相赠，我曾对他说过，不是‘锦心’，是苦心啊。在那战火纷飞的年头，办一个刊物多不容易呀，如今想起来，仍不免泛起一种酸辛之感呵。”在烽火连天的艰难岁月，她的生命和武汉、和《弹花》曾紧紧相连。

赵清阁1914年5月9日出生于河南信阳市。她五岁丧母，身世凄苦，从小生活就饱含辛酸。在五四运动和新文化思潮的影响下，赵清阁叛离封建家庭，只身一人飘泊到开封艺术高级中学，学习国画和文学。在艰难中熬到毕业后，又半工半读肄业于河南大学国文系。

怀着对黑暗社会的愤恨，赵清阁拿起手中的笔，开始创作，发表了很多诗歌和散文作品。1933年，她奔赴上海，考入上海美术专科学校进一步研习西洋画并继续创作，写出了《祖国》、《强盗》、《旱》、《穷人》等一批小说，她拜望过鲁迅先生，得到鲁迅先生的教诲和帮助。抗战前夕，赵清阁已出版了短篇小说集《旱》和《华北的秋》，在上海女子书店任编辑，主编《妇女文化》月刊。

1937年冬天，年仅23岁的赵清阁结束了《妇女文化》的编务，一腔热忱，两袖清风，从北方来到武汉。抗日战争的烽火烧灼着她年轻的心。她说：“在灵魂深处，我被燃烧起光明的火把，整个中华民族为历来对日本仇恨而抑郁的心开始奔放了！没有人不是自然而然地站到一条战线上来，为同一‘抗日’的目标而奋斗。”她努力寻找着适合于自己的位置和方式。

其时，聚集到武汉的作家们正在筹备组织中华全国文艺界抗敌协会，赵清

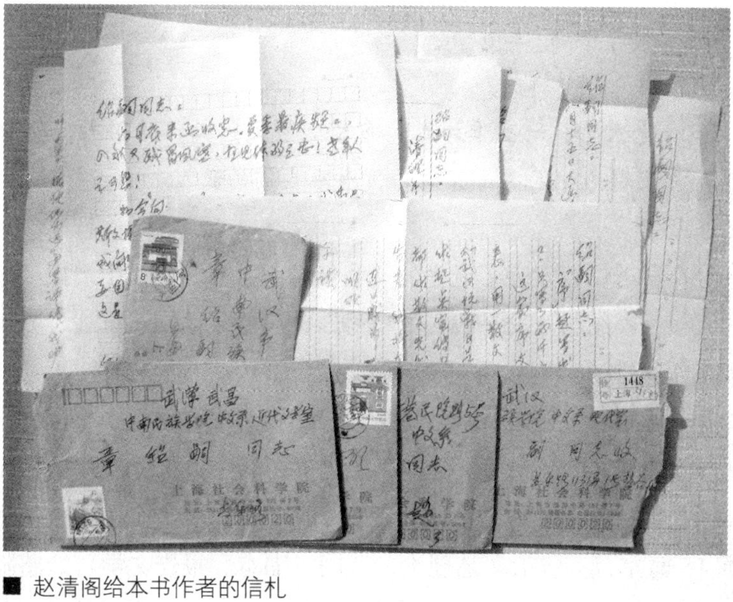

■ 赵清阁给本书作者的信札

阁马上加入了筹备者的行列，她高兴自己找到了可以参与的工作，她努力做着自己可以做的一切琐碎事情：抄抄写写，跑路送信，事无巨细，都任劳任怨。她参加了全国文协的成立大会，成为该会最年轻的会员。常务理事会建立后，将她和叶以群、谢守恒一起聘为理事会干事，她工作的勤勉、认真和刻苦，受到文协总务部主任老舍的赞扬。

在武汉的诸多作家各展其长，报效祖国。积多年的编辑经验，赵清阁深知文艺刊物才是作家发射火力最好的阵地，决心在武汉创办一份文学刊物，为抗战发出吼声。

■ 在武汉创刊的《弹花》

她不辞劳苦，多方求援，筹集资金，组稿编辑，联系印刷，为创办刊物四处奔忙。1938年3月15日，由这个年轻女子独自支撑，一个人独立编辑的《弹花》月刊在汉口问世了，在期刊寥落的抗战初期，这份杂志成为抗战文艺中的马前卒。她给刊物取了一个富有时代性的名字：弹花，“寓意抗战的子弹将开出胜利之花”。《弹花》在“创刊号”的《我们的话》中写道：

> 四海皆秋气，一室难为春，希望从事文艺工作的同志，能蠲除成见，群策群力把笔头一齐向外，对准我们的敌人。

创刊号在显著位置发表了老舍的《我们携起手来》，文中提出“抗日救国是我们的大旗，团结与互助是我们的口号”，确立了团结、抗战、爱国是刊物的宗旨和工作方针。

《弹花》在抗日民族统一战线的原则下组稿编辑，得到了全国文协的大力支持，为该刊撰稿的著名作家就有42人之多，其中大部分是左翼进步作家和文艺青年，如郭沫若、丁玲、欧阳山、邵子南、罗荪、老舍、锡金等人。每期刊载文章15篇左右，包括文艺理论、戏剧、唱本、报告文学、杂感随笔、战地通讯等多种体裁。曾发表老舍的《我们携起手来》，穆木天的《调整文化队伍》，丁玲的《略谈改良平剧》，金满成的《忠于文艺，忠于抗战》等论文；草明的《荣誉大队》，胡绍轩的《第七号人头》，欧阳山的《爸爸打仗去了》等小说；冯玉祥的《汉奸》，锡金的《伟大的开始》，老舍的《剑北篇》等诗歌，都产生过相当的影响。这些作品紧紧围绕着一个中心：热爱祖国，反对侵略。刊物在配合群众性抗日救亡运动的开展、反映文艺界团结抗战的愿望上，完成了自己所担负的历史使命。《弹花》自1938年3月15日创刊至1940年8月终刊，先后出版十九期共18本（其中第三卷第六、七期为合刊），其间累遭资金拮据，纸张缺乏，歹徒破坏等种种困难，几经起落，但赵清阁咬紧牙关，含辛茹苦，坚持出刊，她这样诉说着自己的艰难：

> 我终究不忍心使之停顿，想到创办时的万般艰辛，自己遭受了种种困难才干起来，虽然没多大效果，可是至少，出版以来每期总有几百本轮流在加倍数目的第一战区与第五战区的前方战士们手里翻阅着，使他们在火线上还能得到些后方同胞从文字上所表现的鼓励和慰劳，这对于他们是精神上的食粮，是武力的后盾，可以令他们感到安悦、兴奋，更乐于去和鬼子拼了。只有这一点，《弹花》就有必要生存在这个大时代里……我要继续扶植她成长，我不能不许诺这个责任。

除了《弹花》月刊外，赵清阁还同时主编了“弹花文艺丛书”，相继出版了老舍、欧阳山等人的一批作品。她的出色工作和才干，得到文艺界朋友们的广泛颂扬。田汉援笔写诗称赞“从来燕赵多奇女，清阁翩翩似健男。侧帽更无脂粉气，倾杯能作甲兵谈”；茅盾欣然题咏“风雷岁月催人老，壮志不移路不斜”加以赞美，赵清阁却谦虚地说“《弹花》是单薄的……”

赵清阁的创作也是勤奋而刻苦的，组稿、编务、印刷、校对的繁忙工作全由她一人承担，但她没有荒疏自己的写作，在武汉她写作发表了散文《汉阳行》、《慰问一群可怜的孩子》、《我们的话》；剧本《把枪尖瞄准敌人》、《一起上前线》、《血债》等。

1938年7月后，由于日寇日益加紧的狂轰滥炸，《弹花》的正常出版受到极大的破坏，许多文化机关被迫纷纷离汉赴渝，王莹一再劝她迁移，赵清阁却

■ 赵清阁作品书影

不愿离开武汉，决心与武汉人民患难与共，她说：“无论武汉吃紧到如何地步，我都不离开，最后退步只有回到前方的故乡——信阳、潢川去工作。”她坚定地表示：“我不离开武汉，我要等着和鬼子拼命，就是用钢笔尖，也能戳瞎他一双眼睛！”刊物在炮火声中又坚持出版了一期后，8月，政府当局下令疏散人口，印刷厂都已迁到重庆，书店也再不承担杂志的发行，纸张极度匮乏，刊物只能迁渝出版。这使赵清阁真正犯难了，她说：“我要把《弹花》坚持下去，我不能改变初衷，这是我的责任。”“真的，离开武汉是一件痛苦的事。”朋友们一再催促她赶快启程，并且连船票都买好了。

一天下午，老舍专门在“同春酒馆”为赵清阁饯行，语重心长地对她说：“到后方只要不是苟安偷生，无论直接与否，凡是有益于抗战工作，都有价值。拿笔杆的文人，事实上不可能执枪荷弹，所以即使到前线去，也作不出什么贡献来。”赵清阁知道这是一位良师益友在告别了，不能不走了。决定离汉之后，她特地在武汉三镇“走遍了所有曾经留过足迹的地方”，在江汉关还参加了一次群众游行。第二

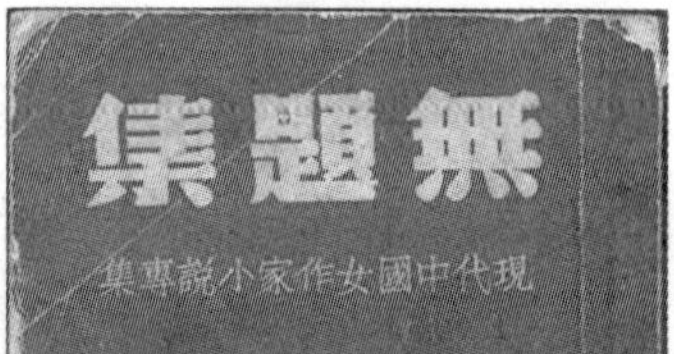

■ 赵清阁：《无题集》

天清晨，她终于登上了轮船，开始了充满艰难的长途流亡。在著名的长篇抒情散文《汉川行》中，她真切地记录了在武汉编辑《弹花》的千辛万苦，感情真挚地表达了对并肩战斗的武汉人民的无限依恋之情：

船启航了，渐渐被江涛推送到悠悠的水面上。

风卷着浪，揭起无数波纹，似一副哭丧的老人脸。

黎明送走了黑夜，在云雾迷离中航行开始了，我用泪向那耸立的伟大的武汉三镇默默作后会有期的祝祷和惜别的眺望，像离开好友般恋恋不舍。

这时蒙蒙细雨和哭泣声奏成了人间的凄怆的交响乐。

再会，武汉！我颤栗地伸出右手向她敬礼，我的心碎了！

1987 年，当我第六次到上海看望她并请她为拙作《武汉抗战文艺史稿》写序，再次见到 80 余岁的赵清阁先生时，她仍然笔耕不辍，继续战斗在文艺战线上。不过两月，赵清阁就将已在《文汇报》发表的序言寄给了我，并在信中深情地说：武汉“那是一个值得我永远怀念的地方”。

滚滚长江不了情
——彭慧

1983年，人民文学出版社出版了一部30余万字的长篇小说《不尽长江滚滚来》（原题名为《扬子江的早潮》）。作品以武汉为背景，通过对硚口区一家纺织厂和中共地下硚口区委工作的描写，展现了大革命时期武汉工人运动的壮阔历史画面。

这部作品的作者是我国著名现代女作家彭慧，小说记录了她在武汉亲身经历的战斗生活……

扬子江畔起早潮

彭慧，原名彭涟清，湖南长沙人，1907年生。在她很小的时候父亲就去世了，母亲拖着4个孤女饱尝了旧中国的酸辛，在彭涟清11岁时，也溘然长逝。四姐妹相依为命，在灾难中长大，度过了暗淡的童年。彭涟清小学毕业后考入湖南稻田师范。其时，徐特立是那里的校长，在徐老的教育下，同学们追求真理，努力学习，受到革命的熏陶。1924年和1925年，革命形势高涨，彭涟清到处宣传、募捐，还和同班好友李慧、彭媛华一起自办刊物《心潮》，发表文章谈妇女问题、谈民族解放、谈文学革命，被称为“稻田三杰”。

在徐老的帮助下，1925年秋，彭涟清考取了北京女子师范大学，怀着强烈追求革命的愿望由湖南来到京城。在女师大，她一边刻苦学习，一边积极从事学生运动。1926年3月18日，为抗议帝国主义妄图撤除大沽口中国军事防务的无理要求，在李大钊的领导下，彭涟清参加了北京群众5000多人的游行请愿，当段祺瑞政府下令开枪时，彭涟清和150多人在“三一八惨案”中受伤流血，经受了革命的洗礼。这年春天，她加入了中国共产党，成为一名坚强的无产阶级革命战士。在大革命时期、土地革命时期和抗日战争时期，彭慧曾3次来到武汉，在扬子江边度过了她一生中最难忘的岁月。

■ 彭慧（左）与姐姐在汉口

“烟雨莽苍苍，龟蛇锁大江”，1927年4月，在一片严重的白色恐怖中，彭慧奉党中央之命第一次来到武汉，分派在市委组织部工作，曾和向警予、何孟雄同志并肩战斗，主要从事工人发动和宣传工作。“七一五”汪精卫叛变革命，一场大屠杀开始了，为了保存实力，党派她到苏联学习，她藏在一艘轮船的底舱，躲过了暗探的追捕，悄悄离开了武汉。

在苏联中山大学学习了3年之后，1930年又被党分配到武汉工作，担任中国共产党硚口区地下区委委员，在工人集中的硚口地区开展工人运动。在这段工作期间，她经常和一位地下党员同志接头，他们在一起谈工作，谈未来，也谈自己的经历，时间久了，相互有了了解，彼此产生了感情。但由于当时处在残酷的斗争环境中，谁也没有吐露心曲，他们把真挚的感情深深埋藏在心底。后来那位同志被捕牺牲，他临死时写下自己的名字是“曾念清”，第一次也是最后一次向心爱的涟清姑娘表达自己忠贞不渝的爱情。长江边艰苦的斗争生活，战友们亲切的音容笑貌在彭慧的笔下化成了长篇小说《不尽长江滚滚来》的情节和人物。书中女主人公杨文英的经历正是作者亲身经历的真实写照。

在武汉地下组织遭到严重破坏后，彭涟清和党失掉了联系。为了找党，她到了上海，改名彭慧，在那里参加了党领导的中国左翼作家联盟，开始了文学生涯。从此彭慧的名字便经常出现在当时的《文学》、《北斗》等杂志上，在“左联”工作时期，彭慧与原创造社著名诗人穆木天相识，共同的志趣使他俩结成终身伴侣。

烽烟烈火写大爱

1937年7月，在抗战的隆隆炮声中，彭慧和她的丈夫穆木天又一起来到武汉。从1937年夏天到1938年夏天，他们住在武昌海月庵从事抗日救亡的文艺活动。穆木天主编《时调》、《五月》等诗刊，开展新诗歌运动。彭慧一面从事妇女救亡工作，一面参加文艺界的活动。他们的两间住房，经常充满了欢笑声和争辩声，一间是时调社的社址，一间是妇女们的“议事厅”。

在武昌海月庵，彭慧担任着《妇女生活》和《妇女前哨》的编辑与撰稿工作。时值中华全国文艺界抗敌协会的联络初起，作为几名为数不多的女作家，她也积极参与发起和筹备，写信联系，四处奔忙。“全国文协”成立后，被选为理事，她更积极投入到妇女抗日救亡的宣传教育活动中去了，相继写作和发表了《抗战时期的武汉妇女》、《目前妇女解放和妇女救亡工作》、《今后妇女工作的迫切任务》、《设立战时儿童幼稚园的建议》、《国际妇女节的首创人——蔡特金》等文章，还根据自己的经验和体会，撰写了一本关于妇女运动的小册子《民族抗战与妇女的任务》，书中认为男女平等平权必须在民族解放胜利后才能真正得以实现，目前的抗战没有妇女的参加，就不可能获得最后的胜利。因此必须大力教育、宣传、发动和组织妇女参加抗战工作。而在宣传中，由于广大妇女的文化水准不高，与其讲空洞的道理，或者使用太多的新名词，不如多写些明白如话、通俗易懂的民歌民谣和故事等通俗读物，更能起到宣传的作用。她自己也身体力行，率先创作了《农村妇女救亡曲》、《新年曲》等歌谣，宣传妇女在抗战中的重要作用，鼓励广大妇女投身救亡。那时候，朗诵诗运动正在武汉广泛地展开，她也拿笔写起诗来，写作了当年在武汉传播甚广的朗诵诗篇。

■ 彭慧作品书影

有一次她参加了武汉反侵略协会召开的一个国际妇女招待会议，会上，国民参议会秘书长邵力子先生以详尽的事实揭露了日本侵略军将沦陷区儿童劫运到东京的罪行，日本军国主义者认为这些孩子的父母已死，将他们劫到日本，通过洗脑抹去他们对中国的记忆，再让他们返回中国杀害自己的同胞。日本侵略者的这一恶行，激起了与会者极大的义愤。彭慧听着听着，热泪夺眶而出。孩子们苦难的遭遇是那样地折磨着一个母亲的心，她再也听不下去了，挂着没有擦干的泪走出会场。

怒涛汹涌的扬子江上，她依栏而立，看着正在西沉的夕阳，心潮如同江潮一样起伏，愤怒的控诉一声声涌上心头。回到家中，4岁的女儿已经睡了，彭慧抚着女儿的头发，听着孩子均匀的鼻息，那些失去祖国、失去父母的孩子的遭遇，使她彻夜难眠，童心母爱化作诗情一片。她流着眼泪写成长篇叙事朗诵诗《怀念被敌船载去的孩子们》，叙说事情的原委，诗中写道：

午夜，我怕听到孤雁的哀鸣，
那令我忆起，在日本海峡的那边，
在强盗们的巢穴里，

正睡着哀哀啼哭的，
叫不应妈妈的你们！

茫然无知的幼儿在异国他乡遭受欺骗教育，被洗心换脑，稍稍长大后，就会被强遣到中国来杀害自己祖国的亲人。

只剩下无依无靠的
天真稚弱的你们哟
就任凭他们驱使！
他们要唆使你们来残杀自己的同胞，
遵听他们的征调。

长诗揭露日寇的险恶用心，控诉日寇的暴虐行径，表达了一个母亲无限的愤恨和深沉的爱恋。诗的最后，她这样谆谆叮嘱：

我远在敌国的孩子们呵，
你们幼小的心灵，要牢牢地紧记：
你们是黄帝的子孙
是诚实而耐劳的、大中华民族的世裔，
你们不要甘心作奴隶！……

这首诗在1938年8月的《战声》创刊号上发表后，不胫而走，多次在电台和学校集会上朗诵，听众、读者无不深受感动，泪湿衣襟，是当时武汉流行的朗诵诗之一。此外，她还写作了论文《漫谈苏联诗歌朗诵》，散文《炮火下的一家》、《后方的乡村》和诗歌《农村妇女救亡歌》等。后者歌颂了守土保国、支援前方的一代妇女，曾先后被冼星海和安波两次谱成歌曲，广为传唱。彭慧的诗作虽然为数不多，但语言朴实、流畅，感情深沉、细腻，颇受读者好评。

1938年武汉沦陷前，彭慧一家离开武汉，辗转广州、昆明、桂林一带，在大学任教，为《抗战文艺》写稿，度过了8年的流亡生活，直到新中国诞生，她和穆木天一起出席了全国第一次文代会。

『十八般武艺』的『全面抗战』

——丰子恺

在中国现代文化史上，丰子恺是一位博学多才的艺术奇人。他在绘画、书法、音乐、文学、金石、园林、工艺、建筑、教育、翻译等诸多领域都卓有建树，成绩斐然，以文艺界的“十项全能”享誉中外。人们说他“几乎走遍了文艺的所有领地”。

抗战之前，丰子恺在自己的书斋中，以书画和著译为乐，过着怡然、淡泊的平静生活。当日寇的炮火将“缘缘堂”夷为平地，他的生活被彻底改变了。他挈儿带女，辗转各地经历了从未有过的动荡与艰辛，他在一首《高阳台》的词中最后写道：“山河自由重光日，奈离魂欲返无由。恨悠悠，誓扫匈奴，雪此冤仇。”

丰子恺渴望着自己为驱逐外敌效力，向往着到抗战中心武汉的那一天……

1938年乍暖还寒的初春，丰先生应汉口开明书店之邀，携长女和次女从长沙来武汉，在书店的仓库里住了数月之久。一到江城，他便被热烈的抗战气氛感染了，他高兴地在文章中写道："一到汉口，仿佛睡醒了。因为此间朋友咸集，民气旺盛，我们从来不曾如此明显地意识到自己是一个中华国民！我不惯拿枪，也想拿五寸不烂之笔来参加抗战。"表达了他决定全身心投入抗日救亡斗争的决心。

丰子恺在穿着上从来都是"大布之衣，大帛之冠"，整洁得体，显得儒雅大方。初到江城时衣衫如故，只是一袭长衫、满脸胡须、清癯瘦弱，常常被人误为老者。虽年岁已三十有九，但走路做事，行动敏捷，精力充沛，又似小伙一般。

一天，在全国文协办事时，偶遇总务部主任老舍，看到他风风火火的行事风格，老舍不禁莞尔一笑，拍拍丰子恺的肩膀说："如果你换件短装，剃去胡须，还真像个年轻人哩。"不想听到这话后，没过几天，丰子恺竟脱去了传统的长袍大褂，换成了轻便式中山装，但长须却是舍不得剃掉的。这件事不知怎么地以"丰子恺割须抗敌"登上了报纸，后来又变成了"长发一根未留"、"剃了个净光"等传言，四处流播，弄得丰子恺哭笑不得，十分尴尬。他特意穿了一套中山装，专门到品芳照像馆拍了全身照，并在相片上晤面题写了"廿七年五月子恺在汉口"几个字，分寄朋友和亲戚，聊以释怀（见附图）。此事在亲友和读者中曾作为一桩趣事，一时成为笑谈，其为人的朴拙又一次受到大家的称赞。

■ 1938年5月丰子恺在汉口

这年3月27日，丰子恺在武汉参加了中华全国文艺界抗敌协会，成为文协会员。不久相继成为美术及音乐等协会的多栖会员。后来又被“全国文协”会刊《抗战文艺》聘为编辑委员，参与刊物的美术工作，他为会刊设计制作了封面，题写了刊名。他说：“漫画是笔杆子抗战的急先锋。读漫画不费时间，容易理解，故目前是最有力、最普遍的宣传工具。”所以创作了不少抗战漫画，自配诗歌。这些诗、画皆寓意深刻，发人深思，受到群众欢迎。

一天，他由武昌到乡下去，途中看到一棵虽身受斧伤，犹挺拔屹立的大树，画家情思迸发：这正是我们伟大民族的象征啊！回到家里，挥笔画出了这一情景，还添了两个深受启迪的人物，点明寓意，又题诗曰：“大树被斩伐，生机并不绝。春来怒抽条，气象何蓬勃！”他据此诗意，为尚在妻子腹中的孩子命名：不论生男生女，皆名“新枚”（丰新枚这年十月在桂林诞生）。后来，他又写了一篇题为《中国就像一棵大树》的散文，表达了自己受到的教育和对人们的勉励。

武汉的对日空战是世界反法西斯战争史上著名的战例之一。为了警告日寇，也为了唤醒日本民众，国民政府军委会设计了派飞机深入日本本土进行警告式轰炸的行动。1938 年 5 月 19 日深夜徐焕升率队驾机飞赴长崎、佐世堡、富冈、久留米和熊本等市投撒百万张传单，日本举国震慑，国际一片颂扬，被誉为“人道远征和传单轰炸”、“文明与野蛮的对比”。正在武汉的丰子恺即

■（左）“文协”成立大会上为鹿地亘所作速写；（右）为“人道远征”飞机所作之画

兴创作了漫画《百万传单乃百万重磅炸弹之种子》，用画笔记录了这一英雄壮举，并写作《神鹰东征琐话》一文予以赞扬，他写道："中国投在日本地方的传单，看似一张纸，其实每一份是一个重磅炸弹的种子。这些种子将在日本人民的心中发芽生长，而爆发出来炸毁日本军阀的命根子。"

■ 武汉画作：《战地之春》

在保卫大武汉的悲壮日子里，他画了一幅题为《生机》（又名《战地之春》）的画，画面截取战场一角，前沿阵地堆积的沙包上长着一株小草，在硝烟战火中，迎风摇曳、岿然屹立，生机盎然，艺术地表达了武汉人民对这场反侵略战争必胜的信念。它以深刻的寓意、新颖的构图，得到读者的喜爱。他创作的《寄语我儿郎》、《空军杀敌归》等抗日漫画，自配诗歌，图文并茂，深受群众欢迎。1938年4月29日，武汉空战，击落入侵日机三十架，人心大快，鞭炮齐鸣，丰子恺先生兴高采烈，一连赋诗六首，他在《望江南》中写道："闻警报，逃入酒楼中。击落敌机三十架，花雕美酒饮千盅，谈话有威风。"欣喜之情，溢于言表。

■ 武汉画作：《中国就像一棵大树》

战时的武汉，歌声飞扬，激荡在大江两岸的歌声是那样地拨动着画家的心弦，在大街上，在集会中，他常常驻足侧耳，陶醉在群众雄壮的救亡歌声里。他深有感慨地说："抗战以来，艺术中最勇猛前进的要算音乐……来到汉口，在沿途各地逗留，抗战歌曲不绝于耳……汉口的车夫，都能唱'中华民族到了最危险的时候'。可以说，凡有人烟处，即有抗战歌曲。"他在武汉短短的驻留中，写了《谈抗战歌曲》等文章，提出了对创作演唱抗战歌曲的有益意见，还和肖而化联手创

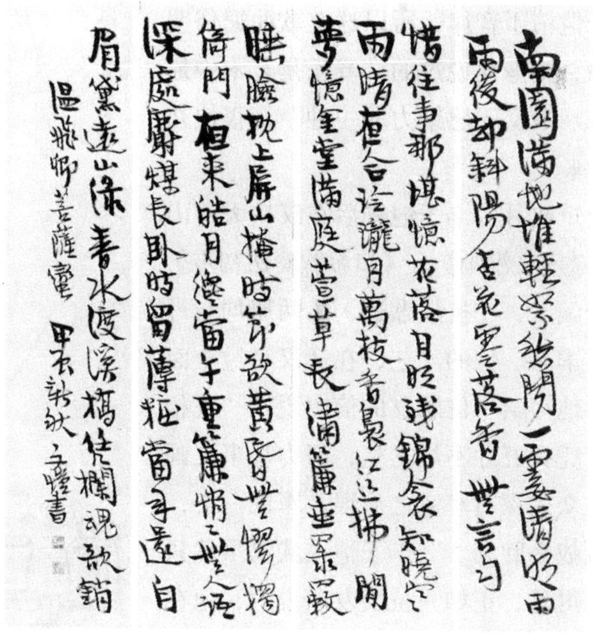

■ “四连屏”手书

作了歌曲《我们四百兆人》。发表在《文艺阵地》创刊号上的这首歌写道：

我们四百兆人，中华民，
仁义礼智润心。
我们四百兆人，互相亲，
团结强于长城。
以此图功，何功不成！
民族可复兴。
以此制敌，何敌不崩！
哪怕小东邻！
我们四百兆人，齐出阵，
打倒那小日本！
我们四百兆人，睡狮醒，
一怒而天下平！

由于丰子恺精于音律，所以这首歌曲通俗明白、动听上口，正像他说过的“音乐是艺术中最活跃、最动人、最富于感染力的一种”，很快在群众中流传开来。

在武汉短短数月，丰子恺先后在汉口大路出版社就出版了《漫文漫画》、《口琴吹奏法初步》（与肖而化合编）、《抗战歌选》（两册均与肖而化合编）三本书。他的才艺，在武汉有过全面施展，在汉时他写给一位朋友的信中说：“我相信以笔代枪，凭我五寸不烂之笔，努力从事文画宣传，可使民众加深对暴寇之痛恨。军民一心，同仇敌忾，抗战必胜利。”丰子恺在武汉虽然只过了几个月，可是，正如一位朋友所说的，他在武汉，为抗战使出了“十八般武艺”，是在艺术上进行“全面抗战”。

■ 武汉画作：《和平·胜利》

赤胆烽烟入孤城

——巴金

“世纪老人”巴金为中国的文学事业奋斗了一生。

在一百零一年的人生旅程中，他的足迹走过了世界的许多地方和国内的大部分城市。从林林总总的自传、传记和厚厚的两大巨册年谱上查知，他却几乎无缘于武汉。

在中国反日寇、抗屈辱、争自由的艰难岁月，在“保卫大武汉”的怒吼声中，巴金却偕未婚妻萧珊三赴江城，看望浴血奋战的三楚儿女，这是他和武汉发生的难得的地域性关联。

“七七”炮响，抗战军兴，巴金即挥笔上阵，投身抗日救亡洪流，他和茅盾一道创办《呐喊》周刊，“为前方忠勇之将士，后方义愤之民众，奋其秃笔，呐喊助威”；担任《救亡日报》编委，编辑出版《烽火小丛书》，对这场亘古未有的恶战作“正义的呼号和血的实录”，表现了一个进步作家高昂的爱国热情。

1938年初，第一个文艺界统一战线组织中华全国文艺界抗战协会在武汉筹备，在通信征集会员时，巴金即报名成为会员。20世纪20年代初期以小说成名的他，30年代中期已誉满文坛，在3月27日“文协”的成立大会上，他虽然人不在武汉，但仍被大家推举为协会理事。

巴金一直关注着成为全国抗战中心的武汉。1938年5月和8月，他两次因编务来到武汉，但仅仅会见了几位朋友就匆忙离去，未能好好看看武汉，他的心中颇是遗憾。

是年9月，炮声隆隆，轰炸遍地，武汉已是即将沦亡的一座孤城。烽火连年，羽书不畅，远在南方的巴金十分惦念浴血苦战的文坛旧友，非常关注守土卫国的武汉民众。他不避艰险，置生死于度外，和未婚妻陈蕴珍（即后来的夫人萧珊）慨然出行，“困难和阻碍反而加强了我的决心，我要去看看大会战前夕的武汉”，他说：“我要把个人的情感化在为着民族解放斗争的战斗者的情感里面。纵然只能够在那里住一天，我也要去！”他们9月2日从广州出发，乘小船、换汽车，在三水、清远一带辗转了四天“脚迹还是在广东境内”，直到第六天才上火车到了长沙，历经艰难在9月9日终于到达武昌。

一路上警报频繁，爆炸不断，看到铁路被炸断，村庄被焚毁，但他坚信中国人民抗战的“工作精神是不会消灭的”。

■ 巴金（左一）与朋友在一起

巴金在武汉受到社会各界的热烈欢迎。中国共产党在国统区的惟一报纸《新华日报》刊发专讯，报导他专程来汉慰问抗战民众的消息。大型杂志《自由中国》社组织了欢迎会和招待会，由社长臧云远主持并致辞，对巴金的来汉看望表示感谢，此时此刻的莅临给武汉的文艺界和广大人民以很大的鼓舞。三楚人民同仇敌忾，抗击倭寇的壮举对巴金也有很大的激励，他先后撰写了《从广州到乐昌》、《广武道上》和《汉口短简》等文，曾谈到他在武汉的种种感想和受到的鼓舞，在一篇散文中他写道："第一个车站是武昌总站，这里炸得很厉害。以后就是徐家棚车站（东站），没有警报。月台上战时空气很稀落。我们从容地押着行李走出车站，跟着大群的客去搭往汉口的轮渡。在码头上我看见了红绿颜色的标语，里面有一个是：动员保卫大武汉。"这幅标语给他留下了深刻的第一印象。看到汉口车站虽遭数十架敌机狂轰滥炸而巍然屹立，畅通无阻，他从这里"看出了未来中国的希望"。

巴金在这次匆匆的危城之行后，高度赞扬三楚民众团结一心、共御暴敌的勇敢精神。他曾表示希望多作几天的勾留，但广州方面因刊物的出版，数次电催他疾急返穗，巴金才和萧珊怀着依依不舍的心情离开了炮火隆隆的武汉。

■ 萧红

■ 萧军

从白山黑水到长江汉水

——东北作家群

■ 白朗

■ 端木蕻良

■ 穆木天

抗战时期，国土沦丧，战火纷飞，在中华民族为自由和解放奋起抗争的艰难岁月里，中国大批作家群体式地迁徙，形成了文学史上独特、悲怆而雄壮的流亡文学潮。1937年到1938年，一大批东北作家饱受国破家亡之苦，历尽艰辛，辗转流徙，从白山黑水到扬子江畔，为着民族解放的神圣历史责任，在武汉组织社团，编辑刊物，从事创作，满腔热情地投身于江城的文艺运动，为繁荣和发展武汉的抗战文艺，作出了重要的贡献。

在武汉文化发展的编年史上镌写着：萧红、萧军、端木蕻良、舒群、师田手、罗烽、穆木天、高兰、李辉英、白朗、铁弦等一长串令人骄傲的东北作家的姓名。

1937年8月，穆木天偕彭慧来到武汉，住在武昌海月庵内。9月，罗烽、白朗、舒群随同第一批撤离上海的文艺界人士也来到武汉。10月，萧军、萧红、端木蕻良旋踵而至，下榻于武昌水陆街金龙巷25号。先后来汉的东北作家，积极地为文艺界的团结，为文艺团体的组建奔走呼号。1937年12月19日，武汉文艺界抗敌协会成立，穆木天、萧军、端木蕻良、萧红、白朗、高兰被选为该会文艺工作委员会委员，参与该会“创办抗敌言论杂志”、“举办战时流动演剧队”等工作。1938年初，根据周恩来同志的指示，筹建中华全国文艺界抗敌协会，在抗日民族统一战线的旗帜下，将全国作家团结和组织起来，白朗、萧军、舒群、罗烽、端木蕻良、穆木天都踊跃参加这一工作，是“全国文协”的发起者。“文协”成立后，东北作家在文艺界组织的统一领导下，参加抗日救亡宣传，开展街头剧和朗诵诗运动，编印抗日宣传刊物和传单，组织赴前线慰问团，从事创作和抗战文艺理论的研究，做了大量工作。5月4日，“文协”机关刊物《抗战文艺》创刊，舒群和穆木天担任该刊编委，参与了这个“贯穿抗战始终的唯一文艺期刊”的编辑工作。1936年，随同流亡学生来到武汉的东北诗人师田手，担任抗日民族先锋队武汉办事处干事，一边从事救亡宣传，一边继续写作，由于他的出色成绩，在武汉被光荣接纳为中国共产党党员。

■ 罗烽作品书影

伴随着抗战风暴的到来，直接呼唤人民激荡感情的诗歌首先发出了战斗的呐喊。在武汉诗坛上，东北诗人们号召、发动和组织了彪炳中国现代文学史册的朗诵诗运动，拉开了中国抗战诗歌悲壮、雄浑的大幕。诗人高兰在九·一八事变后，几经辗转，1935年冬经郭绍虞介绍，到汉口博爱中学任教。抗战炮响，他奋然跃起，以昂扬、粗犷的气势，写作和发表了大量朗诵诗歌，受到群众的欢迎。他的一些诗被辗转传诵，诗歌的朗诵活动开始在一些学校和集会上小规模展开。

1937年10月19日，在萧军等人发起召开的“武汉文化界鲁迅逝世周年祭”大会上，著名演员王莹朗诵了高兰的《我们的祭礼》作为代祭词，全场沉浸在一片悲壮激昂的气氛之中。诗的力量被诗人和群众进一步认识。从此以后，朗诵活动便在集会、电台和各种宣传场合广泛展开。朗诵诗是诗歌的抗战先锋队，它带来了武汉文坛上以朗诵诗为主潮的波澜壮阔的诗歌运动。在朗诵诗运动的推涌下，街头诗、传单诗、诗画配等活动相继而起。高兰的全部诗作，艾青的《反侵略》、田间的《儿童节》、苏金伞的《我们不能逃亡》、王平陵的《二道沟的血迹》、力扬的《五月》、穆木天的《武汉礼赞》、彭慧的《被敌船载去的孩子》等诗篇都曾在群众中广泛传播，在街头、集会、电台朗诵，群众亲切地称之为“听的诗”。武汉的诗朗诵活动，是全国诗朗诵运动的先声，其后不久，广州、重庆、延安的诗歌朗诵活动都相继开展起来。

东北作家们一踏上武汉这块饱经忧患、沸腾灼热的土地，就深为各界同仇敌忾、团结抗日的气氛所感染，很快就卷进了抗战文艺运动的激流。1938 年 4 月 7 日至 12 日，郭沫若同志为首的政治部第三厅，组织领导了声势浩大的“抗日扩大宣传周”，在汉的东北作家，积极参加了“歌咏日”、“戏剧日”、“电影日”等活动，当台儿庄大捷的消息传来时，他们参加了武汉三镇数十万人的盛大游行，和武汉人民一起并肩前进，显示了中国人民的信心和力量。

■ 舒群主编的刊物书影

斗争的热浪激发着作家创作的机杼，罗烽和舒群等很快创作了三幕话剧《台儿庄》。萧军参与《七月》的编务，忙于长篇小说《第三代》的创作，在汉口电台发表演讲、积极参加文艺界各种集会，他发起筹备武汉的首次鲁迅祭活动，被选为大会 7 人主席团成员。在民族危亡的严峻岁月，萧红也暂时忘却了个人的伤痛和不幸，除去编辑刊物和写作的繁忙之外，她也一改旧态，经常出席会议，侃侃而谈，在《抗战以来的文艺活动动态和展望》、《现时文艺运动与“七月”》的两个专题讨论会上，结合自己的创作体会，她都发表了对于建设抗战文学有价值的意见。文学翻译家、苏联文学研究家铁弦，曾多次在汉口市电台，用俄语发布讲演，向世界介绍中国抗战的情况和文艺界动态，作出了一定的成绩。作家李辉英，早在30年代，即在武汉的刊物上发表小说。1937年底，他到达武汉后，加入“全国文协”，主编文艺丛书，努力从事报告文学创作，对推动和繁荣武汉的报告文学创作起过不小的作用。

战事初起，由于局势动荡，作家流徙，文艺期刊纷纷停办，曾一度出现十分沉滞的状况。随着抗日声浪的高涨和文艺人士的聚集，一些刊物纷纷在武汉创办和复刊，纯文艺期刊的出版达20余种。期刊荟萃，是武汉抗战文坛一个引人注目的现象。东北作家在扬子江边编辑刊物，出版丛书，为抗战文艺的发展推波助澜，成绩斐然。

1937年10月16日，由罗烽、白朗、杨朔等编辑的文艺半月刊《哨岗》在汉口创刊。这是七七事变后，最早在武汉出版界开放的一枝抗战文艺之花。由于刊物爱憎强烈，是非分明，出版不久，便遭到国民党顽固派的查禁，第二期虽已刊出要目，由于遭到强行封闭，“创刊号”遂成“终刊号”。《哨岗》虽只出了一期，但它如一颗红色信号弹升起在江城的上空，预示着也催动着更多抗战期刊的诞生。

为了推动武汉朗诵诗运动的发展，繁荣诗歌创作，穆木天主编的诗歌半月刊《时调》，1937年11月1日在武昌创刊发行。这本32开的诗歌专刊取名《时调》，是时代的调子的意思。在《创刊号》中它旗帜鲜明地宣布自己的目的和编辑方针：“我们的工作，在这里展开的将是：救亡歌曲的制作，国防诗歌的创作，通俗诗歌、朗诵诗歌、歌谣、民间俗曲的编撰。希望诗歌运动有好的展开，也想叫诗歌工作能在救亡运动中多尽些力。”基于这种明确和清醒的认识，编者着力于宣传抗日的大众化诗歌创作；大力倡导朗诵诗运动并注重从理论上加以探讨和总结；广泛收集和大量发表民歌。《时调》不但将一些优秀的诗篇奉献给了神圣的民族解放斗争，而且在诗歌大众化、通俗化方面作出了重要的贡献，一度成为全国瞩目的诗坛新星。

在《时调》停刊以后，穆木天、高兰、罗烽偕同其他诗人，再接再厉，相继编辑出版过综合诗歌丛刊《五月》和《诗时代》，这也都是抗战诗坛上的颇有影响的刊物。

舒群来到武汉后，以西北战地服务团的名义主编文艺半月刊《战地》。这个刊物是在晋西抗日民主根据地时由西战团团长丁玲动议并命名的。1938年3

月 20 日在汉口创刊。《战地》拥有一支实力雄厚、遍及全国的作者队伍。周扬、艾思奇、冯乃超、成仿吾、臧克家、周立波、叶以群、李辉英、白朗、罗烽等 40 余人是它的经常撰稿人。《战地》以富于战斗的内容，活泼多样的形式，赢得广大读者的喜爱，在武汉曾行销万份以上。舒群的名字，因此而为武汉的读者所熟知。

萧军、萧红、端木蕻良等人是抗战时期重要文艺期刊《七月》的积极支持者。他们除常年撰稿外，还承担编务、协助组稿，是《七月》艰难行进中的“同道伙友”。

抗战初期的武汉，曾出版过近百种报告文学丛书，东北作家也作过自己的贡献。李辉英在汉期间，为汉口的上海杂志公司主编《战地报告丛书》，在不到半年的时间内，先后出版发行了《北方的原野》、《黄河岸边》、《在西战场》、《战地书简》、《中华女儿》、《在汤阴火线》、《背叛祖国的罪人》、《沁河岸上》、《鲁北烟尘》共 10 册。这套丛书追踪现实，迅速而广泛地反映了祖国战斗中的风貌，描绘了人民团结抗日的民族解放精神。

抗日战争的烽火点燃了东北作家火一样的创作激情。尽管战局动荡、生活艰难，在扬子江边短暂的战斗岁月中，他们仍然寸秒必争，手不停挥，写作和发表了大量反映现实生活的作品。他们以独特的题材、独特的主题引人注目，也以独特的艺术展示出东北作家群悲怆、雄浑、沉健的创作风格。这些深度的创作是武汉抗战文艺中宝贵的篇章。动乱的战争生活、个人的感情波折，并没有消磨萧红的意志，在抗战激起的漩流中，她又一跃奋起，努力创作。在这里，她完成了名著《呼兰河传》的头两章，写作了表现团结一心、英勇抗战的剧本《突击》(与塞克合作)，相继发表了散文《一条铁路的完成》、《失眠之夜》、《在东京》、《火线外二章》、《一九二九年的愚昧》、《无题》、《八月之日记》和书评《“大地的女儿”与“动乱时代”》。在武汉纪念“九·一八”7 周年的时候，她怀念日寇铁蹄下的田园故土，思念流离失所的东北人民，无限沉痛，满心愤恨，含泪写了一封寄给东北同胞的公开信，发表于 1938 年 9 月 18 日《大公报》(汉口版)。信的字里行间充溢着对亲人故乡的一片深情：“东北流亡同胞，为了失去的土地上的高粱、谷子，努力吧……为了失去土地上的年老的母亲，努力吧……我们应该献身给祖国做前卫工作，就如我们应该把失地收复一样，这是我们的命运。”最鲜明最直接地表达了萧红和家乡人民血肉相连的深挚感情。这封信曾在汉口电台广播，产生过一定影响。

尽管编务、会议等社会活动排满了萧军每天的日程，他仍然笔耕不辍，继续写作长篇小说《第三代》的第三部外，在武汉还写作了散文《周年祭》、《他们等待我去复仇》、《两种教育的结果》、《我们要怎样活下去呢？》、《做买卖》，报告文学《王研石(公敢)君》和剧本《中国的泰戈尔》等。

高兰，是武汉抗战诗坛上首屈一指的诗人。这一时期，他创作丰厚，成就喜人，先后发表和创作了《我的家在黑龙江》、《是时候了，我们的同胞》、《给姑娘们》、《向八百壮士致敬礼》、《我们的祭礼》、《缝衣曲》、《鸡公山！你多么年轻》、《来吧！我们欢迎你，日本劳苦大众战斗员！》、《吊天照应》、《放下你那支笔》、《武汉！你祖国的心脏》、《我们的天堂》、《起来吧！中华民族的儿女》、《送别难童》等，后结集出版。他的诗舒卷着时代的风云，回响着历史的涛声。在风格上豪放中蕴含着深沉，粗犷里透露出细腻，语言通俗流畅，琅琅上口，受到普遍欢迎，被称为“八一三诗人”。除诗歌外，他还创作了新歌剧《战临沂》(与丽尼合作)、报告文学《记天照应》和《看俘虏去》等。

穆木天是武汉诗朗诵运动的倡导者和推进者之一，致力于朗诵诗和通俗诗的创作，曾写作诗歌《四月二十九日下午》、《去打游击战》、《武汉礼赞》、《民族叙事诗时代》、《一定受了帝国主义津贴》等。其中《四月二十

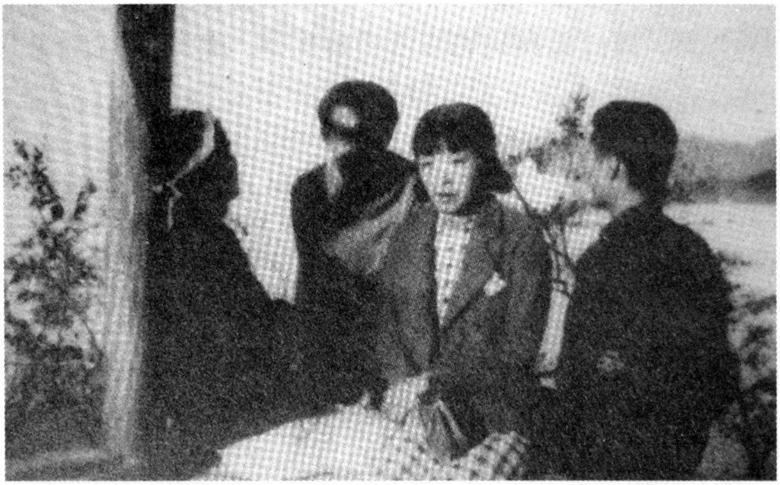

■ （左起）萧军、蒋锡金、萧红、罗烽于武昌东湖

九日下午》一诗，真实记叙了痛歼日本飞贼的江城空战，欣喜之情，溢于言表。《武汉礼赞》是诗人唱给烽烟中武汉的一首充满希望的歌。他的通俗诗集《抗战大鼓词》1938 年 3 月 25 日由汉口新知识书店出版，是较早出版的通俗文艺作品之一。在诗歌运动和创作实践中，穆木天注意研究诗歌中存在的现实问题，注意对大众诗歌和通俗文学创作的指导，相继创作发表了《怎样学习诗歌》(1938 年汉口生活书店出版)、《关于通俗文学》、《论诗歌大众化》、《我们的诗歌工作》、《开展我们的诗歌阵线》、《调整文艺队伍》、《大众化和诗歌与旧调子》、《诗歌朗诵和高兰先生的两首尝试》、《抗战文艺中的讽刺》等文章，及时指出问题，提出解决的方法。此外，他还十分重视抗战文艺的理论建设，著文加以探讨和研究，先后写作和发表了《担负起我们的开拓者的任务》、《抗战文艺的明朗性》、《“五四”文艺的战斗性》、《抗战文艺运动的据点》、《关于抗战诗歌运动》、《关于抒情诗》等论著，高度评价抗战诗歌运动，“是由五四新诗运动开始一步一步地发展起来的，我们的革命诗歌运动的主潮”。穆木天的诗歌创作，特别是他的理论著述对于抗战文艺起过历史的推动作用。

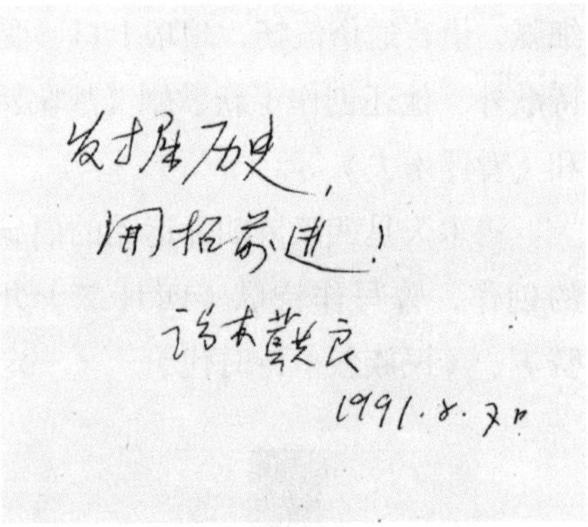

■ 端木蕻良给本书作者的题词

在 30 年代中期，李辉英就在武汉发表过《爸爸的故事》、《大减价》等短篇小说。抗战后来到武汉，创作更加旺盛，写作和发表了《东征通信》、《郑州剪影》、《夫子和传单》、《山谷野店》、《徐州车站》、《起居注》、《第一课》、《济南—齐河—官渡》等大量特写、通讯和报告文学，出版了《北运河上》和《军民之间》两部报告文学集，是抗战初期从事报告文学创作突出的青年作家。此外，还写作了小说《慌乱的城池》和《福地》。

东北作家在武汉的创作是丰富多彩的。白朗的小说《清偿》、《神刀纪三小传》，散文《我踟蹰在黑暗的僻巷里》、《不属于自己的慈悲》、《馈赠》、《三八节杂忆》；罗烽的小说《娄德嘉兄弟》、《一条军裤》、《空军陆战队》、《满洲的囚徒》；诗《明天，我回到故乡去》、《光明跃在东方》，剧本《总动员》(与舒群、宋之的合作)、《国旗飘扬》，报告文学集《莫云与韩尔谟少尉》；舒群的小说《血的短曲》（一至五）、《婴儿》，诗歌《遥念》、《友人将去了》，报告文学集《西线随征记》；端木蕻良的散文《为保卫大武汉而控诉》、《哀鲁迅先生一年》、《记一二·九》、《燃烧》、《寄民族革命大学同学》；文艺论文《寄在战争中成长的文艺火枪手》、《八·一三抗战的特质》、《文学的宽度、深度和强度》、《行动的艺术》，报告文学《记孙殿英》；铁弦的报告文学《上海：苦斗的孤岛》，翻译作品《在特鲁埃尔前线》、《普式庚：俄国文学语言的火炬》；报告文学集《背叛祖国的罪人》等，有的抒发了对白山黑水、故园亲人的深切怀念，有的控诉了敌人凶残狡诈的侵略罪行，有的描绘了人民奋起反抗的斗争精神，都是武汉抗战文坛的重要收获。这些作品如同朵朵浪花汇成了中国抗战文艺的滔滔洪流。

■ 汉口中山公园举办的抗日战利品巡回展览

正义之剑　铿锵玫瑰

——日本反战作家鹿地亘夫妇

中国人民反抗日本帝国主义侵略的正义斗争，从一开始就受到世界爱好和平人民的关注，得到他们的帮助和支持。一些外国作家、记者、文艺工作者不远万里，历尽艰难来到中国，和中国人民患难与共，并肩战斗，给浴血奋战中的人民以巨大的鼓舞。他们卓越的工作和献身精神赢得了人民的尊敬和爱戴。武汉抗战文艺作为世界反法西斯文艺的重要一页，也洒落着许多国际友人们的鲜血和汗水。在曾给予我们以巨大帮助的外国友人中，首先要提到的是鹿地亘这个名字。

鹿地亘(Kaji Wataro 1903—1982)，著名的日本反战进步作家，中国近代政治和文学研究家，中国现代文学翻译家。

鹿地亘早年毕业于东京帝国大学文学部，还在学生时代他就投身日本无产阶级文学运动，曾参加日本无产阶级艺术联盟，1927年因反对日本反动当局，遭到逮捕，被关进监狱。1935年年底获释出狱，但仍受到密切监视。当时日本军国主义迅速复活，正加紧进行对华侵略战争的准备，战争的阴云笼罩着整个日本。正是在这个时候，“他那时却望见了中国，记起了中华民族的命运和日本劳苦大众的密切的关系，于是他想到中国来”。1936年1月，他乔装改名，混夹在一个戏班中，秘密潜来中国，经内山完造介绍与鲁迅相识，成为至交，1936年至1937年致力于7卷本的《大鲁迅全集》的编译工作。

抗战爆发后，他化装成华侨由上海流落香港，过着十分清贫的生活。后经郭沫若同志推荐，他在夏衍同志陪同下，由香港途经广州，1938年3月来到武汉，担任国民政府政治部的设计委员，在三厅的第7处(对敌宣传处)从事反战工作。

在武汉半年左右的时间内，鹿地亘以极大的热情投身江城的抗日救亡斗争。他参加各种集会，以日本公民的身份，用切身的感受痛斥日本法西斯的种

■ 鹿地亘（左一）、池田幸子（左二）与郭沫若等在武昌

种罪行，用热情的声音鼓舞江城人民奋起斗争。1938 年 3 月 27 日，他出席在汉口商会礼堂举行的中华全国文艺界抗战协会成立大会，并在会上发表演说，他说："在民族解放斗争中的中国，我能参加中国文艺作家这样一个大场合，我的感想实在很多。"他十分激动地谈了自己到中国、到武汉后的种种感想，又以十分愤慨的语调谈了正在激战中的中日战争，指出："打倒日本军事的法西斯，单靠军事还不够的，要靠日本的文化界以及反侵略同志共同起来努力……中国今日，正向着世界上最进步的民主大道前进：今天的战争，民众的力量是最基本的决定力量。最后要向诸位致意，中国应当与日本的人民，以及反侵略的文化人，携手起来。"他的讲话赢得与会作家"继续甚久的鼓掌声"。

4 月 1 日，他应邀出席"全国文协"、"影协"、"剧协"等 11 团体召开的"欢迎日本反战作家鹿地亘先生暨池田幸子女士茶会"，在答谢词中，他对于中国人民友好的欢迎表示感谢，充满信心地说："任凭法西斯去厉行战争吧！他们已坐在巨大的冰山上，被打得粉碎，只是时间的问题而已！诸君，我们的希望很大：集合起来，到抗战的队伍中去！"表示了坚决和中国人民同生共死的决心。这一天，他听到日军施放毒气残杀西北抗战军民的消息后，义愤填膺，对八路军总司令朱德和副总司令彭德怀签署的抗议通电予以声援。4 月 6 日，在汉口广播电台向日本军民发布日语广播讲话，阐述中国抗日战争的自卫性质，号召日本军民和中国兄弟站在一起，共同反抗日本法西斯。他的讲话在日军部队引起巨大反响。4 月 27 日出席 14 团体欢迎国际反侵略运动大会代表色斯大会，他在会上介绍了日本人民反法西斯运动的情况，呼吁世界舆论支持日本人民的反战斗争。7 月中旬，又应三厅第 6 处邀请，在汉口的一个戏剧训练班，作题为《日本人民反战运动之意义》的报告，以大量的事实和确凿的数据分析了日本的现状，预言这场由日本军国主义发动的侵略战争只会最后埋葬他们自己，受到学员们的热烈欢迎。

鹿地亘以日本公民身份出席各种会议这件事本身就给予武汉人民以极大鼓舞，正义的斗争不是孤立的，它受到了包括日本在内的世界人民的广泛支持。除了参加会议等公开社会活动之外，鹿地亘坚持他在对敌宣传处的日常工作，坚持在播音室里，每周一次轮流与青山、绿川英子作日语对敌广播。

9 月份，他受三厅委托曾到湖南常德的军政部第二俘虏收容所作反战教育工作，他怀着极大的耐心，不怕一次又一次遭受凌辱，和他的同胞们促膝谈话，一些日本士兵受到感化开始转变立场。这一工作的进行收到了良好的效果，为其后由鹿地亘领导组织的“在华日人反战同盟”奠定了良好的思想基础。在这一段时间的对敌教育工作中，鹿地亘“每日讲演、谈话及阅览俘虏作文，考察俘虏生活感情思想”，积累了大量素材，后来据此写成长篇报告文学作品《和平村记》。

尽管繁忙的社会政治工作，几乎占去了白天所有的时间，可是作为作家、文艺理论家的鹿地亘从未中辍过自己的写作，他夜以继日，辛勤笔耕，记下日寇惨绝人寰的罪行，痛斥日本御用文人的无耻谰言，歌颂中国人民的英勇斗争，笔端下流淌着爱憎分明的强烈感情。他遵循文学发展的规律，结合现实的需要，探讨抗战文学的理论问题，写下了一篇又一篇学术价值较高的论文。这些作品和论文，成为武汉抗战文艺中具有宝贵价值的资料，是中日友谊的文化结晶。

在武汉，他发表、写作了相当数量的诗歌、散文和文艺、政治论文。1938年2月16日武汉出版的《七月》第二卷第3期上，启卷首篇发表了鹿地亘的两首诗歌《送北征》和《颂香港》。在同期中的“战讯”栏中又首篇发表了他1月4日在广州写给一位武汉友人的信。那时，他从香港流落广州，工作无着，生活困苦，他既要摆脱日本特务警犬一般的追捕，又受到国民党当局的驱逐，更痛心的是由于他是“一个日本人经常生活于不被理解的狂怒的中国民众之中”。在信中他向友人倾诉了自己渴望战斗，视死如归的悲愤心情，信中写道：“几千万人的生命成为问题的时候，我们个人的生命又算得什么呢？只是，面对着像狗一样地死去的恐惧，什么工作也没有做地一天一天地消磨着日子，请想像一下是怎样一种情形。所以当焦躁得忍耐不住的时候，从我的胸膛里迸涌出这样的悲愤：中国的兄弟呵，认清楚敌人和朋友吧！要这样才是真正有勇气的人。”字里行间浸透着他对战斗生活的渴望，充满着希望得到理解支持的焦灼之情，滚动着一颗真挚而困顿的心！

第二卷第3期《七月》上刊登的两首诗歌《送北征》和《颂香港》，也是较为出色的诗作。《颂香港》是一首即兴小诗。八·一三的炮火，把鹿地亘夫妇赶进了逃难流亡的人群，当他在“血与叫唤之中”辗转广州，抵达香港时，他在精神和体力上，都感到十分“疲劳”，前线正进行着艰苦的血肉拼搏，内地的达官贵人却大批地涌到香港，依旧过着花天酒地、纸醉金迷的荒淫生活。

■ 鹿地亘在会上作反战演讲

这里看不到一丝抗战的影子，嗅不到半点火药的气味，所能看到的只是“宁静的街道”、“温暖的内海”、“风也没有，冰雪也没有”的沉寂，作者深深感到失望和烦躁：“温暖的海，使怠堕的疲劳更厉害了，我焦躁着，忘记了季节的太阳，使无为的焦躁更难耐。”灯红酒绿，使香港失去了它在中国版图上存在的价值。对于中华民族的前途，鹿地亘深为忧虑，恨屋及乌，因而对这“南海的岛”也感到可憎，他在诗的最后，抒发自己的厌弃之情：“哦哦，失却了时和世的进展的没有联系的南海岛啊，你——像子爵总督阁下的温顺、弛松的面孔一样，使我厌倦了。”

另一首《送北征》则激情洋溢，格调奔放，是一首唱给出征战士的颂歌。几位年轻的朋友将要踏上征途，北上抗日，作者心里也充满喜悦：“你们的胸膛鼓动，年青的欢喜是怎样地骚动着我的跃动着的血呀！”他为抗日的队伍中多了几个战士而高兴，更高兴是他们参加了真正的正义之师——第八路军。人还没有离别，思念就已开始，作者已怀着热切的心在焦灼企盼着从北方来的胜利的喜讯，“哦哦，朔风哟，我在待望着，待望着你吹来的消息。哦哦，每天每天像那从原野，从山丘腾舞上去的砂尘一样向四面八方冲扩的朔风哟。泛滥地吹罢，再也恰当不过地，人们把你叫做第八路军。”欢快跳跃的诗行洋溢着对八路军的亲切感情，离别前的谆谆嘱咐寄

■ 蒋逸聪为日本反战作家鹿地亘所作速写

托着诗人的满怀希望："朔风在召唤你们，/把你们的燃烧的激情，/用冰雪的心武装起来吧，/去吧，和朔风一起用坚决的心去把凶焰吹散！"这首诗，由于用真挚的感情，细致地抒写了战友之间互相勉励的动人情谊和对于胜利的确信，成为抗战时期鹿地亘诗歌的代表作。

长诗《听见了呀》是作者看到报纸上记载的一则新闻：在日本重工业的心脏城市，正要上船的出征士兵和家属爆发了反战示威，遭到日警的血腥镇压。是"在不能制止的怀念里面"，"喷涌出来的声音"。诗人在诗篇中用墨如泼，大笔挥洒，描绘了日本工人反对战争、奋起斗争的壮阔场面："冲天的巨声响了——六乡的勇士呵/把敌人忘记了么？下船来！挽起手臂掉转你们的枪口，打倒法西斯们！群众的怒吼变成了暴风雨。"满腔热情歌颂了工人阶级的力量和觉醒。他们一旦认识了这场战争的不正义性质，就会奋起扑灭这场带给中日两国人民共同灾难的战火。斗争从船上发展到岸上，罢工开始了："到工厂去，停止动力停止战争的呼吸！"反战斗争遭到残酷镇压，诗人以愤怒而悲痛的笔触真实再现了"用血污的刺刀排成墙"的血腥屠杀，描绘了一幅"大地摇动、海在叫喊"的悲壮图画。诗人透过斗争的血花看到了这场斗争的巨大意义，看到了胜利的前景，他昂然地歌道："哦哦，染在码头上的血流——那是流在世界上一切民众的心里的战斗的血，是燃烧的火！看吧，看吧，法西斯们呵，火焰在你们的脚下跳着！在烘烘地把你们包着！"鹿地亘的诗，感情真挚，格调高昂，爱憎强烈；写战斗的离别，热烈深厚；写敌人的暴行，愤怒满纸；对真理的歌颂，激情洋溢。在形式上不事雕琢，语言流畅朴实，重在内在节奏的连贯，蕴含着撼动人心的力量。

除了诗歌创作之外，鹿地亘把更大的精力用于散文和文艺论文的写作。紧扣着战争脉搏的跳动，他写出了一篇又一篇歌颂正义，抨击邪恶的文字。1938年3月9日至10日《新华日报》连载了他写的《所谓"国民的公意"》，报社特地编了"记者的话"赞扬道："他愿意和中国的战士亲密地携起手来，为日本与中国的自由以及人类真理而奋斗。"这篇文章和先后发表的《从"防共的圣战"到"驱逐白种的圣战"》、《现实的正义》等文，以严峻的事实，分析了日本法西斯统治的形成及其内在不可调和的矛盾，揭露了日本军国主义文学为战争充当警犬的实质，表达了作者捍卫文学现实主义原则的坚定立场。他写道："我是一个作家，我以现实主义作为我的文学的立场。热爱现实，为着悲惨的东洋的现实和战斗着的中国的大众，这是日本现实主义者对诸位的敬礼。我们所爱的，是现实的正义！”

当一个叫法拉尔的法国反动作家，不顾事实，信口雌黄，造谣污蔑中国人民正义的斗争时，鹿地亘怒不可遏，奋笔疾书，写出了长达7000余字的《写给法国的弟兄们》，分3次连载于汉口版的《大公报》上，批驳了法拉尔之流的无耻谎言，诚挚地表达了他和中国人民、日本人民、法国人民血肉相连的感情。指出法拉尔“挟着没有羞耻不知节操的日本御用新闻杂志的威风，大放其得意之词”，只会把自己吊死在历史的耻辱柱上，遗臭万年。4月12日，他在武汉写成《致日本同胞》一文，分析了侵华战争发生的原因，指出了它所造成的恶果，粉碎了污蔑中国人民的种种流言。最后，他发出这样的呼喊：“离开军队吧！同胞们，把日本从堕落的死亡的深渊中挽救出来吧！鼓起勇气和中国协力打倒我们共同的敌人！以两国民众的手，站在友爱自由的新的关系上来确立东洋的再建！现在是真正爱国的日本人民，断行他的决意的时机了！”真理的声音像春天的风吹送到日本士兵的心上。一个被俘的航空兵对着鹿地亘悔恨地说：“我很明白中国人民的心情，我非常羞愧，我也痛感人类的真爱。请你向中国当局转达：我目前已决心与诸君共患难了。”

■ 日本反战队员在前线向日军喊话

理论修养，丰富的创作阅历，敏锐的观察和独特的思考，构筑了他论文的坚实基础。长篇论文《文学的感想》连载于1938年5月20日和6月15日的《战地》第1卷第5期和第6期(由魏猛克翻译)。文章概述了当时日本文学界的现状，剖析了军事法西斯文学的实质，论证了文学运动中的若干根本问题。5月28日在《抗战文艺》第1卷第6期上发表题为《关于“艺术和言传”的问题》，就艺术与宣传的关系与楼适夷同志进行讨论。3集第5期上，发表又一长篇论文《文学杂论》，再就“艺术形式的形成问题”、关于文化发展的不平衡等问题，进一步与张秀中、楼适夷交换看法。

他不仅写作论文，而且亲身参加文艺界的一些座谈讨论，时刻关注抗战文艺的发展。4月26日他出席《七月》杂志社召开的“宣传、文学、旧形式的利用”专题座谈会，与艾青、聂绀弩、胡风、吴奚如、吴组缃等人一起讨论，他几次发言就文学的形式问题阐述意见，指出“能够捉住大多数民众心的不是旧形式，也不是新形式，而是真切地触到人心的真实，以及最切适表现这真实的形式”。同月29日，他又一次出席该杂志社召开的“现实文艺活动与《七月》”座谈会，在发言中，就《七月》的创刊、新作家的培养等问题发表了意见。在上述这些文章和谈话中，作为一个日本作家的鹿地亘却像一个普通中国文艺理论工作者一样，积极认真参加了关于中国抗战文艺理论的建设性探讨，真诚地贡献自己的看法。态度是感人的，意见是中肯的。

鹿地亘不仅从道义上声援中国人民，还竭尽所能在经济上帮助抗日战士，他曾几次把自己的稿费捐献给前线的伤兵和八路军部队。

鹿地亘的夫人池田幸子，也是一位日本反战作家。她与自己的丈夫志同道合，患难与共。在艰苦颠沛的生活中，她也拿起笔来，参加中国文艺工作者战斗的行列。在武汉期间，她发表过通讯《复曹白》(载1938年5月1日《七月》第3卷第1期)，倾诉了她对中国友人的思念和对战斗生活的渴望，日记《武汉行》(载1938年5月20日《战地》第1卷第5期，以群译)记叙了她在

■ 鹿地亘在前线战壕中

■ 日军俘虏收容所“和平村”旧址之一

武汉的见闻和感想，抒发对武汉人民的热爱之情。池田幸子较有影响和价值的作品是她在武汉创作、发表于1938年3月16日《七月》第2卷第5期上的短篇小说《西崽的故事》，作品描写的是一个在上海法租界为人作佣的中国青年张忠明的经历。张忠明在白俄居留的一幢房屋里，同时给几家外国人当杂役，买东西，喂猫，跑腿送信，什么都干，尽管地位低下，生活贫苦，但他十分关心遭受侵略的祖国和自己的同胞，他劝告人们购买救国公债，动员人们参加救亡工作，自己也准备入伍守土。当他听到上海附近的大场战事失利，街上充塞着逃难的人群，他伤心地哭了一场。哽咽着诉说："我，气死了，气死了，简直不忍看小孩子们。……满身是伤的也多得很……他们逃到什么地方去呢？以后又怎么办呢？……可怜，可怜，……中国，我们，怎么得了呀……"他担心着自己祖国和人民的命运和前途。小说歌颂了在颠沛流离的战乱中，一个普通中国百姓善良、忠厚的品质和他崇高神圣的爱国感情。池田幸子的作品，内容健康积极，文笔委婉，语言朴实简约，受到读者的欢迎。

鹿地亘夫妇在抗战中，贡献了自己的全部力量，受到人民的信赖、尊重和热爱。1938年夏天，在武汉受到以中国共产党首席代表资格出任国民政府军事委员会政治部副部长的周恩来同志的亲切接见，周恩来同志对他们表示感谢和慰问。党的报纸《新华日报》高度赞扬鹿地亘的作品是"日本文艺作家第一次对于中国大众发出的声音"，中国的文艺工作者把他称作"日本进步文化的良心"，"日本人民的代言人"。对于在抗战中始终与中国人民甘苦共尝、患难相依的鹿地亘夫妇，这是中肯而恰当的历史评价。

扬子江畔一颗闪光的绿星

——世界语者绿川英子

在中国人民反抗日本侵略者的艰苦年代里，在三楚大地上，有一位日本的英勇战士维尔达·玛约（VerdaMajo 是她的世界语笔名，意为“绿色的五月”）和武汉人民一起并肩战斗。她为人们尊敬和熟悉的笔名是绿川英子。

绿川英子，著名的日本世界语者、作家、伟大的无产阶级国际主义战士。她原名长谷川信子，1912年3月7日生于日本山梨县一个土木工程师家里。1929年在东京第三高等女校毕业后，考入奈良女高师，在该校开始创作，曾写作过一本《日本文学小史》，进入了她“文学少女时代”。她积极参加左翼文化运动，因从事世界语活动曾被逮捕，开除学籍。1932年，出狱后参加日本无产阶级世界语者同盟，编辑刊物，撰写文章，广泛地为各地的世界语刊物投稿，曾在上海的世界语刊物《世界》上发表《日本无产阶级文学的现状》、《日本妇女之状况》，积极从事革命和反战宣传。1936年秋，不顾亲人反对，毅然和中国留日学生刘仁结婚。

■ 绿川与丈夫刘仁

1937年4月，正当侵华战争阴云密布的时候，她冲破重重阻力，秘密潜赴中国。她自豪地说：“我愿意加入中国军队，因为它为民族解放而战斗，不是反对日本人民，而是为反对日本帝国主义者而战斗。此外，它的胜利也将预示着东方光明的未来。”她义无反顾地踏上了一条献身真理的光荣之路，被称为“走在火焰上的女人”。

初到中国的几个月，在上海，她昂首挺胸走在南京路上，参加营救“救国会七君子”的群众游行；编印《中国怒吼》杂志，发表《爱与憎》、《中国的胜利是全亚洲明天的关键》等反对日本侵略、伸张正义的文章；在广州，她参加“国际协会世界语科”的宣传工作，开展反战宣传。由于她是日本人遭到怀疑，被广州政府以“敌国人民”的借口驱逐出境，流落香港，在小岛的一个贫民窟里度过了一生中物质和精神上最痛苦的四个月。冷遇和迫害没有浇灭她热情的火焰，她等待着、抗争着、渴望着投身到中国人民抗日斗争的行列里，公开地、合法地当一名真正的战士。

1938年6月，在政治部第三厅厅长郭沫若同志的协助下，她获得特许，从香港经广州到达武汉，在政治部第三厅“国际宣传处对日宣传科”作日语反战

■ 日本反战同盟的同志合影

广播工作。来到武汉，见到郭沫若时，郭老风趣地对她说：“我是抛妻别子逃回中国的，你是离父别母来到中国的，你吃了那么多的苦，担了那么大的风险，真是不容易呀！”绿川英子激动地说：“当我终于在战争第一周年前夕被允许公开参加中国抗战之时，我是多么喜悦和充满希望啊！”郭沫若握着她的手高声地说：“我是相信你会做得很好的，我们非常需要像你这样的人和我们站在一起，并肩战斗。”

在武汉期间，她把麦克风当作武器，把心中炽烈的爱憎，化作语言的滔滔洪流，倾泻在每一次播音之中。她历数日本侵略军在中国大地上犯下的种种罪行，向日本士兵大声疾呼：“别错洒热血，你们的敌人不在隔海的这里！”她愤怒斥责那些嗜血成性的刽子手：“我憎恨，我竭尽全力地憎恨在两国人民之间进行的那种屠杀。”她向全世界呼吁：“为了两国人民，停止战争！”绿川英子的广播，受到世界上热爱真理、热爱和平人们的欢迎。一位名叫安偶生的朝鲜世界语者，写了一首题为《和平鸽》的诗，献给绿川英子，诗中有这样一节：

如今你站在麦克风前开始翻译、播音，

向你的同胞们把真理预言。
却足以制造电闪雷鸣。
你句句金玉献给仍有良知的心灵。
你的声音是不会白费的呵，
因为它能将那喝血入迷、制造痛苦的狼心
打得粉碎、撕得干净。

真理的召唤，引起了日军内部的慌乱，复苏了一些被麻醉的灵魂。一个日本侵华部队华中派遣军某部通讯兵堀锐之助，长期收听了绿川英子在武汉和重庆的播音后，深为震动，他写下了这样的诗句：“重庆广播，/偷偷倾听，/那流畅的日语，/心中不能平静。”表示不愿再为所谓的“大东亚共荣圈”政策卖命。当1938年10月25日武汉沦陷后，日方经过查询，得知中国电台里操着流畅日语的播音员竟是一个日本女子，气极败坏，在11月1日东京出版的《京都新闻》头版上制作显著污蔑性标题，刊登照片，发表报道，恶毒诬蔑绿川英子是“用流畅日语对祖国作歪曲广播的娇声卖国贼”，绿川英子一家受到株连，其父受到“引咎自杀”的威逼，家门上被钉上“卖国贼”的牌子。面对残酷的迫害，绿川毫无畏惧。她说：“谁愿意叫我卖国贼，就让他去叫吧，我对此无所畏惧！”

■ 绿川在抗日前线

除了紧张的翻译、播音工作外，在武汉，绿川英子还写作、发表了一些文章，参加了一些重要社会活动。在作品中，表达了她对野蛮横暴日寇的愤恨，也倾诉了她热爱中国的一片深情。

绿川英子1938年6月8日在《新华日报》上发表的《爱与憎》一文，抒发了她爱憎分明的强烈感情，倾吐了自己复杂的心理和思绪。她写道：

嬌聲賣國奴の正體は

殊勝捕虜も一役

漢口陷落の

何もしない

■ 刊登污蔑绿川为“娇声卖国贼”的日本报纸

“我爱中国，因为它是我新的故乡，在这儿我的周围有着许多善良和勤劳的同志。我憎恨，我竭尽全力地憎恨在两国人民之间进行的那种屠杀。”

7月29日，绿川英子应邀出席“全国文协”在汉口江汉路法比瑞同学会召开的《日本的泥足》作者阿特丽女士欢迎会，老舍、邵力子、白薇等三十余人出席。绿川在会上发表了热情洋溢的讲话，她说“因为我不会说中国话或英语，也不好意思用侵略者的日语”，于是她用世界语表达了自己对中英两国作家的亲切感情和决心“在反侵略的路上”奋进的愿望，最后她说：“我希望中、日、英三国人民团结起来，共同打倒日本帝国主义！”

8月13日，在武汉出版的《抗战文艺》第十六期上，发表了绿川英子的报告文学《赵老太太会见记》（叶籁士翻译，原题为世界语《HomoKunRektaKoro》即《心直的人》），这是一篇中国抗日游击队母亲的颂歌，作者以热情而细腻的笔触，描绘了一个热爱祖国、英勇斗争、是非分明的老太太形象。她已58岁了，还带领家乡人民和入侵的敌人浴血战斗，她坐过牢，受过苦刑，但是“苦刑也好，诱惑也好，都撼动不了她铁一般的意志”。作者满怀敬意，描绘了赵老太太的战斗风姿：

她率领着黑压压的一群农民，拿着棍、石、锄、镰刀和切菜刀，在广阔的原野上行进，在险峻的山道上奔爬。这位中国太太见到作家时，一再对她说：“你如果以为我们恨日本，那你就大错了。侵略中国的只是一部分日本人。……你得告诉日本人。……中国是讲礼仪的国家，我们从来不欺侮别人，要是中国有一天要侵略日本，我赵老太太决不参加！

表明了她对这场战争的清醒认识，出现在作品中的赵老太太的形象是有鲜明个性的，作者对自己心理的刻画也细致真切，感人至深。

8月20日，《新华日报》第三版上，醒目地发表了绿川英子用中文写的《日本朋友的慰问信》，这是她以一个日本公民、中国人民朋友的身份，写给抗日前线中国士兵的一封公开信。信中表达了她对“拿自己的血肉来保卫中华民族的英雄”的崇高的敬意，指控了这场侵略战争给中国人民带来的巨大灾难，她写道：“使你们陷入这样困苦里，是日本军阀。他们杀了你们许多兄弟，奸了你们许多姊妹，实在我们对不起你们！”“我曾看过许许多多难民和被炸的人们，非常难过！”她解剖了日本人的心理，分析了导致这场罪恶之战的社会根源。十分感人的是她在信中坦率诚挚地倾诉了作为一个日本人复杂痛苦的感情，表白了自己坚定不移的信念：“假如我有百个身体，要到前方的日本军队去，同他们好好儿谈一谈，不让他们再杀中国兄弟、中国老百姓，假如我有千只手，要到所有战线去，给你们中国士兵绷一绷受伤的地方，替你们洗一洗衣服。但可惜得很，我只有一个身体，只有两只手，只有留在武汉，帮你们做点后方的事情。但，我要努力地做下去，因为这也是必要的。”她对于中国的感情，是一个伟大国际主义战士为和平和真理而燃烧的激情。她坚信这场战争的最后胜利无疑地属于正义的中国。信的最后，她向正把仇恨的枪口瞄准她的“同胞”的战士呼叫：“你们无情地、顽强地打下去吧！我也在后方用一切方法来支持抗战。”

由于翻译、播音和社会活动的繁忙，绿川英子在武汉的三个多月时间里，创作和发表的作品并不多，但却是她全部著作中很重要的一部分。她自己对于这些写于纷飞战火中的文字十分珍爱，她曾说过：“当我拿起笔来之时，我由于正义感的受压抑而热血沸腾，由于对野蛮的敌人的愤恨而怒火燃烧。我感到高兴，因为我与中国人民站在一起！”

10月中旬，武汉沦陷前几天，绿川英子奉令随三厅撤离，她在江城只度过了一百多个日日夜夜，但在扬子江边，她不但看到了，而且公开参加了轰轰烈烈保卫大武汉的抗日热潮，响彻云霄的万人合唱，川流不息的火炬游行，激动人心的献金狂潮，都深深刻印在这位日本作家心上。几年之后，她在写作《在战斗的中国》一书时，还深情地回忆起这一段难忘的岁月："这一阶段仅有三个月，……时间虽短，但却是多么振奋、多么活跃、多么紧张啊！……我看到了和感觉到了我终生难忘的东西，而这些东西也定将感动任何国家爱好正义的人们。"

郭沫若对绿川英子的国际主义精神给予很高的评价，专门写过一首七绝加以赞扬：

茫茫四野弥黯暗，历历群星丽九天。
映雪犹嫌光太远，照书还喜一灯妍。

周恩来同志也曾对绿川英子说过："日本帝国主义者把你称为'娇声卖国贼'，其实你是日本人民的忠实的好女儿，真正的爱国者。"绿川英子激动地回答："我愿意做中日两国人民忠实的女儿！"

是的，绿川英子不愧为中日人民的好女儿。

■ 绿川英子与家人在一起

仗义执言　声震环宇

——美国作家史沫特莱

“大地的女儿”——艾格尼丝·史沫特莱，曾被周恩来同志誉为“一个伟大的美国人”。

作为美国进步作家、著名新闻记者、中国人民尊敬的友人，史沫特莱的名字将永远留存在中国革命的史册之中。

从1928年她来到中国到1941年返回美国，史沫特莱曾辗转陕北、皖南、华中等地，写下了许多关于中国革命的通讯、报告文学和鸿篇巨著，真实地记录了中国近现代时期的历史剧变，生动地反映了中国人民在中国共产党领导下艰苦卓绝的斗争。我在这里不想重复述说那些早已为人所知的她的传奇般的经历和生平，只是根据所掌握的极为有限的材料，对她在武汉的生活勾画一个粗略的轮廓。

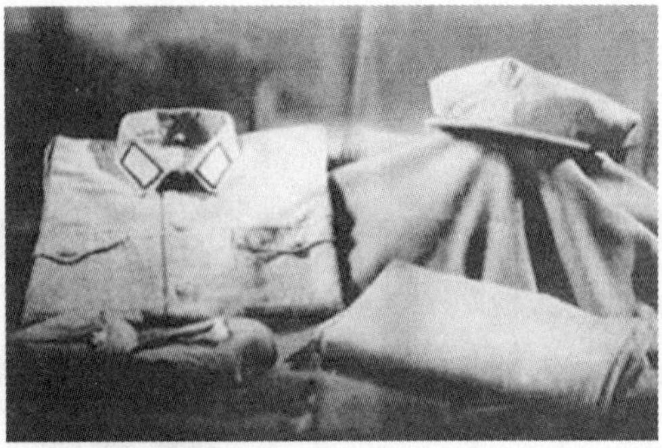
■ 史沫特莱穿过的军装

1938年1月，史沫特莱以英国《曼彻斯特卫报》特派记者的身份从前线来到武汉。其时，武汉一时成为全国新闻事业的中心，也受到世界新闻社会的注目，世界各国和国内记者都在武汉聚散。史沫特莱到武汉后，在中国红十字军医部担任工作，以记者身份经常到前线采访，从事写作，先后逗留了十个月左右的时间。

初到武汉时，鉴于日本侵略和长期内战造成的工人大批失业和经济贫困，史沫特莱曾积极赞助、支持和帮助路易·艾黎在武汉开展“工合”运动，对解决部分工人就业和增加生产、解决人民生活困难，起过积极作用。这一活动，受到周恩来、宋庆龄同志的赞扬。

1938年1月15日，在武汉创刊刚四天的《新华日报》刊载了一篇题为《风陵渡见闻》的文章，是史沫特莱南下时在黄河边上遇见一群国民党部队伤兵时见闻的实录。在刺骨的寒风中，受伤的士兵衣衫褴褛、饥寒交迫，而肥肠脑满的军官长靴轻裘，驾车逃命，把无法动弹的伤兵丢在寒冬的荒野。史沫特莱描绘了这触目惊心的场面，对作威作福的官老爷们发出了严厉的警告：“我永远不会忘记那种我从未见过的冷酷笑声，我要叫他们记着一条真理：‘谁笑在最后，谁笑得最好！’”表达了她对下层士兵的深切同情和对腐败无能上层分子的愤怒斥责。

3月27日，中华全国文艺界抗敌协会在汉口召开成立大会，史沫特莱和周恩来、蔡元培等十三人一起被大会推举为大会名誉主席团成员。三天以后（3月30日），她又应邀参加在汉口青年会举行的中国青年记者学会成立大会，由于她为中国新闻事业所作出的贡献，受到国内外同行们的热烈赞许。

8月13日的《抗战文艺》第十六期上，发表了史沫特莱的《俘虏》，这是一篇短小精悍的出色特写，它描写了一个日军俘虏在八路军的教育下，对中国军队和人民，从仇视到热爱，从敌对到依赖的转变过程，赞扬了中国对待俘虏的人道主义政策。出现在读者面前的俘虏曾经是一个凶恶的敌人，尽管在平型关战役中负伤被同伴遗弃，他仍然深怀仇恨作拼死的反抗，被俘后在八路军战士耐心的教育和一系列事实的感召下，他从蒙昧中觉醒。作者在描写了这种艰难的复苏之后，用一个简洁的画面生动地表现了他良知归返和灵魂醒悟的情形：

> 有一天，我看见他抱着一个中国小孩子，在街的一隅和小刘商谈着什么事。见了面，他微笑着指着那个孩子说："这是我的小弟弟。"

史沫特莱在通讯、特写中写人，声音笑貌和举止言谈绘声绘色，如见其人。她极为重视摄取充分表现深刻意义的细节，以小见大，表现人物的心理和性格，特写中两次出现的穿在俘虏脚上的"一双新草鞋"，就凝聚着老百姓对八路军，八路军对战俘的关怀和爱护。这篇特写很能显示她善于描写人物的长处。

■ 1938年史沫特莱在汉口

9月11日的《大公报》刊载了《史沫特莱对中国青年的呼吁》，在分析了中华民族面临的严峻局势后，她激动地说道："我这样地呼吁，在今天，每个中国人能起来保卫祖国，中国便永远不会被人征服。"寄托着她对青年们的殷殷希望。

在武汉，史沫特莱完成了她的重要作品《中国在反击》一书的写作。这是她关于中国的第三部著作，是她"坐在观众席上"现场目击了震惊世界的西安事变，又随着八路军的战斗足迹，遍及陕西、山西一带，对战地实况、两军对比作了细致的考察之后，以她的见闻经历为线索，对于中国抗战生活所作的全面报告。在人民的军队中，她曾经就是一位身穿八路军制服的普通战士，她在书中以相当篇幅细致描摹了自己在八路军战士中的生活。她充满感情地写道："只有和这样褴褛的军队一同生活，才能满意地感受到像过去在密苏里森林或科罗拉多煤矿那样的民主主义。"对于那些为民族的解放，不畏艰险，不怕牺牲的抗日战士十分热爱，她深深感触到战士们崇高而美好的精神世界。她写道：

> 当这些饥饿的士兵，唱着歌，然后拔步走向铺着稻草或麦秸的潮湿的地铺时，我感到他们歌声中的意念比以往任何时候都要深刻。这歌声就像一支夜晚弦乐队演奏。今天，我这个不乏食物的人认识到，我永远也不会完全理解中国人民解放斗争的实质含义，但它却深深铭记在那些工人、农民的心头。我始终不过是一个旁观者，享有特殊的待遇。当这些人忍受饥冻时，我总有食品、衣服和温暖的床铺。他们要去打仗，许多人将战死在冰冻刺骨的沙场，而我仍然将是一个旁观者。我凝眸注视着他们消失在街头的夜色里，他们仍在唱歌。我多么渴望想像的火花，它能使我洞察他们的思想和心灵，把他们不仅仅牺牲生命而从事伟大斗争的信念描绘出来。

多么深刻地赞颂了八路军战士高度的自觉性和牺牲精神，从这娓娓动人的叙述中我们也看到了一个严于解剖自己的外国友人金子般闪光的心。在这部书出版之后，美国的一位批评家，高度评价这部著作，他指出："如果要想了解中国战争的实际状况，要想知道那里并不是炮声隆隆的大规模战争而只是在僻静的山谷中用小部队去骚扰日军的供给线，像要攻击而又撤退，以及向村民宣传为新中国的美好的未来这样一种战争情况的话，那么就请看一下这本书吧。这些就是由长征到成为近代军事奇迹的八路军历史。"

■ 作品书影之一

1937 年 12 月，汉口出版社曾出版过史沫特莱的《国共合作后怎样发展统一战线》一书（宋景桐翻译）。这部书已不再被人提起以至渐遭遗忘，但书中却较系统地阐述了史沫特莱对当时中国局势的看法，提出过若干有益的意见。

■ 史沫特莱在会上发言

武汉沦陷前，史沫特莱进入大别山鄂豫皖苏区，和广大的新四军战士朝夕相处，写作了被称为“第二次世界大战中最佳的战地报道之一”的《中国之战歌》。埃德加·斯诺曾称赞这部书说：“艾格尼丝·史沫特莱的有强烈感染力的书《中国之战歌》提供了目击者的极为生动的描述。”日本著名作家高杉一郎也极为推崇，他说：“我看过一些有描写战前战后中国历史的书，包括历史和文学方面的书，而像这本眼界如此宽阔的书，在它处还未见过，我认为这本书可以说是以亚洲历史为主题的《战争与和平》。”

1940年，当史沫特莱和她的新四军战友们撤离大别山时，她对那里的山山水水、一草一木，充满着依依不舍之情：“在渡江北上的那天晚上……她紧靠着桅杆贪婪地饱览长江两岸的景色，在越过封锁线的时候，她非常激动。她和战士们一起低声唱着强渡长江的战歌：‘长江是我们的，我们千万次自由地来去’……”

在武汉所度过的日日夜夜，是史沫特莱战斗生活中的难忘岁月。1939年6月，她在写给朋友弗雷达厄的信中曾深情地回忆道：“在汉口度过的最后那段日子，还萦绕在我的脑际”，“我有点迷恋汉口的魅力，在我这十年生涯中，它是美好的地方。……从那以后，我反复思考：我是回到西方世界去，还是留在这里？恐怕我是必须留在中国了。”武汉，在史沫特莱的笔下，在她的书中，也在她的心上。

在武汉人民奋起保卫江城英勇战斗的日子里，史沫特莱“一直忘记了自己不是一个中国人”，在最艰苦的岁月和武汉人民患难相依，休戚与共，她将永远活在武汉人民的心中。

来自英伦三岛的文化战士

——勃特兰、奥登、伊修伍德和阿特丽

当第二次世界大战的阴影笼罩地球，战火、报纸和收音机的电波便将世界连成了一片。中国反抗日本帝国主义侵略的正义斗争，从一开始就受到英国人民的关注和帮助。战争伊始，就有一大批英国的政论家、记者、作家和诗人不远万里，历经艰难来到中国，与浴血奋战的中国人民患难与共，并肩战斗。他们的勤奋工作和献身精神赢得了中国人民的尊重，他们的作品向世界昭示了中国遭受凌辱，英勇抗争的真实，受到广大读者的欢迎和热爱。在中国人民争取民族解放斗争的史册上，洒落着许多国际友人的鲜血和汗水。

■ 风雪中的勃特兰

■ 奥登（右）、伊修伍德

在中国的抗日战争中，较早踏上华夏大地的是英国著名记者詹姆斯·芒罗·勃特兰(James Mumro Bertram)。1910年，勃特兰出生于新西兰一个牧师的家庭。在新西兰大学奥克兰学院毕业，获文学硕士学位。1932年曾到牛津大学研究英国文学，后参加工党，又到伦敦新闻界工作。因获罗兹远东旅行研究奖学金，1936年1月到中国北平，任英国工党机关报《每日先驱报》特约通讯员。当时中国抗日救亡的声浪风起云涌，这年12月12日发生了西安事变，中国陕西的省会一下子成为了举世瞩目的焦点。勃特兰以一个记者的敏锐感觉到事态的重大，预测到中国历史的进程将出现重要变化，便迅疾于12月27日赶赴西安，直至1937年2月8日国民党中央军进驻西安的当晚才离开陕西。他不畏艰险，不分昼夜，在事发地作了40多天长时间的全方位采访，搜集获取到大批宝贵的信息和资料。不久就写作了反映西安事变的大型报告文学《中国的危机：西安事变真相》(Crisisin China：Thr Syoty of the Sian Mutiny)。这部长篇通讯作品1937年即在英国出版。1938年更名为《中国的第一幕：西安事变》(First Actin China：The Story of Sian Mutiny)又在美国出版。1939年才在国内出版了由上海译报图书部发行的中文本《中国的新生》，全书二十章共十六万七千多字。可谓洋洋大观。基于对世界大局和中国情势的清醒认识，勃特兰在公正和客观的立足点上，真实而生动地记述了西安事变的全貌，并以警辟的思辨作出自己的评判。西安事变的和平解决对促成第二次国共合作的成功和全民团结抗日局面的形成，起了决定性作用，它成为了国内革命战争走向抗日民族解放战争的重大转折点。本书的中文译者林淡秋在初版的"译序"中说："《中国的新生》不但是一部西安事变前前后后详尽的真实的生动的记录，而且是一幅鲜明的西安事变的背景图。作者从十余年来中国社会、政治、文化各方面，用活生生的事实，示明这一事变的远因和近因。他告诉我们：西安事变不是几个将军私人的冲突，而是由于民族敌人无厌的侵略所激起的伟大政治斗争的焦点，是全中国反日运动之最尖锐的表现。他从壮烈的北平学生运动一直写到西

■ 勃特兰著作书影之一

安事变的和平解决和抗日民族统一战线的形成，其中有许多可歌可泣的场面，实足以惊天地而感鬼神。我不说谎，本书自身是最有力的评证人。”这部书重要的史料价值并未因时间的流逝而暗淡，1975年美国竟又一次再版重印。

■ 勃特兰著作书影之二

为了全面准确地掌握中日双方的真实情况，勃特兰于1937年初夏飞赴日本，他目睹了日本处心积虑发动战争的阴谋，写作《仲夏夜的疯狂症》，向全世界揭露了日本发动侵略的野心。7月7日卢沟桥事变爆发时，勃特兰正在日本东京。他感到事态的严重，于7月11日乘船赶回北平。他说：“在北平被围以前，我正好赶回华北。进了北平城，在那旧都的城墙里面，我第一次看见了在北方的中国人的怯懦因循最不景气的抵抗，这给了所有对中国人表示同情的人们一个很大的打击。但是从这个一开战就败退的经验上，中国人却得了不少有价值的教训。”他指出“抗日战争必须是全中国人民的民众战争”。离开北平的时候，他独具慧眼地感到中国抗战的希望在西北。于是，这年10月，勃特兰奔赴抗日民主根据地，进行了为期三个月的采访，是第一个访问延安的英国记者。他拜会了中共领袖毛泽东及许多高级将领。11月又渡过黄河，深入到山西前线在八路军部队中采访。他对毛泽东的访问，就是收入《毛泽东选集》中那篇为中国读者所熟知的《和英国记者贝特兰的谈话》。在战火的历炼中，他对于抗日战争的认识更深刻了。他说：“把最近七年的

■ 勃特兰著作书影之三

历史简缩起来，我们可以说日本目下的侵略中国战争，它的最先的那些子弹是一九三一年九月十八日夜间在沈阳发射了的。中国的民族抗战，它的最先的那些子弹，并不在满洲或上海或华北前线，却在一九三六年十二月十二日铺满了雪的华清宫的外面发射了的。不了解沈阳、西安和卢沟桥之间偶然的关联，就会不了解远东社会力量的真实动向。”1938年春天，勃特兰带着大批资料来到已成为抗战中心的武汉，他原本打算在这里安心写作，但江城汹涌澎湃的抗日浪潮使他激动不已，采访、演说、各种活动排满了日程，他无法让自己沉静下来，在编拟了《华北前线》一书的大纲，仅仅写作了“序幕：战争的前夜”中的几节后，就又匆匆赶赴外地采访，但武汉轰轰烈烈的抗战景象在他记忆中刻下了深切的印象。在该书第十章中，他专拟“汉口交响曲”一节，记录在江城短暂的驻留，他写道：“我对汉口第一印象很为良好。这一个城市，的确非常配作中国战时的首都的，虽然国民政府的高级官员已经迁至重庆办公，但是仍旧是军事和政治上的行政中心。”书中记载了中国共产党在武汉开展统一战线工作的成绩和困难，见证了中国空军一次歼灭日军十余架飞机的武汉空中大捷，记录了他与周恩来和史沫特莱“多次交换友情和意见”的会面，他满怀深情地写道：

> 我在离开汉口之前，便到第八路军的办事处里作最后一次的访问。这是我个人半年来与这些人物相处后私人的道别。这办事处位于日本租界的中心，以前是日本秘密机关的大本营。我这一次最后见到周恩来时，他正坐在一条日本席的草苫上。背后墙上有一幅美观的日本画。周恩来似乎睡眠非常不足，因为在汉口这些紧张的日子里，他是忙于重大的交涉工作的，但是他的模样仍旧似以前一样的和蔼而谦恭。

勃特兰终于怀着依依不舍的感情离别了江城，他曾说过要再来武汉，但却没有了机会，他说这是一个“非常的遗憾”。

艰苦的长途跋涉直至又一年春天结束。它的成绩是《华北前线》(North China Front)一书的问世，这是勃特兰向世界推出的第二本报道中国抗战的著作，1939年在英国出版。同年更名为《没有被征服的人：在华北战斗农民中间一年惊险生活的日记》(Unconquered: Journal of a Year's A dventuresamong the Fightingoeasants of North china)又在美国出版。1939 年 5 月由林淡秋校阅的中文本《华北前线》在上海由文缘出版社出版，不久另一版本的《华北巡回》在香港问世。在国内外都产生了广泛的影响。在这部书中，他朴直而真实地记录了八路军英勇抗日的事迹，满怀崇敬地描绘了朱德、周恩来、彭德怀、左权、贺龙、王震、肖克、关向应等人的英雄形象，由衷歌颂了根据地军民团结奋战的民族精神，对于抗战的胜利充满信心。他说："世界上任何军队，如要对抗苏醒中的中国的全部力量，必遭失败。"

■ 勃特兰 1938 年与抗日战士在一起

■ 奥登(右)和伊修伍德在一起

从 1938 年到 1941 年，他先后担任《每日先驱报》、《曼彻斯特卫报》驻中国特派员和英国驻重庆大使馆新闻专员，在各地从事抗战宣传活动。1941 年 12 月日军攻陷香港后他作为战俘在港被捕。在狱中他写作了《战争阴影》一书。直至 1945 年日本投降获释。新中国建立后，他曾再度访华，又写过新著《重返中国》。勃特兰一生的事业和中国的抗战紧紧相连，是中国人民忠实和亲密的朋友。

1938 年，在保卫大武汉的怒吼声中，英国诗人奥登(Wystan Hugh Auden)和小说家伊修伍德(Isherwood Christopher)受《新闻记录周报》的派遣来到中国，直赴已经岌岌可危的江城。奥登 1907 年出生在英国约克郡的一个名医家庭。1925 年入牛津大学攻读文学，同时开始诗歌创作并从事文艺活动，曾是英国左翼青年作家的领袖。1937 年赴马德里支援西班牙人民的反法西斯斗争，曾在军队中担任担架员和驾驶员，并写作了诗歌《西班牙》予以声援。伊修伍德出生于 1904 年，以写作有关 30 年代的柏林小说和戏剧而名重一时。他们两人以挚友相处，曾携手合作过《皮下之狗》等三部诗剧。这次联袂来华，一踏上火热的中原大地，就被同仇敌忾的血战气氛所感染。他们沿着陇海线到各战场采访，在前线和士兵有较多接触，行旅中写作了不少反映现实的通讯和诗歌。他们还到电台和会场演说，表达英国人民对中国的支持。1938 年在武汉的一个文艺界的招待会上，奥登情不自禁地朗诵了自己刚刚完成的新作《献给殉国的中国士兵》：

■ 奥登与中国士兵在战壕中

远离了文明的中心，他完成了使命。
他的长官和他的虱蚤便将他放弃，
在棉被窝里面，
他便合上了他的眼皮，
冥然的长逝。
当这一次伟大的战争，
将来编成书籍，
他也不会被人提及，
他的脑里并没有带走什么资料，
他的笑话陈旧，做人像打仗般枯燥，
他的名字和他的容貌将永远消失。
啊，欧罗巴的教授们，主妇们，平民们！
请向这一青年致敬，你们的记者
并没有当他在中华变成了尘埃。

从此他的土地配你们的儿女钟情，
从此他不再在狗跟前受侮辱，
从此有山，有水，有房屋的地方，
也有了人！

诗作描绘了一个普通中国士兵的质朴和勇猛，歌颂了他以身殉国的牺牲精神。剧作家洪深当场将该诗译成汉语，赢得了全场一片热烈的掌声。这首诗是奥登创作的关于中国抗战组诗中的一首，后来被卞之琳再次译成中文发表在《桂林文艺》上，传播甚广，曾在各种集会上被人朗诵。奥登和伊修伍德在中国采访写作约四个月时间，同年返回英国。他们将在中国的作品整理编辑成《战地行》一书出版，由伦敦发拜尔和费拜尔书店发行。全书分为长篇叙事诗、十四行诗及短诗、战地图片和在华日记四部分，较全面地反映了他们中国之行的全貌。回国后，奥登和伊修伍德仍然关注浴血奋战的中国人民，他们创办的刊物《新作品》发表了不少反映抗战的作品，编辑出版了一期“中国抗战文学专辑”。闻知武汉沦陷后，他们给中国同人写了一封题为《英国诗人向中国人民致敬》的信：

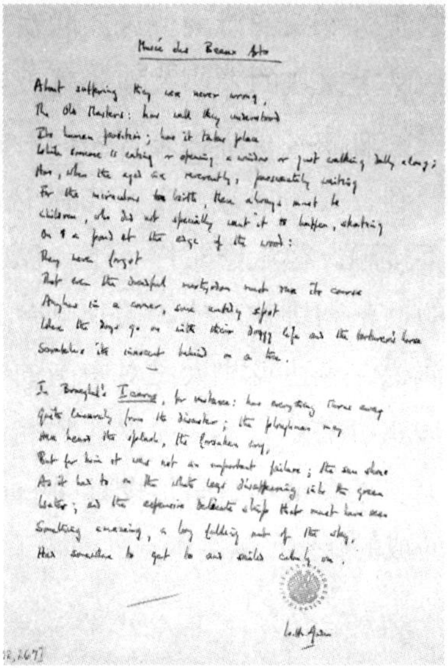

■ 奥登诗篇手迹

中国：

在最近的欧洲危机中，也许你们以为西方把中国留在脑后了，这不是实情。我们虽在这样的悲惨艰苦的日子中过活，我们愿意对你们——中华民族说，你们的英勇斗争是全世界各国人民为自由与正义而斗争的主要部分，英国人民了解这意义的并不在少数。我们认识你们的战争，不仅是为中国，而且是为了我们，同时我们知道中日冲突问题，对于欧美人民有极深的影响。我们自矢尽我们的一切力量——虽然力量也许很单薄。我们很惭愧地自承——帮助中国，并尽力劝导那些比我们影响更大更有力的人们同样来帮助你们。

今年(一九三八年)上半年，我们在中国游历过四个月，对于你们抵抗军备优良而残暴的敌人的勇敢与耐性，我们简直不能以言语来表示我们的赞叹。在这样一个战争中，胜利必是忍耐持久的能力最大者的。

我们祈求：无论表面上环境是如何恶劣，你们的“奋斗是正确”的这一个信念，永不要灰心，继续战斗到最后胜利获得为止。这是敝国一切有理性的男女的希望。

奥　登（签名）

伊殊坞（签名）

这封信发表后传播甚广，给浴血战斗的中国人民以很大的激励与鼓舞。

诗论家在评价奥登的诗歌时说：他“是成为诗史上对如此巨大的历史景观加以审视并对如此多变的公众事件加以报导的第一人，他的诗歌主题从而上升为对整个人类和各个文明的命运的思考”。奥登以他的勇敢精神、杰出诗歌和独特贡献为英国赢得了世界声誉，英国曾授予他“英王勋章”(The Kings Inedai)。

弗雷特·阿特丽(Freda Utley)1898 年出生。是英国著名的作家和记者，也是名声卓著的远东问题研究专家。中国关系是她早就关注的一个国

■ 奥登作品书影

■ 奥登摄：冯玉祥在战地

■ 奥登摄：李宗仁在战地

■ 弗雷特·阿特丽小照

际性问题，抗战爆发之前她就出版了名著《泥足的日本》。在她来中国时，她的另一部著作《日本在中国的赌博》(Japan's Gamble China)刚刚问世，国内文化界对她的名字早已熟知。1938 年 7 月，她穿越地中海，跨过大西洋和太平洋，经过三个月的漫长旅途来到中国。先后到香港、广州、武汉、长沙、南昌等地考察和采访。由于对中国曾经有过深入的访问和研究，她对于这个国度是熟悉和亲切的。一到武汉，她对前来采访的《抗战文艺》记者就说："我未到中国之前，我就钦佩中国文化的高深与伟大。在这次抗战中，我十分相信中国会为世界保存这最高的文化而胜利。"在仅仅三个多月的访问中，阿特丽在各地参加了多次欢迎会和座谈会，她说："特别使人感动的是这些集会对我的热情招待。我感到唯一能表达我对中国人民友谊的方法，是做坦率的演讲，而非一味对主人奉承。"她在集会和电台作了数十次演说，表达一个战友对必胜的信念："我从未认为，中国能很轻松地抵挡住日本的进攻。但我坚信，只要她能保持国内的团结，只要英美不像日本所希望的那样与其成交，接受亚洲新局势而背叛中国，那么，中国就一定能够经受住战争的考验。"在时间过去了许久以后，她还清晰地记得在武汉的欢迎会上，年轻诗人盛成用法语朗诵的诗句：

苦难孕育着希望，
死亡预示着再生。
在苦难深重的日子里，
和平，是中国千百万人的心声。
生中有死，死中有生。
苦难无边，希望永存。
这就是为什么，
苦难总伴随人生。

这渗透着苦涩的哲理诗歌，竟成了她一生中难忘的记忆。在武汉沦陷前夕，阿特丽没能如己所愿成为“汉口最后一个逃难者”，她怀着“最难忍受的生死离别”于10月2日离开武汉。回到英国，她奋笔疾书，完成了十九万字的《扬子前线》(China at War) 又名《中国在战争中》的写作，1939年由伦敦费伯出版有限公司出版。该书自述1938年她在中国采访的经历，其中有会见蒋介石等国民党军政要员，与周恩来、沈钧儒等人的会谈，在前线后方的见闻等，客观公正地揭示了战时中国各派力量的政治主张、抗日战略及中国政局的现状、缘由和发展趋势。最后她指出：“欧洲列强的对华政策变化多端，难以预测。一项政策的实施主要取决于各列强在欧洲的地位，中国早就认识到任何思想、原则、条款都不能在欧洲列强的对华政策上起到应有的作用。不论未来是给她带来友好还是敌意，中国都必须依靠自己的力量，依靠自己人民的意志和决心，反对外来侵略和奴役，并最终取得民族的解放。”这部书引起了国际性的关注，被认为是分析研究中国和远东问题的重要著作。

主持正义的中英人民的手是紧紧握在一起的。我们只是简要罗列了几位人们最熟悉的来华英国文化人的行止，其他还有如《外国人目睹中之日军暴行》(What War Means The Japanese Atrocities in China)的作者哈罗德·约翰·田伯烈(Harold John Timpjerley)，《新西行漫记》的作者、物理学家班威廉和克兰尔夫妇，《给中国》的作者罗伯特·潘恩(Robere Payne)，《中国科学与文明》的作者、著名科学家李约瑟(Joseph Needham)，《红色中国的挑战》的作者阿瑟·斯坦因(Gunther Stein)等，中国人民是不会忘记他们的。

附录 抗战初期武汉文艺活动大事记（1937.7.7—1938.10.25）

抗战初期，国共合作，抗日民族统一战线形成，武汉成为全国政治、经济、文化的中心。作家云集，期刊荟萃，全国性的文艺组织相继在汉成立，相当数量的各类作品在汉发表、出版，以武汉为中心的抗战文艺运动有声有色，成绩卓著。其影响遍及全国各地，为后来以重庆为中心的大后方进步文艺运动打下了良好基础。是整个抗战文艺中一个重要的组成部分。近三十年来，我们查阅期刊报章和走访函询有关人员，整理出这份“大事记”，供研究参阅。疏漏错讹之处，欢迎指正。

1937 年

7 月

7 日　抗日战争全面爆发。

中国新兴乐剧社成立。该社由原南国剧社、集美剧社部分成员和武汉话剧界同人、长沙大时代音乐社联合组织，宣言申明以倡导新歌剧运动为旨趣。

20 日　中国新兴乐剧社在汉口公演《钦差大臣》。

8 月

4 日　武汉文化界程仲子、孔罗荪、蒋铭等人召集座谈会，筹组武汉文化界抗敌工作团。

17 日　汉口市剧业同人战时服务团成立，设京、汉、楚剧、电影，总务组等部门，朱双云为主任，开展抗日宣传，组织劳军公演。

9 月

4 日　马彦祥、宋之的率上海救亡演剧一队到汉。居汉期间，曾演出该队集体创作，王震之、宋之的、崔嵬执笔的话剧《上海战争》。该剧由《火中上海》、《保卫上海》、《黄浦江边》三个可分可合的剧目连缀组成。

8 日　怒潮剧社在汉口光明大戏院首次公演阳翰笙的四幕话剧《前夜》，剧本描写了七七事变前夜，广大人民强烈要求反抗日本侵略的故事。王瑞麟导演，田禽、舒绣文等参加演出。（怒潮剧社由武昌行营政训处电影股组织，一九三六年成立。）

11 日　上海救亡演剧一队在汉口公演宋之的、王震之、崔嵬编剧的《上海战争》。

18 日　《战斗旬刊》创刊，孔罗荪、蒋锡金主编，出版三期后终刊。《大公报》(汉口版)创刊，该报由张季鸾主持，辟有文艺副刊《战线》。

怒潮剧社为纪念“九・一八”六周年，走上街头演出《放下你的鞭子》，引起巨大反响。

10 月

3 日　洪深、金山率上海救亡演剧二队到汉，冼星海、王莹等随队到达。

5 日　中国旅行剧团由唐槐秋率队来汉。该团 1933 年成立于上海，系中国较早的民间职业剧团。舒绣文、李景波、石挥等为该团主要演员，相继在汉公演法国历史名剧《祖国》、欧阳予倩的《青纱帐里》和阳翰笙的《前夜》等剧目。

6 日　国民党湖北省和武汉市党部举行来汉文化人招待会，国民党中央宣传部部长张道藩主持。

7 日　上海救亡演剧二队在汉口光明大戏院演出五幕话剧《保卫祖国》，

反响强烈。该剧由《九·一八以来》、《卢沟桥》、《上海之战》、《在东北》、《逃难到汉口》五个相对独立又连贯起来的剧目组成。

10日　拓荒剧团成立，光未然任该团领导人。

《淞沪抗敌影画展览》在武昌民教馆开幕，展期三天，观众达三万人次。

14日　上海业余实验剧团到汉，赵丹、魏鹤龄等随团到达。

16日　文艺半月刊《七月》创刊，胡风主编，该刊沿用上海原名，重新编号。在汉出版三卷共十八期。

文艺半月刊《哨岗》创刊，杨朔、荒煤、丽尼、聂绀弩、罗烽编辑，仅出一期，即遭查禁。

综合性杂志《救中国》周刊创刊，胡绳主编。

流亡青年文艺社成立大会召开，系流亡武汉的全国各地爱好文艺青年组成，柯仲平任主席。

19日　武汉文化界、《七月》社、《哨岗》社等团体在汉口青年会举行鲁迅逝世周年纪念会，胡绳、胡风、冯乃超、聂绀弩、萧军、何伟、光未然七人组成主席团。"文抗歌咏队"演唱鲁迅纪念歌及抗战歌曲，柯仲平朗诵自己创作的诗歌、王莹朗诵高兰的《我们的祭礼》受到热烈欢迎。由于穆木天、光未然、蒋锡金等人的大力倡导，诗朗诵活动在武汉蓬勃展开。

29日　胡绍轩主编的《文艺》第五卷第三期出版"抗战诗歌专号"。

30日　宋一痕主编的《战斗画报》第七期"第八路军抗战特辑"出版。

31日　上海漫画界抗敌协会主办的《救亡漫画》(汉口版)出版。

本月田汉根据鲁迅同名小说改编的五幕话剧《阿Q正传》由汉口戏曲时代出版社列为"抗战戏剧丛书之一"初版，次年1月再版。

11月

1日　诗歌半月刊《时调》创刊，穆木天、蒋锡金主编，在汉出版五期后停刊。

战时儿童文艺综合刊物《中国儿童》月刊出版，周苏君主编。

9日　《民族战线》综合刊物创刊，孟宪章主编。兼发文艺作品。

16日　戏剧半月刊《抗战戏剧》创刊，田汉、马彦祥主编，在汉出版十三期后停刊。

18 日　老舍由济南辗转来汉。

21 日　欧阳山、草明、邵子南、于逢、丘东平集体创作，丘东平执笔的中篇小说《给予者》在汉完稿。

20—22 日　洪深取材于武汉现实生活并在汉完成的两幕话剧《米》和独幕话剧《飞将军》由上海救亡演剧二队在汉口光明大戏院首演。洪深在《飞将军》中饰演主角高鹏飞。《米》痛斥了大敌当前，民族危机中发国难财的汉奸，《飞将军》歌颂了坚持抗战的空军将士，批判了贪生怕死的可耻行为。

漫画家叶浅予，张乐平抵汉。

24 日　沈钧儒由南京到汉，在汉筹组抗敌救国总会，创办《全民周刊》(沈任社长，柳湜主编)。沈钧儒将曾写作的旧诗，编为《寥寥集》。1938 年 6 月由生活书店在汉口出版。

25 日　上海业余剧人协会在汉口天声剧场公演阳翰笙编剧、洪深导演的四幕话剧《塞上风云》，该剧反映了汉族和蒙古族人民惩办汉奸、团结抗日的现实生活。赵丹、舒绣文、魏鹤龄、顾而已饰演主要角色，演出后受到欢迎，又连续公演多次。

《文艺战线》社在武昌召开“抗战戏剧座谈会”，洪深、田汉、史东山等出席。

28 日　熊佛西率中华平民教育促进会抗敌剧团到汉。

12 月

2 日　剧作家熊佛西在光明大戏院发表《抗战时期戏剧界应有的责任》讲演，讲演毕放映抗战新闻片《淞沪前线》。

4 日　中华平教会抗敌剧团在汉口作一周公演，演出剧目有：《战歌》（杨村彬编剧)、《后防》、《一片爱国心》(熊佛西编导)、《电线杆子》(周彦编剧)。演毕，全团赴宜昌。

武汉市歌女救国会召开成立大会。

5 日　综合刊物《民意周刊》创刊，间登文艺作品。

10 日　范长江等著《西北线》由汉口星星出版社初版刊行。

11 日　文化性综合刊物《群众》周刊创刊，在汉出版共五十期，潘梓年主编，系中国共产党领导在国统区出版的“现实性的文化批判综合刊物”。

12 日　拓荒剧团召集抗战戏剧座谈会，田汉、阳翰笙、应云卫等应邀出席，会上阳翰笙讲《现阶段的剧运路钱——戏剧的游击战》。

综合刊物《前途》由北京迁汉复刊，间登文艺作品，在汉出版十三期。

13 日　南京陷落。

18 日　“抗敌画展”在青年会开幕，展出叶浅予、胡考、张乐平等人抗战作品百余幅。

19 日　武汉文化界抗敌协会成立，选举段公爽、胡风、魏绍征、朱双云、光未然等二十五人为理事，柳湜、胡绳、沈兹九等七人为候补理事。

20 日起　举行全国戏剧界援助各战区游击军在汉联合大公演，话剧、京剧、汉剧、楚剧、评剧多剧种的四十余团体参加，这次演出促成了中国戏剧界统一战线的形成。

21 日　中国旅行剧团在汉口天声剧场公演《阿 Q 正传》，田汉改编，洪深导演，姜明主演。这是鲁迅先生的作品第一次搬上武汉舞台。

25 日　首都抗敌剧团、拓荒剧团、广西国防艺术社、国立戏剧学校同学会等十余团体在汉口光明大戏院联合公演大型话剧《最后的胜利》，田汉编剧、洪深导演，赵丹、王莹主演。该剧结构宏大，气势雄伟，人物众多，场面开阔，演出轰动武汉三镇，是戏剧舞台上中国人民抗日决心和力量的一次示威，也是全国戏剧工作者的大会师。

31 日　中华全国戏剧界抗敌协会成立，通过宣言和决议，选举田汉、阳翰笙、张道藩、唐槐秋等九十七人为理事，定每年十月十日为“戏剧节”，在第一次理事会上，推举田汉、方治、朱双云等二十五人为常务理事。

本月政训处抗敌剧团（即原上海救亡演剧三队、四队改编)、孩子剧团先后抵汉。

周恩来同志从延安到武汉，领导抗日救亡运动。

1938 年

1 月

1 日　通俗文艺半月刊《抗到底》创刊，老向(王向辰)、何容主编，在汉共出版十四期。

《抗战晚报》创刊，辟有文艺副刊。田汉、洪深、阳翰笙等为该报特约常年撰搞人。

8日　《七月》社举办的“抗敌木刻画展览会”在民众教育馆开幕，展出画家二十余人的抗战作品三百余幅，历时两天半，观众六千多人。

9日　郭沫若由广州到汉，当日为《新华日报》创刊题辞：“发动全民的力量，从铁血之中建立新的中国。”

《新华日报》经理潘梓年在汉口召开社会各界人士招待会。沈钧儒、张醒、张申府、邓初民、胡秋原、洪深、董必武、爱泼斯坦、罗果夫等五十人出席。潘报告报纸筹办经过，对各界的支持致谢。

11日　《新华日报》创刊，潘梓年任经理。辟有文艺副刊《团结》。

17日　武汉合唱团召开成立大会，林路任总干事，是日和武汉文化行动委员会合办音乐会，由冼星海、盛家伦主持，武汉抗日救亡歌咏高潮很快形成。

20日　《大众的文学》半月刊创刊。

24日　《前进晚报》创刊。

27日　艾青、萧军、萧红、聂绀弩、端木蕻良等离汉赴山西临汾民族革命大学。

28日　武汉文化界举行“一·二八”纪念扩大戏剧演出，孩子剧团、政训处抗敌剧团、首都抗敌剧团等参加。演出《帮助咱们的游击队》、《团结起来》、《最后关头》、《打鬼子去》等剧目，

29日　武汉文化界抗敌协会发起的“扩大宣传周”开幕，组织歌咏、宣传队六十余队分赴全市开展救亡宣传。

中华全国电影界抗敌协会成立，通过大会宣言，推选陈波儿、阳翰笙、郑用之、罗刚、袁牧之等七十一人为理事。

郭沫若为孩子剧团题辞：“宗教家说‘儿童是天国中之最伟大者’，我敢说儿童是中国之最伟大者，因为他们的爱国全出于热诚，行动是毫无打算。”

31日　政训处抗敌剧团深入大冶矿区宣传演出。

本月抗战后，第一部反映抗日的故事片《保卫我们的土地》由中国电影制片厂(原汉口摄影场扩充改组，隶属三厅领导)在武汉摄制完成，史东山编导。从1938年1月到10月的武汉九个月中，“中制厂”完成《热血忠魂》、《八百壮

士》、《保卫我们的土地》三部故事片，五十部纪录片、新闻片、卡通歌集。

阳翰笙的四幕大型历史剧《李秀成之死》由汉口华中图书公司出版，同年6月再版。

2月

1日　毛泽东为文艺月刊《自由中国》题辞："一切爱国人民团结起来，为自由的中国而斗争。"

7日　茅盾到汉。

郭沫若为"反侵略国际宣传周妇女特刊"题辞："和平为侵略者所蹂躏，欲求恢复和平只有从反侵略做起。妇女在和平时是和平的象征，在战时便尤当为反侵略运动的宣传使者。中国的诸姑姊妹们哟，中国已临到了最后的关头了，请你们学习沃尔伦的少女、西班牙的少女。"

8日　日本著名反战作家鹿地亘的《现实的正义》一文在《新华日报》发表。

9日　中共代表团和八路军武汉办事处为孩子剧团召开欢迎会，周恩来、叶剑英、郭沫若、邓颖超等出席，周恩来在讲话中教育孩子们要有"救国、革命、创造精神"。

11日　茅盾为孩子剧团题辞："对民族前途抱悲观的，请看看这一队冲开了敌人的炮火的勇敢、天真、活泼的未来的中国主人！"

12日　中国作曲者协会会刊《战歌》周刊改半月刊在汉复刊，刘雪庵主编。

14日　茅盾、田汉等一百九十五人联合发起，在市商会礼堂召开著名社会活动家、作家钱亦石同志追悼会。钱亦石，湖北咸宁人。

29日　茅盾、叶圣陶、楼适夷、宋云彬主编的《少年先锋》创刊。

本月卓越的国际主义战士、荷兰著名导演约里斯·伊文思来中国拍摄抗日影片，抵达武汉。

高兰的《高兰朗诵诗集》由汉口大路书店初版发行，不久抢购一空，多次再版，供不应求。

美国女作家、著名记者史沫特莱到汉。

陆诒的《前线巡礼》由汉口大路书店初版刊行。

3月

1日　《七月》第二卷第四期以《毛泽东论鲁迅》为题，发表毛泽东在陕北公学鲁迅逝世周年纪念会上的讲话。

9日　郭沫若为文艺月刊《自由中国》题辞："要建设自由的中国，须得每一个中国人牺牲却自己的自由。每一个中国人把自己的一切奉献给祖国的解放，中国得到自由，则每一个中国人也就得到自由了。"

15日　《弹花》文学半月刊创刊，赵清阁主编，在汉共出版五期。

英国诗人奥登(W. H. Auden)和小说家伊修伍德(C. Ische wood)受《英国新闻纪录周报》派遣抵达武汉。

穆木天作《抗战大鼓词》由汉口新知书店出版。

20日　文艺半月刊《战地》创刊，丁玲、舒群主编，在汉出版六期后停刊。

天虚作《两个俘虏》，列为"战地生活丛刊第二种"由汉口上海杂志公司初版刊行。

23日　日本著名反战作家鹿地亘夫妇抵达武汉。

中华全国文艺界抗敌协会成立，通过宣言，审议"设立通俗工作委员会"等八项提案，选举老舍、姚蓬子、冯乃超等四十五人为理事，周扬、吴漱予等十五人为候补理事。《新华日报》出版"全国文协成立大会特刊"，发表社论予以祝贺，并指出："这是一个文艺上的盛典，值得我们来欢欣鼓舞的。"提出希望："这个文艺界团结的开始，更能把文艺的队伍在战斗的过程中，无限地扩大起来"，"文艺的大众化，应该是全国文艺界抗敌协会的最主要的任务"。

31日　"全国影协"会刊《抗战电影》创刊，唐纳主编。

"中国青年新闻记者学会"成立，选举范长江、钟期森、徐迈为常务理事。出版学会会刊《新闻记者》。

本月　冯玉祥《抗战诗歌集》由三户图书印刷社初版发行。郁达夫、臧克家、戈宝权先后到汉。《抗战戏剧》编辑部召开"抗战戏剧座谈会"，讨论戏剧在抗战时期的作用、戏剧如何宣传抗日等问题，许之乔、郑君里、应云卫、辛汉文等出席。

4月

1日　政治部第三厅成立，机关设武昌县华林，郭沫若出任三厅厅长，阳翰笙为主任秘书，厅内设三处，第六处为艺术宣传处，田汉任处长，第六处下设：第一科主管戏剧音乐，洪深为科长；第二科主管电影制作发行，郑用之为科长；第三科主管美术宣传，科长徐悲鸿(未到职)。

文艺月刊《自由中国》创刊，臧云远、孙陵主编，在汉出版三期。

“全国文协”、“影协”、“剧协”、“青年记者学会”等十一团体召开欢迎鹿地亘夫妇大会，郭沫若致词，鹿地亘发表热情讲话。

阳翰笙的四幕话剧《塞上风云》由汉口华中图书公司列为“戏剧丛书之四”出版。

4日　“全国文协”召开第一次理事会，推举胡风、老舍、王平陵、胡秋原十五人为常务理事；老舍、华林为总务部正副主任；楼适夷、王平陵为组织部正副主任；老向、姚蓬子为出版部正副主任；郁达夫、胡风为研究部正副主任。

6日　日本作家鹿地亘应邀在汉口电台发布广播演说，号召中日人民团结起来，共同反对法西斯势力，引起巨大反响。

7日　三厅组织的“第二期扩大宣传周”开幕，分别举行文字宣传日、演讲日、歌咏日、美术日、戏剧日、电影日、游行日。

“文协”编《武汉各界第二期抗战扩大宣传周特刊》出版。

10日　文艺综合半月刊《战地半月》创刊，蒋弼主编。

13日　日本反战作家鹿地亘将稿费捐赠八路军。

14日　“文协”代表郁达夫、盛成赴台儿庄慰劳，赠前线抗日将士“还我河山”锦旗一面，散发《告慰台儿庄胜利将士书》万份。

16日　“武汉木刻人联谊会”召开成立大会，推举力群、马达、卢鸿基等五人为理事。

21日　武汉文艺界在德明饭店举行欢迎英国诗人奥登和小说家伊修伍德招待会，奥登即席十四行诗《中国兵士》，由洪深译诵，田汉赋旧诗一首作答。

武汉文艺界十四团体在普海春餐厅举行欢迎伊文思从前线拍片胜利归来大会。他们冲破阻力拍下了武汉“八办”周恩来、叶剑英等人活动的珍贵历史镜头，拍下了中国人民浴血抗战的实况，后编辑完成长纪录片《四万万人民》(又名《一九三八年的中国》）在美、法、荷兰等国放映，反映强烈。

26 日　《七月》社召开“宣传、文学、旧形式的利用”座谈会，艾青、吴组缃、端木蕻良、胡风、欧阳凡海、鹿地亘、池田幸子、聂绀弩等出席。

27 日　“全国文协”等十四团体召开“欢迎国际反侵略运动大会代表色斯大会”。

28 日　夏衍因筹办《救亡日报》事宜到汉。

本月　上海漫画宣传队到汉。不少画家参加第三厅美术科工作，创办《抗战漫画》。叶浅予、罗工柳、周令钊、李可染等绘制大批巨幅宣传画，遍布武汉三镇街头。

周立波翻译的捷克报告文学家基希的《秘密的中国》由汉口天马书店出版，此书对我国的报告文学发展起了相当的推动作用。

日本反战作家鹿地亘的《鹿地亘及其作品》由汉口天马书店出版。

宋之的的剧本《民族万岁》列为“大时代文库第六种”由汉口上海杂志公司初版发行。

5 月

1 日　中国工人抗敌总会、中飞业余社话剧组联合举行庆祝五一劳动节演剧，演出《打鬼子去》、《沦亡以后》(光未然编剧)、《东北的一角》（王光鼐编剧）招待武汉各厂工人。

3—9 日　三厅举办“雪耻与兵役扩大宣传周”，六、七、八日洪深负责组织戏剧、歌咏宣传演出，百余宣传队、剧团出动，走上街头，深入农村，声势浩大。

4 日　“文协”会刊《抗战文艺》创刊。老舍、田汉、王平棱等三十三人组成编委会，由楼适夷、蒋锡金、姚蓬子执行具体编务。第一期至第四期为三日刊，自第五期起改周刊，在汉出版共二十期。(其中有《抗战文艺·武汉特刊》四期)

武汉诗歌工作者举行诗歌座谈会，穆木天、臧克家、高兰等出席并在会上朗诵诗作，蒋锡金、王莹朗诵瞿秋白所译普希金的《茨冈》，这是该诗第一次在国内译出，首次在汉朗诵。

5 日　“理论、创作和技术并重的戏剧刊物”《新演剧》新一卷第一期复刊出版，章泯、葛一虹主编，在汉出版三期后终刊。

武汉文化界抗敌协会通电全国，声讨周作人的汉奸行为。

8 日　陈纪滢召集文艺同人座谈会，罗荪、丽尼、田涛、碧野、于黑丁、李辉英、高兰出席，讨论抗战文学的创作问题。

10 日　臧克家前往徐州，组织“文协”分会。

11 日　于黑丁、曾克、李辉英等一行赴鲁南前线。

14 日　茅盾、丁玲、夏衍、老舍等十八位作家签名的《给周作人的一封信》发表，对周“背叛民族、屈膝事仇”表示极大义愤。

15 日　大众报社、时调社、抗到底社、通俗读物编刊社在武昌青年会召开“通俗文艺座谈会”，会上讨论拟成立一个“经常研究通俗化问题”的组织。

“剧协”会刊《戏剧新闻》周刊创刊，吴漱予编辑，在汉出版五期。

魏孟嘉主编的《艺术信号》在武汉复刊出版。

28—29 日　“中国青年救亡协会”在汉口青年会公演《东北的一角》、《重逢》、《自卫》等八个剧目。

本月　诗歌工作社编辑的诗歌刊物《五月》出版，是影响很大的诗刊之一，出一期后终刊。

李辉英的《北运河上》列为“抗战动员丛刊”，由汉口大众出版社初版刊行。

“文协”召开“怎样编制士兵通俗读物座谈会”，老向、老舍、王平陵、姚蓬子、王亚平、穆木天等十九人参加。

漫画宣传队主办的“抗战建国漫画展览”在汉口街头作巡回展出，观众如堵。临汾失陷，艾青、萧红、端木等先后返汉，萧军去延安。

6 月

1 日　东北救亡总会话剧团在汉口青年会演出话剧《天明》、《秘密文件》。

张庆泰作《在西战场》列为“战地报告丛刊之三”，由汉口上海杂志公司初版刊行。

2 日　中国旅行剧团在天声剧场公演阳翰笙编剧、洪深导演的大型历史剧《李秀成之死》。

3 日　姚雪垠作《战地书简》列为“战地报告丛刊之四”，由汉口上海杂志公司初行。

6 日　中华全国美术界抗敌协会在武昌青年会召开成立大会。张善子任主席并致开词，通过简章，选举何香凝、高剑父、郭沫若等为名誉理事。会议期间，举办“抗战美术展览会”三天，展出作品二百余幅。

9 日　漫画家张乐平、廖冰兄、陆志庠、叶纶纲等离汉赴安徽开展漫画宣传活动。

张周作《中华女儿》列为“战地报告丛刊之六”，由汉口上海杂志公司初版刊行。

12 日　武昌通俗文艺编刊社召开“民间剧座谈会”，马彦祥、王泽民、朱双云等出席。

中华全国木刻界抗敌协会在汉口培心小学召开成立大会。通过简章和宣言，推举蔡元培、冯玉祥、田汉为名誉理事，选举马达、力群、赖少其等二十人为理事。中华全国漫画界抗敌协会成立，通过会章，选举叶浅予、张光宇、高龙生、丁聪等为理事。

15 日　曾克作《在汤阴火线》列为“战地报告丛刊之七”，由汉口上海杂志公司”初版刊行。

“中国文艺社”迁往重庆。

《大公报》汉口馆在汉口维多利亚纪念馆主办救亡募捐公演，郭沫若演讲，演出唐纳编剧、应云卫导演、舒绣文主演的三幕话剧《中国万岁》，引起轰动，连演四天。

17 日　郭沫若为纪念高尔基逝世两周年，创作新诗《高尔基万岁！》

18 日　《新华日报》出版“高尔基逝世两周年特刊”。

何鲁东、影痕在汉口举办“街头抗战诗画展览”。

“文协”发布《为敌机轰炸广州告世界友人书》、《为时局告同胞书》。

25 日　周立波著名报告文学集《战地日记》由汉口上海杂志公司初版刊行。

“文协”发布《致伦敦国际作家保障文化自由协会大会电》。

26 日　中国世界语协会召开成立大会，推举郭沫若、蔡元培、胡愈之、范寿康等为名誉理事，选举王鲁彦、叶籁士等二十一人为理事。发表宣言《为中国的解放而用世界语》。

27日　陈克寒作《八路军学兵队》列为“战地生活丛刊第八种”，由汉口上海杂志公司初版刊行。

本月　周恩来在武昌接见鹿地亘夫妇，对他们支持中国的正义行动表示感谢。

周立波的著名报告文学集《晋察冀边区印象记》由汉口读书生活出版社初版刊行。臧克家诗集《从军行》由汉口生活书店初版刊行。

7月

1日　武汉戏剧界在汉口举行“赵曙同志追悼会”。赵曙原系抗敌剧团团员，在剧团徐州演出突围时遇敌机轰炸牺牲。

第五战区战时文化工作团成立，臧克家任团长，于黑丁任副团长，田涛、田一文、伍禾、李玉锋、张克刚、郑桂文、鲁夫、武智仁、曾克、姚雪垠、李辉英等为团员。

3日　金山率上海救亡演剧二队赴潢川。

7—9日　武汉剧业两千多名剧人和十二家剧院举行“纪念七七一周年献金公演”，演出话剧、汉剧、楚剧等多台节目。

7日　《全民抗战》创刊，由原《全民周刊》和《抗战三日刊》合并组成，邹韬奋主编。

14日　英国女作家、《日本的泥足》和《日本的在华赌博》作者阿特丽女士抵达武汉。

17日　海星歌咏队、三八女子歌咏队等团体在光明大戏院召开“聂耳逝世三周年纪念会”，一千余人到会，刘雪庵致辞，田汉、阳翰笙、张曙、李公朴、冼星海在会上讲话，纪念会上演唱了抗战歌曲。

26日　通俗文艺编刊社、《大众报》等五团体在武昌召开“通俗文化问题座谈会”。

当日晚8时，“全国文协”召开常务理事会，商讨总会迁渝问题，会上决定：“由老舍代表总务部，姚蓬子代表出版部，筹备迁移事宜……会刊《抗战文艺》仍在汉口继续出版，由冯乃超负临时编辑责任。”

27日　文艺界同人在郭沫若寓所举行郭沫若“归国一周年纪念会”，周恩来、洪深等到会祝贺。

孩子剧团、七七少年剧团等十余儿童文艺团体在中山公园举行歌咏大会。

29日 “文协”在法比瑞同学会召开英国作家阿特丽女士到汉欢迎会。

30日 老舍携“文协”印信赴渝。

本月 女作家谢冰莹作《新从军日记》由汉口天马书店初版刊行。

田间诗集《呈在大风砂里奔走的岗卫们》(丁玲作序)由汉口生活书店初版刊行。

8月

3日 东北救亡总会话剧团离汉赴豫。

5日 《新华日报》发表社论《文化界动员，保卫大武汉》。

9日 武汉三镇举行“保卫大武汉”火炬游行，各剧团上街演出，诗人举行诗歌朗诵，冼星海指挥万人歌咏。

13日 “美协”举办“全国抗敌美术展览会”。

30日 臧克家的《诗歌朗诵运动展开在前方》一文发表，文章回顾了战时文化工作团的活动，对于文艺如何为抗战服务问题提出了有益的重要意见。

本月诗歌刊物《诗时代》创刊，主要作者有力杨、覃子豪、罗烽等。

三厅将各地来汉的戏剧团体，以上海演剧队为骨干，统编为九个抗敌演剧队，四个抗敌宣传队，分赴各地宣传演出。每队设队长一人，队员24～30人。在昙华林进行集训，学习政治形势和任务，学习艺术理论和技巧，周恩来、郭沫若都曾作过报告，马彦祥、田汉、洪深亲自上艺术课，曾举行一次汇演，演出过《生路》、《宣传》、《烟苇港》等剧目。编队情况如下：

一队：队长徐韬、魏曼青，由救亡三、四队成员组成。

二队：队长郑君里、吕复，由救亡三、四队成员组成。

三队：队长徐世津、王负图，前身是张光年领导的武汉拓荒剧社。

四队：队长侯枫，由救亡十一队收编，侯枫入川后由许智代队长，后又改任翁村。

五队：队长王梦生，由汉口一文明戏剧团改编。

六队：队长陆万美，前身是平津学生抗敌移动剧团。

七队：队长冼群、罗毅之，由武汉友联剧社改编而成。

八队：队长刘斐章，由救亡八队组成。

九队：队长徐桑楚，原属三厅歌舞团体，成员多为武汉、长沙两地各中学学生。

9月

1日　武汉新闻界在汉口普海春餐厅集会，庆祝“记者节”。范长江任主席，胡愈之、潘梓年、曹树铭、沈钧儒、蒋百里、田汉、洪深、阎宝航、郑彦芳、王亚明、王芸生、丁文安、胡越、张西曼、鹿地亘、罗果夫及中外记者百余人到会，《新华日报》发表社论《纪念九一记者节》。

6日　“国民党中央社摄影部摄影展览”开幕，展出抗战照片一百五十余帧。

9日　巴金由华南抵汉，《自由中国》社开欢迎会。

17日　《抗战文艺·武汉特刊》第一号出版。

24日　武汉合唱团一行二十六人赴香港演出。

31日　英国女作家何登由湘抵汉。

10月

1日　中华全国摄影协会成立，推举罗谷荪、叶浅予、徐天章、马伯超、向前、夏晓霞、席与群为干事，俞创硕等五人为候补干事。

11—12日　抗敌演剧九队在汉口青年会募款公演《火海中的孤军》等剧目。

16日　郭沫若撰文《持久战中纪念鲁迅》，悼念鲁迅先生逝世两周年。

17日　抗敌演剧四队、九队、七七少年剧团和旧剧界在汉口邦可花园补行“第一届戏剧节”开幕式，郭沫若致辞。

周恩来为鲁迅逝世两周年纪念题辞：“鲁迅先生之伟大在于一贯的为真理正义而崛强奋斗，至死不屈，并在于从极其艰险困难的处境中，预见与确信有光明的将来。这种伟大，是我们今日坚持长期抗战，坚信最后胜利所必须发扬的民族精神！”

18日　“文协”和鲁迅先生纪念委员会联合召开“武汉文化界纪念鲁迅先生逝世两周年会”，郭沫若任主席，周恩来讲话，田汉、潘梓年、李昆源、安娥、邓颖超、博古、陈依非、王洞若、于立群、任光、吴奚如、叶以群、陈北鸥、姚潜修、赵启海、王晋笙、沈月衡等三十余人出席。

《新华日报》出版"纪念特刊"，发表田汉、陶行知、周恩来、郭沫若、吴克坚、蒋弼、安娥等的悼念文章和题辞。

22 日　朱德由华北抵汉，在汉创作《重逢》一诗赠诗郭沫若。诗云：

别后十有一年，
大革命失败，东江握别，
抗日战酣，又在汉皋重见。
你自敌国归来，敌情详细贡献，
我自敌后归来，胜利也说不完。
敌深入我腹地，
我还须支持华北抗战，
并须收复中原，
你去支持南天，
重逢又别，相见——
必期在鸭绿江边。

24 日　三厅撤离武汉。

25 日　武汉沦陷。

本月苏联著名电影导演和摄影师罗果·卡尔曼受苏联人民委托，以《消息报》特派记者身份，在"保卫大武汉"时抵达武汉，他拍摄了许多武汉及附近战役的素材，直至 10 月 25 日沦陷前撤离，其后曾完成两部表现中国抗战的长纪录片《中国在战斗中》和《在中国》。

烽烟中竖起的全国文艺界团结大旗

——中华全国文艺界抗敌协会武汉记事

中华全国文艺界抗敌协会(以下简称“文协”)从1938年3月27日在汉口宣告成立，至1945年10月14日完成其历史使命，改名为中华全国文艺界协会。它与中国人民伟大的抗日战争共始终，在中国现代文学史上，是五四文学革命和“左联”之后文艺界第一次空前广泛的大联合，郭沫若同志赞誉它是“作家团结的豪华版”。

从1937年7月7日卢沟桥事变，抗日战争全面爆发，文艺界酝酿建立抗日民族统一战线，动议筹备“文协”起，至1938年10月25日武汉沦陷止，是“文协”的在汉时期，亦即“文协”活动的第一个时期。

抗日战争爆发以后，全国的政治、军事和文化中心逐渐从南京移至武汉，“武汉成为了事实上的抗战首都”，各种文化团体、大批文艺工作者纷纷云集武汉，至1937年12月，全国已有18个著名的戏剧团体以及戏剧界90%的代表人物都集中到了武汉。大家有一个共同的感觉，那就是要为民族解放的抗日战争而战斗！“在这样的号召底下，团结起来了，紧密的团结起来了。这一伟大的行动，打破了过去文人相轻的成见，建立了文艺作家间的新的关系，奠定了文艺界伟大团结的基础。”12月28日晚，由阳翰笙、王平陵发动，经过几次协商，洪深、田汉、张道藩、马彦祥、应云卫等附议，在汉口普海春酒家举行了一次筹备会议。紧接着，在12

月 31 日，筹备会又在汉口光明大戏院举行大会，宣告：在抗日救亡的旗帜下，中华全国戏剧界抗敌协会在汉口光明大戏院正式成立了！这次大会承认了筹备会推荐的由 91 人组成的“剧协”理事会，并规定从 1938 年起，每年的 10 月 10 日(辛亥革命的纪念日)为“戏剧节”。

当“剧协”正式成立的那一天，武汉各剧院联合公宴全体会员于普海春时，阳翰笙被会场中种种空前热烈的情绪所激动，受到了启示，于是他在席间又一次找到了在中国文艺社方面负责的王平陵详谈，希望能从戏剧界扩大开去，组织一个全国性的文艺工作者团体，以便团结到一处，共同努力于抗战文艺工作。他并且希望中国文艺社能够发动这一件在中国文艺史上前所未有的宏伟的工作。王平陵到邵力子处请示备案——这便是组织“文协”的最初的一次动议及其结果。

几天后，由阳翰笙出面做东，借座蜀珍酒家，邀集穆木天、端木蕻良、聂绀弩、王淑明、马彦祥、冯乃超、王平陵等 30 余人，又为“文协”事非正式地交换了一次意见，大家一致认为：“这在抗战阵营上，是急需；在文艺本身的发展上，是必需。”到了 1938 年 1 月中旬，又以中国文艺社的名义，借座普海春举行了第二次聚餐。这次聚餐讨论的结果，是产生了一个由 14 人组成的“临时筹备会”，这 14 位临时筹备员是：老舍、胡风、楼适夷、老向、姚蓬子、王平陵、陈纪滢、吴奚如、马彦祥、冯乃超、叶以群、穆木天、沙雁、安娥。并推王平陵为总书记，胡风、冯乃超为书记，进行初步的筹备工作。

临时筹备会成立以后，在很短的时间内连开了 5 次会议，拟定了 4 种文件：

(一)楼适夷起草《全国文艺界抗敌协会发起旨趣》(包括文学界各方面的代表共 97 人签名为发起人)。

(二)冯乃超起草《全国文艺界抗敌协会简章草案》。

(三)王平陵拟定全国作家调查表格。

(四)老舍、王平陵起草以筹备会名义，分致各地文艺界负责人的函。

2 月 16 日，临时筹备会在蜀珍酒家召开最后一次会议，会议商议成立正式筹备会的具体办法，到会者约 200 余人，由邵力子主持。这次会议原则通过了上述 4 项文件，并推选出张道藩、老舍、胡风、楼适夷、姚蓬子、陈纪滢、王平陵、吴组缃、曾虚白、崔万秋、穆木天、阳翰笙、马彦祥、冯乃超、苏雪林、盛成、吴奚如、华林等 28 人组成正式筹备会。临时筹备会至此结束。2 月

24日，全国文艺界抗敌协会筹备大会在武汉正式成立，到会者六七十人，由邵力子任主席，邵力子、王平陵、老舍、胡风等人先后讲话。后来，老舍著文回忆这天开会的情形说：

> 这些人，每个人有他特别的脾气，独具的见解，个人的爱恶，特有的作风。因此，在平日他们就很难免除自是与自傲。自己的努力使每个人孤高自赏，自己的成就产生了自信；文人相轻，与其说是一点毛病，还不如说是因努力而自信的必然结果。可是，这一天，得见大家的脸，我找到了为国家为民族的悲愤，在他们的话中，我听出团结与互助的消息。在国旗前，他低首降心，自认藐小；把平日个人的自是改为团结和信赖，把平日个人的好尚改作共同的爱恶——全民族的爱恶。在这种情感中，大家亲爱的握手，不容客气地说出彼此的短长，真诚演为谅解。这是何等的胸襟与气度呢！
>
> 在全部的中国史里，要找到与这类似的事实，恐怕很不容易吧？因为在没有认清文艺是民族的呼声以前，文人只能为自己道出苦情，或进一步而嗟悼——是嗟悼！——国破家亡，把自己放在团体里充一名战士，去复兴民族，维护正义，是万难作到的。今天，我们都作到了这个，因为新文艺是国民革命中产生出的，文艺者根本是革命的号兵与旗手。他们今日的集合，排成队伍，绝不是偶然的。这不是乌合之众，而是战士归营，各具杀敌的决心，以待一齐杀出。

此后，在一个月的时间内，正式筹备会议接连开了15次，议办了如下几件工作：

(一)征集全国各地作家入会。

(二)审查会员表格。

(三)决定大会成立日期、大会仪式及程序。

(四)推茅盾起草致世界文坛的公开宣言。

(五)推老舍、吴组缃起草大会的成立宣言。

(六)推楼适夷起草慰劳最高领袖暨前敌将士的电报。

(七)推胡风起草致日本被压迫作家的公开信。

(八)推盛成、秦涤清、卜道明、戈宝权将各项宣言译成各国文字由各通讯社发到世界各大报。

(九)推中国文艺社向政府当局办理立案手续。

3月23日，在假座中国文艺社召开的最后一次筹备会上，由王向辰主持，详细研究了“文协”成立大会的有关事宜。会议推定周恩来、蔡元培、居正、陈立夫、方诒、罗曼·罗兰、威尔斯等为大会名誉主席团成员，推定叶楚伧、冯玉祥、邵力子、张道藩、陈真如、陈西滢、郭沫若、老舍、茅盾、丁玲、叶圣陶、朱自清、田汉、盛成14人为主席团成员，推定王平陵、穆木天、王向辰、胡风、楼适夷、姚蓬子、马彦祥、冯乃超为大会秘书。

这样，经过近3个月的紧张筹备以后，中华全国文艺界抗敌协会终于在1938年3月27日在汉口市商会礼堂正式宣告成立了！它标志着文艺界在民族解放的旗帜下，结成了最广泛的抗日民族统一战线。这天上午，作家艺术家和来宾，共到500余人，会场上悬挂的“文章下乡，文章入伍”的标语，标示着“文协”的总口号。大会主席邵力子首先致开幕词，接着周恩来、郭沫若、鹿地亘、冯玉祥、方诒、张道藩等先后讲话。上午开会逾12时，中午全体代表到普海春聚餐，饭后即在普海春继续开会，讨论会章并选举理事。会场上自始至终气氛热烈，连空袭警报和敌机投弹都无人理会，一直持续到下午5点多钟。会上通过的《中华全国文艺界抗敌协会宣言》回顾了五四新文学发展的历史，指出；“这20年中的文艺，是紧紧伴着民族的苦痛挣扎，以血泪为文章，为正义而呐喊。未曾失节，未曾逃避，能力容有不足，幸未放弃使命。”《宣言》还着重分析了当时的抗战形势和文艺工作者所面临的任务，明确宣告：“抗敌救国”“是我们的旗号”，“我们必须联合起来”，以笔为武器，创作出“最辛酸、最悲壮、最有实效、最不自私的文艺，就是我们最伟大的文艺。它是被压迫的民族的怒吼，在刀影血光中，以最深切的体验，最严肃的态度，发为和平与人道的呼声”。

大会通过的《全国文艺界抗敌协会简章》规定了“文协”的宗旨是：“联合全国文艺作家共同反对日本帝国主义的侵略，完成中国民族自由解放，建设中国民族革命的文艺并保障作家权益。”

大会选出邵力子、冯玉祥、郭沫若、张道藩、茅盾、丁玲、许地山、巴金、成仿吾、张天翼、王平陵、胡风、马彦祥、穆木天、冯乃超、盛成、楼适夷、夏衍、郁达夫、郑振铎、田汉、朱自清、陈西滢、朱光潜、谢六逸、老舍、胡秋原、姚蓬子、吴组缃、胡绍轩、华林、沙雁、徐蔚南、陈铭枢、老向、沈从文、曹禺、曹聚仁、黎烈文、曹靖华、张恨水、施蛰存、沈起予 45 人为理事，周恩来、叶楚伧、于右任、陈立夫、孙科等为名誉理事，周扬、吴奚如、孔罗荪、罗烽、舒群、曾虚白、吴漱予、立波、丘东平、艾芜、欧阳山、宗白华、梁宗岱等 15 人为候补理事。

1938 年 1 月 11 日在武汉创刊的《新华日报》是中国共产党在国统区公开发行的一种大型日报，它旗帜鲜明地支持"文协"。在"文协"成立的当天，该报在头版显要位置发表了题为《全国文艺界抗敌协会成立大会》的社论，指出：

> 由于留居在武汉及散处各地的许多文艺工作者的大声号召，经过两月以上艰苦筹备，一面全国文艺界抗敌协会的大旗终于树立在炮火和轰炸的环攻中，在亲爱的祖国的怀抱里。在这面飘扬于拂拂春风中的大旗之下，20 年来从没有机会相见的全国文艺家，都亲爱地共处一堂，大家紧紧地团结在一起，尽管在阶级、集团、世界观、艺术方法论上大家有着各自的特性，然而一个高于一切的共同的目标——抗敌，比什么都有力地使大家都成为亲密的战友，这是一个中国文艺史上的盛举，值得我们欢欣鼓舞的。……由于文艺界的这个团结的开始，更能把文艺的队伍，在战斗的过程中，无限地扩大起来。新时代的文艺，尤其是在这大时代的文艺，早已不是个人和名山的事业，而应该是一种群众的战斗的行动。

同一天，《新华日报》还在第四版开辟了《中华全国文艺界抗敌协会成立大会特刊》，郭沫若为其题辞：

统一文艺阵线
巩固精神国防

《特刊》发表了何云、邵力子、吴组缃、吴奚如和王平陵写的 5 篇文章，分别对“文协”的成立表示祝贺，提出希望，发表意见。

4月4日，冯玉祥在自己家里主持召开了“文协”的第一次理事会，推定胡风、老舍、郁达夫、王平陵、冯乃超、沙雁、胡绍轩、盛成、胡秋原、吴组缃等15人为常务理事；并推老舍、华林为总务部正副主任；王平陵、楼适夷为组织部正副主任，同时聘请叶以群、赵清阁、谢守恒为干事；姚蓬子、老向为出版部正副主任；郁达夫、胡风为研究部正副主任。“文协”的日常工作则主要由老舍主持。

“文协”成立以后，它的第一件工作就是创办会刊《抗战文艺》，并选择在新文艺的诞生日——5月4日这天出版了创刊号。会刊编委会由33人组成，根据统一战线的原则，基本上是由共产党、国民党和无党无派人士各占1/3的“三三制”来分配的。由于当时编委分散各地，于是又由老舍提名楼适夷、蒋锡金和姚蓬子3人具体执行编务。会刊的《发刊词》旗帜鲜明地宣告了它的办刊宗旨：

> 在震天动地的抗战炮火声中，必须有着和万万千千的武装健儿一齐举起了大步的广大的文艺的队伍；笔的行列应该配布于枪的行列，浩浩荡荡地奔赴前敌而去！满中国吹起进军的号声，满中国沸腾战斗的血流，以血肉为长城，拼头颅作炸弹，在我们钢铁的国防线上，要并列着坚强的文艺的堡垒。这一个文艺的堡垒由于中华全国文艺界抗敌协会的成立，已经奠下了最初的基石，《抗战文艺》的发刊是首先在这基石上树起一杆进军的大旗，在这面旗子之下，我们号召全中国的文艺工作者，为着强固文艺的国防，首先强固起自己营阵的团结，清扫内部一切纠纷和磨擦、小集团观念和门户之见，而把大家的视线一致集注于当前的民族大敌。

《抗战文艺》最初是3日刊，从第5期起改为周刊，“文协”周年纪念日起改为半月刊，后来又改成了月刊。它的出版周期一再延长，其主要原因是由于“文协”的经费拮据和战时印刷太不方便。但是，无论怎么困难，它却始终没有停刊。《抗战文艺》在武汉出16期后，由于“文协”总会从武汉迁往重庆，自17期起即在重庆复刊。但当时仍留下了冯乃超、孔罗荪、戈宝权、叶以群4人坚持编了4期《抗战文艺》的《武汉特刊》。这样，《抗战文艺》在武汉一共出刊20期。《抗战文艺》是贯通抗日战争时期的唯一的文艺刊物，至1946年5月终刊，共出版71期，对于推动抗日文艺活动发挥了巨大的作用。老舍为此评价说：

> 会刊虽不很大，它却给文艺刊物开了个新纪元——它是全国写家的。而不是一个人或几个人的。积极的，它要在抗战的大前提下，容纳全体会员的作品，成为文协的一面旗帜。消极的，它要尽量避免战前刊物上一些彼此的口角与近乎恶意的批评。它要稳健，又要活泼；它要集思广益，还要不失了抗战的，一定的目标；它要抱定了抗战宣传的目的还要维持住相当高的文艺水准。这不大容易作到。可是，它自始至终，没有改变了它的本来面目。始终没有一篇专为发泄自己感情，而不顾及大体的文章。

“文协”成立之后，即着手组织建设，整理、登记和发展会员，建立各地分会，组织全国性的通讯联络网。按照会章规定，凡所在地有会员10人以上，方可成立分会，不足10人者暂称通讯处。在不到一年的时间内，便迅速组建了重庆、长沙、成都、桂林、昆明、贵阳、西安、香港、襄阳、宜昌、新疆等数十个分会及通讯处，第一批会员约达300余人。

■ “全国文协”成立大会旧址

“文协”在开成立大会的时候，就提出了“文章下乡，文章入伍”的口号，并设立了通俗文艺工作委员会。战争已经使作家们再也不能闭门著书了，形势迫使他们从军和流亡，走向了军队与老百姓。他们看到了这

■ 1937 年 3 月 27 日“全国文协”成立大会后全体代表合影

样一个在过去连想都想象不出的、然而却是铁一般的事实：在一个 400 户的村庄里找不到一本新文艺，全村的老百姓没有一个人知道鲁迅；前线上连报纸都看不到，更不用说文艺书籍，士兵们在无可奈何的时候，只好到老百姓家里去借《三国演义》与《施公案》一类的闲书。这些触目惊心的的事实，使作家们有了一个极可宝贵的发现，那就是：“革命的文艺须是活跃在民间的文艺，那不能被民众接受的新颖的东西是担不起革命任务的。”“文协”特别注意动员和组织作家去前线劳军慰问，到民间访问难民。在鲁南台儿庄歼敌大捷后，“文协”即于 1938 年 4 月 14 日派理事郁达夫、盛成携带“还我河山”的锦旗一面和大量《告慰台儿庄胜利将士书》，前往抗日前线慰问。5 月 3 日，郁达夫返汉后，又报告了前线士兵极缺精神食粮的消息。于是，“文协”立即召开了一个“通俗读物座谈会”，讨论士兵与民众所需要的读物为什么要通俗化和如何通俗化的问题，并组织会员迅速创作“士兵通俗读物”百种，想方设法印刷出版，送到前线与乡间去，受到了群众的欢迎。“文协”就是这样使“文艺大众化”问题从理论探讨走向了创作实践，促进了作家与民众的结合。

1938年4月9日，周作人参加了日寇在北平召开的“更生中国文化建设座谈会”，在中华民族处于危亡之时投敌叛变，堕落成可耻的文化汉奸。这一消息传到武汉后，震惊了整个文坛。5月5日，“武汉文协”率先通电全国文化界，“周作人钱稻荪及其他参加所谓‘更生中国文化建设座谈会’诸汉奸，应即驱逐出我文化界以外，藉示精神制裁”。5月14日，茅盾、郁达夫、老舍、冯乃超、胡风、张天翼、丁玲、夏衍、王平陵等18人又在《抗战文艺》1卷4期上联名发表《给周作人的一封公开信》，严辞谴责周作人的叛国行径。7月13日，老舍携带“文协”总会印鉴先行离汉以后，武汉的军事形势日益紧张，但“文协”的在汉理事和会员们仍然坚持了斗争，在“纪念八一三，保卫大武汉”等活动中尽力尽心。《抗战文艺》出版了《保卫大武汉专号》，发起了《保卫大武汉一日》的征文活动。10月19日，“文协”与鲁迅先生纪念委员会还在武汉青年会联合召开了鲁迅逝世二周年纪念会，由“文协”的冯乃超和鲁迅先生纪念委员会的胡愈之出面召集，郭沫若任会议主席并致词，周恩来出席会议作重要讲话。到会者计有：博古、田汉、潘梓年、邓颖超、吴奚如、任光、安娥、李昆源、陈依菲、叶以群、陈北鸥、王洞若、于立群、姚潜修、赵启海、王晋笙、沈月衡及中国青年新闻记者学会的一名代表，共22人。

1938年10月25日，武汉沦陷。郭沫若率政治部第三厅工作人员于当日撤离武汉，“文协”的理事及会员亦先后抵渝。至此，“文协”在汉的活动即告一段落，其后又在大后方重庆继续坚持开展了有声有色的斗争，为中国人民的抗日民族解放斗争作出了不可磨灭的贡献。

『周作人「不作人」！』

——武汉文艺界讨逆活动的前前后后

伟大的抗日民族解放战争，对每一个中国人都是一场严峻的考验。残酷的斗争、生死的抉择无情地烛照了一切人的灵魂。在民族危亡的重要关头，忠贞奸佞、人妖正邪，泾清渭浊，了了分明。抗战初期，武汉文艺界口诛笔伐、声讨逆贼的活动，即是一例。

日军侵占北平后，大力推行奴化教育和文化侵略，鼓吹“中日两国的文化提携”。1938 年 2 月 9 日日本《大阪每日新闻》社在北平召开所谓“更生中国文化建设座谈会”，北京大学教授周作人不仅应邀赴会，而且接受记者采访，“于觥筹交错声中，许多极有意义的话源源而出”。日方特派员高桥以“支那政治文化要闻”在报纸上作了详细报道，并随发照片一帧：在戎装的日本军人和西服汉奸文人之中，赫然坐着长袍马褂的周作人。

这位周作人在五四新文化运动初期，曾是一位成绩斐然的骁将，他发表过震动文坛的《人的文学》，写出了传诵一时的新诗《小河》，在“三一八”斗争中抨击过“正人君子”;他是一名知名教授，俞平伯、废名、冰心都是他的学生；他救助过共产党创始人李大钊的遗孤，又是新文化运动主将鲁迅先生的胞弟，驰名文苑。

可是这位名噪一时、颇有影响的人物，却在国家将亡、民族危难之时，诩诩自得地与敌人坐在了一起。北平沦陷时，他留恋家人旧宅，以“舍间人多，又实无地可避”为由，不肯南迁，并写过这样两首诗表述自己未能离京的心绪：

其一

燕山柳色太迟迷，话到家园一泪垂。
长向行人共炒栗，伤心最是李和儿。

其二

家祭年年总是虚，乃翁心愿竟何如。
故国未毁不归去，怕出偏门过鲁墟。

他虽振振有词向友人表示“请勿视留北诸人为李陵，且当作苏武看为宜”，但在日寇高官厚禄的利诱与软硬并施的胁迫之下，终至丧尽良知，成为可耻的文化汉奸，掉进堕落的罪恶之渊。

1938年4月底，国内《文摘·战时旬刊》第19期，全文译载了日方召开“更生中国文化建设座谈会”的专题报道，并附有照片。编者十分悲愤地写道：“看了这篇座谈录，使人不期然想到周氏的令兄一向以勇敢的姿态为正义而斗争的鲁迅先生来。鲁迅先生有知，真不知要如何激愤呢！”

犹如一枚炸弹爆响，此期《文摘》一出，全国舆论大哗，文坛震惊。周作人卖身求荣、认贼作父的狐鼠行径，立即引来文艺界一片谴责与讨伐之声。

消息传来，武汉抗战文艺界群情激愤，同仇敌忾。5月5日，武汉市文化界抗敌协会率先通电全国，呼吁文化同仁“鸣鼓而攻”。这篇电文湮没于地方旧报，颇不易得，兹全文援引如下，电云：

全国文化界公鉴：

倭寇谋我，不仅侵占我土地，攫夺我经济，尤在永远奴役我中华民族。欲达此目的，必先毁灭我数千年传统文化而代以奴才文化。此抗战以来，我全体文化界同人所深深痛感者。故皆淬励奋发，誓歼蛮魔，乃阅最近之大阪《每日新闻》内载“所谓‘更生中国文化建设座谈会’”，内容记倭寇对我民族施行“精神奴化”之一幕丑剧。参加此剧之其他汉奸，原不足责，所为异者，素以新文学权威称之周作人及钱稻荪等，于北平陷落以后，不即避地远引，应如何深藏自珍，另图报国，或静候国军收复失地，乃竟不知耻，不惜葬送过去之清名，公然附会倭寇出卖人格。照片赫然，言论俱在，当非枉诬。诚我文化界之耻辱，亦国民中之败类者。请授鸣鼓而攻之义，声明周作人、钱稻荪及其他参与所谓“更生中国文化座谈会”诸汉奸，应即驱逐出我文化界以外，藉示精神制裁，至各汉奸通敌叛国之罪责，俟诸政府明正典刑可也。尚希我文化界及爱国同胞一致主张，是所至盼。

武汉文化界抗敌协会　徽

这份通电是全国第一篇声讨周作人等文化汉奸的檄文，表达了武汉人民的满腔义愤。

第二天，在汉口出版的中国共产党报纸《新华日报》以《文化界驱逐周作人》为题发表短评，申明“武汉文化界把这种文化败类驱逐‘出界’，实属应当”。文章认为“周的晚节不忠实非偶然”，是他“把自己的生活和现实社会脱离得远远的”的必然结果。提醒那些对硕学鸿儒盲目地崇拜认识不清，犹存疑虑的人接受教训；同时也指出：“我们对于罪恶昭彰如周作人、钱稻荪等固应‘鸣鼓而攻’，对于以前辈自负，言论怪诞或不问时事的‘学者’，也应在平时严加督责，使参加救亡，至少也要使他们保全文人气节，不致堕落到甘为敌寇效劳的汉奸。”《新华日报》的文章旗帜鲜明，理直气壮，大快人心！

中华全国文艺界抗敌协会（全国文协）在武汉文协通电发表后，立即在文协本部（现汉口中山大道永康里 42 号）召开会议，会议由老舍先生主持，商讨如何对待周作人“落水”一事，议决结果是在文协机关刊物《抗战文艺》上公开发表《给周作人的一封公开信》，表明立场，分析情况，对周加以最后的规劝。这封信的原稿由文协常务理事、组织部副主任楼适夷起草，再经文协常务理事、研究部主任郁达夫斟酌修改，最后由大家签名定稿。

1938 年 5 月 14 日，《给周作人的一封公开信》在汉口版《抗战文艺》第一卷第四号上，以刊物封面的显著位置公开发表，在信上签名的有茅盾、郁达夫、老舍、冯乃超、王平陵、胡风、胡秋原、张天翼、丁玲、舒群、吴奚如、夏衍、郑伯奇、邵冠华、孔罗荪、蒋锡金、叶以群、楼适夷等共 18 人。列名信上的主要是左翼作家，也有无党派的自由作家和国民党的文化人，这一事实表明的是，对他的谴责和期望是各方面的一致愿望，它说明了在爱国抗日的旗帜下，全国文艺界的统一和团结。

由于许多著名作家与周作人间的特殊关系，以及对周当时犹存挽救之心的愿望，“公开信”是非分明，措辞尖锐，但又刚柔相济，十分得体，信的开头说道：“去秋平津沦陷，文人相继南来，得悉先生尚在故都。我们每听到暴敌摧残文化，仇害读书青年，便虑及先生的安全，更有些朋友，函电探问；接先生复书，知道决心在平死守，我们了解先生未能出走的困难，并希望先生作个文坛的苏武，境逆而节贞，可是，由最近敌国报章所载，惊悉先生竟参加敌寇在平召集的‘更生中国文化建设座谈会’；照片分明，言论俱在，当非虚构。先生此举，实系背叛民族，屈膝事仇之恨事，凡我文艺界同人无一人不为先生惜，亦无一人不以此为耻。”当北平为日军占领，周作人未随校南迁时，文艺界对他是十分关注的。不少朋友劝他南下或东去，鲁迅去世后，共产党就派冯雪峰通过周建人接近他，希望能去上海，但他却一头扎进“苦雨斋”。郭沫若 1937 年 8 月 23 日写了《国难声中怀知堂》，他在文中写道：“我自回国以来所时时怀念着的。却是北平苦雨斋中的我们的‘知堂’”。希望周作人能够间道南来。他说：“‘如可赎兮，人百其身’。知堂如真的可以飞到南边来，比

■ 周作人（坐者右三）参加“更生中国文化建设座谈会”

如像我这样的人，为了掉换他，就死上几千百个都是不算一回事的。”殷殷之情，拳拳之心，溢于言表。但周作人却使关心他的朋友失望了，愤怒了，他不仅未能离平南下，而且步钱稻荪、汤尔和后尘而落水。公开信分析了周的思想后指出：“我们觉得先生此种行为或非出于偶然，先生年来对中华民族的轻视与悲观，实为弃此就彼，认敌为友的基本原因。”为了再次挽救他，公开信的最后说：“我们最后一次忠告先生，希望幡然悔悟，急速离平，间道南来，参加抗敌建国工作，则国人因先生在文艺工作者上过去之功绩，及今后之奋发自赎，不难重予爱护。否则惟有一致声讨，公认先生为民族之大罪人，文化界之叛逆者。一念之差，忠邪千载，幸明察之！”拳拳忠告，犹存希冀，这封信写得仁至义尽，斥责、警告之中，还依然给他留下了回头的余地。

■ 被刺后的周作人

对于“周作人在祖国艰苦的战斗着的时候叛变了”，正在武汉的诗人艾青，是“用灼痛的心接受这消息的”。他没有容忍和谅解，在6月一个闷热的日子，他关在屋子里无限愤慨地写作了《忏悔吧，周作人！》一诗，诗作在举国浴血抗战的壮阔背景下，描绘了周作人的胆怯、萎缩、自私的形象，揭露了他卖身投靠，甘为倭犬的丑行，警告中有鄙夷，讽刺中见愤恨，诗的最后一节写道：

周作人
你——
曾为祖国的文化
举起过革命的旗帜
今天
在不正的暴力的前面
你胆怯了么？

忏悔吧，
周作人！
不然
你站稳
我要向你射击……
中国的青年
要向你射击……

周作人至终没有“忏悔”，也没有“回头”。在金瓯残破，民生维艰，举国浴血奋战的时刻，号为人师国表的学者和教授，却丧失了做人的起码道德，在罪恶的道路上越滑越远。在出席“更生中国文化建设座谈会”后，他又数次在伪临时政府教育部参加学制研究会、编制委员会的会议，由伪北京大学图书馆馆长、文学院院长至伪华北教育部署督办，一步步在民族失节的深渊中坠落。

民心不可欺。周作人的变节行为为国人所不齿，无论识与不识者，对他都十分鄙弃，抗战时期在街头巷尾经常可以听到这样一句话：“周作人不‘作人’！”真是绝顶的讽刺，妙不可言！

跋

章绍嗣先生是武汉市文史研究馆馆员、中南民族大学教授，著名的抗战文艺和城市文化研究学者。我对抗战文化亦感兴趣，很早就拜读过他关于抗战文艺方面的作品，很是尊重。当前年章先生跟我说起很想将他倾注心血的抗战文艺研究作品编著成书出版时，我欣然应允给予帮助。因为我知道，这不仅仅是对章先生的帮助，更是由于这件事很有意义。

抗日战争是近代中国百年以来，反抗外寇侵略唯一获取全胜的战争。在这场战争中，有太多惨痛的记忆与灾难，但也有太多辉煌的文化业绩诞生其间。为了让中华民族抗暴御侮的精神彪炳千秋，为了使弥足珍贵的抗战文化不致湮没，结合现代文学教学的需要，从1980年起，章绍嗣先生就选定了武汉抗战文艺作为目标，开始了自己的研究。三十多年来，他奔波于国内外、各省市和高校的图书馆，寻觅那些历经战乱得以幸存下来的书籍、图片和资料，又利用假期和出差访问当年抗战文艺运动的亲身经历者，得到了老作家阳翰笙、陈荒煤、臧克家、田间、姚雪垠、端木蕻良、蒋锡金、赵清阁等的亲切关怀和帮助。砚田耕耘，孜孜不倦，相继写作出版了《武汉抗战文艺史稿》、《抗战文艺散论》、《中华百年爱国诗词》、《中国抗日战争大辞典》、《中国现代社团辞典》等著作，在各种期刊发表论文 60 多篇。十余年间，又前后在《湖北日报》、《长江日报》和《长江商报》等报纸开辟“抗战楚文坛”、“抗战文化札记”和“武汉文坛拾零”专栏，发表有关抗战文艺的札记、随笔逾百；在学校里，给多个年级开设过“抗战文艺研究”选修课。此外，还参与过《湖北省文化志》、《武汉市文艺志》、《中国现代文学研究史纲》、《中国现代文学社团流派史》等国家重大课题的编撰。应该说，在这些研究中，章先生倾注感情，倾注心血，付出了巨大的精力，取得了令人瞩目的成就，友朋之绩，可喜可贺。

退休之后，章先生对抗战文化的研究依然执着笃定，笔耕不辍，又发表了论文二十余篇。数年前虽经历了生死攸关的一场大病，但仍以写作为乐，倾心新著，在其女儿的参与和帮助下，克服困难，一遂夙愿。本书真实纪录了抗战时期来汉作家的历史风貌和珍贵足迹，书中又采用了“保卫大武汉”前后，特别是当年在武汉和省内拍摄的老照片及大量图片，保存了较丰富的史料，殊属难得，十分珍贵。在存史、资政、教化等方面是颇有价值的。

作者嘱我在此跋中再次郑重感谢武汉市政府文史研究馆，我甚感言重，其实乃职责所在。就让我代为转达先生对中南民族大学老干处支持和帮助的感谢、对湖北人民出版社的感谢。

祝先生身体健康、文心长青，是我之愿也！

吴胜家

2014 年 1 月 14 日

（作者系武汉市政府文史研究馆馆长）